Para la familia Saldivar

con afecto

neo entes

neo entes

Tecnología y cambio antropológico en el siglo 21

Miklos Lukacs de Pereny

www.hojasdelsur.com

Neo entes
Tecnología y cambio antropológico en el siglo 21
Miklos Lukacs de Pereny

1.ª edición

Editorial Hojas del Sur S.A.
Albarellos 3016
Buenos Aires, C1419FSU, Argentina
e-mail: info@hojasdelsur.com
www.hojasdelsur.com

ISBN 978-987-8916-60-6

Impreso en México
Febrero de 2024

Todos los sitios web incluidos en esta obra están disponibles al momento de su publicación y se ofrecen como fuente de información complementaria para el lector. El autor no es responsable de su disponibilidad en el futuro.

Correo electrónico de contacto: mlukacs@protonmail.com

Dirección editorial: Andrés Mego
Edición: Silvana Freddi
Diseño de portada: David Fassett
Diseño de interior: Arte Hojas del Sur

Lukacs de Pereny, Miklos
Neo entes : tecnología y cambio antropológico en el siglo 21 / Miklos Lukacs de Pereny. - 1.ª ed. - Ciudad Autónoma de Buenos Aires : Hojas del Sur, 2023.
224 p. ; 23 x 15 cm.

ISBN 978-987-8916-60-6

1. Ensayo Sociológico. 2. Ensayo Filosófico. 3. Ensayo Político. I. Título.
CDD 301.01

A papá y a mamá, por darlo todo.
A mi hijo, por serlo todo.

Índice

Agradecimientos

Algunas personas e instituciones han contribuido, de alguna u otra manera, a la materialización de este libro pero, corriendo el riesgo de olvidar a algunas, quiero agradecer especialmente...

A mis padres, a quienes admiro y amo inconmensurablemente, por ser mis fuentes de inspiración y guía constante. Todo se lo debo a ambos.

A Kim, compañera incansable, sin cuyas silenciosas (pero fundamentales) contribuciones, este libro jamás habría sido posible.

A mi hermano Sandor, ejemplo de constancia y de dedicación, por su permanente apoyo durante el desarrollo de este emprendimiento.

A Luis Gaspar, Jaime Manning, José Mariño, Rafael Pastor, Carlos Polo y Juan Carlos Puertas por acompañarme y confiar en mí antes que todo comenzara. Entrañables amigos para toda la vida.

Al Rector, Dr. José Antonio Chang Escobedo y al Vicerrector, Dr. Raúl Bao García, de la Universidad de San Martín de Porres (USMP), por defender y promover la libertad de expresión en tiempos de cancelación, y a mi querido amigo, Ing. Luis Cárdenas Lucero quien, desde mis inicios en la USMP, apostó por mis capacidades.

A Balázs Orbán, Zoltán Szalai, Sándor Gallai, Attila Demkó, Dora A. Szucs, Noémi Pálfalvi, Noémi Besedes, Claudia Kiss-Rozsman, Múzsa Orosz-Kalvári y Szilvia Nagy en representación del Mathias Corvinus Collegium (MCC), institución modelo que me acogió los primeros seis meses de 2022 en la maravillosa Budapest para continuar este libro, experiencia que también me permitió conocer y valorar aún más mis raíces húngaras. Agradezco especialmente a Péter Heltai por haberme presentado esta oportunidad y a mi querido amigo Rodrigo Ballester por haberme hecho sentir siempre en casa.

A Agustín Laje, quien, gracias a su generosidad, integridad y visión, impulsó de manera decisiva mi crecimiento en redes sociales a nivel internacional.

A Andrés Mego, Director de Hojas del Sur, por confiar en mi trabajo.

A Óscar Báez, a Silvana Freddi y al padre Juan Manuel Medina por pulir y reducir las imperfecciones de esta obra.

A Gabriela y Susana Davanzo, Karla y Amparo Piedra, Marilú Díaz, Gisella Alva, Milagros Aguayo, Rocío Jaramillo, Gabriela Burneo, Enzo Torchiani, Alfonso Baella, Víctor Andrés Ponce, Luciano Revoredo, Alejandro Muñante, Enrique Espinoza, Carlos Leal, María de la Paz Guerra, Pedro y Mónica Bulnes, Sergio Maldonado, Attila Kalmam, Attila Puskas, Béla Haller, Valeria Insfran, Hugo Vera, Héctor Acuña, Dannia Ríos, Margarita Rolón, Cynthia Peña, Viviana Perini, Cristina Díaz, Freddy Maurad, Marcela Miozzo y mi querido maestro Ronnie Ramlogan, por formarme como persona y como profesional y/o por respaldar activamente la difusión de mis ideas en toda la región iberoamericana.

Finalmente, muchas gracias a todas las personas que siguen y apoyan mi trabajo, desde Canadá hasta Argentina y desde Ecuador hasta España por motivarme a seguir adelante.

Introducción

Es muy probable que Shulamith Firestone (1945-2012) sea desconocida para la gran mayoría de lectores. Esta mujer, de aspecto sosegado y de brillante inteligencia, es una de las representantes más emblemáticas del feminismo radical. En *La dialéctica del sexo* (1970), su obra más influyente, la autora canadiense escribió lo siguiente:

La revolución feminista podría ser el factor decisivo para el establecimiento de un nuevo balance ecológico: alertar sobre la explosión poblacional, un cambio de énfasis de la reproducción a la contracepción, y demandas para el desarrollo completo de la reproducción artificial ofrecerían una alternativa a la opresión de la familia biológica[1].

En un solo párrafo, Firestone resumió algunos de los fenómenos y cambios más significativos que hoy experimenta el mundo contemporáneo y proyectó un futuro reproductivo mediado por la tecnología. Desde 1970 hasta la fecha, la multibillonaria agenda medioambiental, el deliberado control demográfico, los incesantes ataques a la familia y el nivel de desarrollo de tecnologías convergentes —varias con aplicaciones y con fines reproductivos— han dejado de ser puntos inconexos y especulativos. Las líneas que separaban la ciencia ficción de la realidad se están borrando rápidamente, y no sería descabellado pensar un futuro en el que todo el proceso reproductivo del ser humano sea tercerizado a la tecnología. Las asimetrías de poder entre quienes las desarrollen, las gestionen y las controlen y el resto serían insalvables; los primeros tendrían las herramientas para crear y destruir vida a voluntad —la posibilidad de convertirse en *Homo deus*— mientras que a los demás solo nos quedaría esperar el Apocalipsis.

En este libro busco dar sentido a lo previamente expuesto. Elaboro una proposición cualitativa, interpretativa y exploratoria para identificar las causas y explicar las consecuencias de las aspiraciones de Firestone y, por extensión, de quienes hoy —respaldados por su

1. Firestone, S. (1970). *The Dialectic of Sex: The Case for Feminist Revolution*, William Morrow and Company: New York. p. 202.

inmenso poder político, económico y tecnológico— interesadamente buscan materializarlas. Debido a la multiplicidad y complejidad de los conceptos, ideas y procesos abordados, he hecho el mayor esfuerzo para describirlos, explicarlos e integrarlos de la manera más sencilla y articulada posible. Por lo tanto, es un texto dirigido a cualquiera que tenga un genuino interés por interpretar mejor los tiempos que vivimos. Sin embargo, adelanto que quien busque respuestas finales y definitivas a todas sus interrogantes no las encontrará aquí. Por el contrario, lo más probable es que mi trabajo termine estimulando más preguntas que respuestas. Si lo logro, y a la vez contribuyo a armar partes importantes del rompecabezas actual, habré cumplido largamente mi principal objetivo: estimular el pensamiento propio.

El libro se compone de seis capítulos. Introducir tecnologías reproductivas necesariamente implicaría transformar la naturaleza y experiencia de vida del ser humano, destruyendo de manera irreversible todo lo que somos y vivimos siendo lo que somos. Por lo tanto, en el primer capítulo, abordo estos conceptos e ideas y los complemento con una reseña general sobre cómo ha sido concebida la idea del ser humano en el tiempo —desde los aportes de Platón hasta el posestructuralismo francés—, con el propósito de conocernos, entendernos y valorarnos un poco más. Sin una adecuada comprensión de lo que somos, es imposible defendernos de la terrible, pero real amenaza que representa nuestra instrumentalización en nombre del progreso.

Es precisamente el progreso, el tema que cubro en el segundo capítulo. Su inclusión se justifica por la actual obsesión individual y colectiva con esta idea y las utopías que en su nombre se ofrecen. En tiempos de progresismo y de varios tipos de progreso —científico, tecnológico, e incluso moral—, escudriñar su génesis y su evolución ideológica invitará al lector a reflexionar sobre su relevancia, impacto y alcance. También será capaz de identificar y comprender los vicios, omisiones y mentiras de quienes hoy han secuestrado esta idea para justificar sus condenables y disolventes imposiciones.

Ningún movimiento cultural, político y/o social representa y estructura mejor la visión de progreso del mundo posmoderno que el transhumanismo. En el tercer capítulo, nuevamente recurro a la historia para ilustrar que las aspiraciones del ser humano para superar todas sus limitaciones naturales —y así deshacerse de Dios— no son nuevas. No obstante, a diferencia de épocas anteriores, hoy existen tecnologías como la inteligencia artificial y la edición genética, que tienen probada capacidad para redefinir y reconfigurar nuestra especie. En atención a su nivel de desarrollo e impacto actual, son las dos tecnologías que explico con mayor amplitud y detalle.

Si bien este libro no está formalmente estructurado en partes, los tres primeros capítulos aportan los conceptos, ideas y perspectivas filosóficas necesarias para comprender los tres capítulos siguientes, que son explicativos y aportan abundante evidencia empírica para sustentar los argumentos, inferencias y justificaciones planteados.

En el cuarto capítulo introduzco las plataformas y narrativas que asociamos a esa red global, aunque aún difusa, de actores e instituciones que hoy denominamos "progresismo". Comienzo con la Cuarta Revolución Industrial y fundamento su íntima relación con el movimiento transhumanista, y concluyo que es una narrativa utilizada para transformar sus ideas y propósitos en política pública global. Complemento esta relación con la agenda del medioambiente —la agenda madre del progresismo—, que identifica al ser humano como principal responsable del calentamiento global. A partir de esta relación causal, se justifican las medidas de control demográfico que son implementadas mediante una serie de agendas —aborto, ideología de género y derechos LGBT, feminismo, especismo o animalismo y eutanasia— que, en conjunto, denomino "la agenda arcoíris". El capítulo incluye una propuesta teórica para estructurar la red progresista, lo cual nos permitirá identificar a sus principales cabecillas, organizaciones e instituciones sin necesidad de recurrir a "teorías de conspiración". Debe ser evaluada como una tarea en proceso y sujeta a recomendaciones y a modificaciones. Lo que sí queda claro es que el eslogan tripartito "Diversidad, igualdad, inclusión" representa todo lo contrario y solo cosifica, degrada y destruye al ser humano en su totalidad.

El quinto capítulo contrasta las falsas promesas del tecno-optimismo manufacturado y la agenda arcoíris con la cruda realidad de sus consecuencias. Selecciono las subagendas del aborto, los despiadados mecanismos de adoctrinamiento de nuestros niños y diferentes casos de la comunidad trans para probar de manera irrefutable —abundante evidencia empírica por medio— el enorme daño y sufrimiento que están causando a sus víctimas y a las sociedades.

Finalmente, el sexto capítulo integra las descripciones y explicaciones contenidas en los cinco capítulos anteriores para concluir, de manera preliminar, que nuestro mundo se encamina hacia la tercerización de la reproducción humana a la tecnología y a una manipulación de nuestra naturaleza sin precedentes en la historia. Al ser un fenómeno en proceso, es imposible arribar a conclusiones definitivas, ya que los fenómenos presentados deberán seguir siendo validados empíricamente. Sin embargo, sobre la base de la lógica, las agendas actualmente implementadas, los discursos asociados a estas y la evidencia sobre sus consecuencias, ya es posible proyectar tendencias, e inferir que nos dirigimos hacia un futuro sin dignidad, integridad e identidad física, mental y espiritual, todo en aras de una excluyente idea de progreso.

Antes de finalizar, quisiera agregar algunas precisiones. En primer lugar, la mayoría de las referencias incluidas como notas a pie de página están en inglés. Esto obedece al hecho de que la mayoría de las fuentes disponibles en español —especialmente aquellas relacionadas con las temáticas de este libro— son generalmente escasas y de muy mala calidad. En segundo lugar, investigar e integrar los temas aquí tratados es como estudiar un fenómeno conformado por varios fenómenos de múltiple naturaleza. Observarlo es como observar un universo, tarea que demanda rigor, creatividad y un compromiso irrestricto con la verdad. El mayor error es estrechar nuestra mirada y no aceptar el desafío de armar el enorme rompecabezas que se nos presenta. Por lo tanto, este libro es un trabajo en desarrollo que, no me cabe la menor duda, estimulará la formulación de nuevas preguntas y abrirá nuevas líneas de investigación. Finalmente, quiero confesarles mi enorme alegría y orgullo por el cierre de un ciclo que comenzó en abril de 2016 y culminó en septiembre de 2022, ciclo que me permitió escribir partes de este libro en Inglaterra, Perú, México y Hungría, y que ahora comparto con todos ustedes. Sinceramente, espero que disfruten su lectura y que esta les sea de enorme provecho.

Manchester, septiembre de 2022

Capítulo I

¿Qué es el ser humano?

Creó, pues, Dios al ser humano a imagen suya, a imagen de Dios lo creó; macho y hembra los creó.

Biblia de Jerusalén (2009)

El hombre es una cuerda tendida entre el animal y el superhombre.

Friedrich Nietzsche, *Así habló Zaratustra* (1883)

Por lo tanto, afirmamos que matar a un recién nacido puede ser éticamente aceptable en todas las circunstancias donde también lo sean para el aborto. Tales circunstancias incluyen los casos donde los recién nacidos tienen el potencial de tener (por lo menos) una vida aceptable, pero ponen en riesgo el bienestar de la familia.

Alberto Giubilini y Francesca Minerva, *Aborto postparto* (2013)

En 2013, el equipo editorial del *Journal of Medical Ethics*, una de las revistas académicas más importantes del mundo, publicó el artículo "Aborto postparto: ¿Por qué debería vivir el bebé?[2], escrito por los filósofos italianos Alberto Giubilini y por Francesca Minerva, quien también es una entusiasta transhumanista. Más allá de eufemismos, en el título de su trabajo, ambos autores argumentaron que es moralmente permisible asesinar neonatos, aun si están completamente sanos y tienen altas posibilidades de vivir bien. Justifican este crimen porque consideran que los bebés recién nacidos no son personas, ya que carecen de la madurez suficiente para valorar sus propios intereses. También aprueban el asesinato de seres inocentes si estos se convierten en "cargas" de diversa índole para sus madres y/o familias. Como era de esperar, las respuestas a esta grotesca apología del infanticidio no tardaron en llegar[3], pero el artículo de marras refleja la profunda crisis moral y epistemológica de la civilización occidental.

La broza revestida de sofisticada intelectualidad de Giubilini y de Minerva no es el único ejemplo. En mayo de este año, se estrenó el documental *What is a Woman?*, producido por la plataforma conservadora estadounidense *Daily Wire* bajo la conducción del polémico católico Matt Walsh. El documental aborda la problemática del transgenerismo y del transexualismo, y busca respuestas a la sencilla pregunta "¿Qué es una mujer?". Walsh entrevistó a varias personas, incluyendo profesores universitarios y a un médico transexual responsable de numerosas cirugías "correctivas" en adolescentes, pero ninguna pudo ofrecer una respuesta mínimamente plausible. No cabe duda de que la profunda ignorancia y el desprecio al ser humano son consecuencia de perspectivas filosóficas disolventes como el utilitarismo, el feminismo, el posmodernismo, la ideología de género y el transhumanismo, perspectivas que abordaré con mayor detalle en secciones

2. Giubilini, A. and Minerva, F. (2013). "After-Birth Abortion: Why Should the Baby Live?", *Journal of Medical Ethics*, 39(5): 261-263.

3. Se destacan las réplicas escritas por Francis J. Beckwith y por Jacqueline A. Laing. El primero demuele la matriz relativista que sustenta el concepto de persona utilizado por Giubilini y por Minerva, mientras que la segunda expone la arbitrariedad e irracionalidad de los autores italianos en su intento por legitimar el infanticidio. Ver: (I) Beckwith, F. J. (2013) "Potentials and Burdens: A Reply to Giubilini and Minerva", *Journal of Medical Ethics*, 39: 341-344.; y (II) Laing, J. A. (2013) "Infanticide: A Reply to Giubilini and Minerva", *Journal of Medical Ethics*, 39 (5): 336-340.

posteriores. El culto obsesivo al individuo —la postura del yo primero, yo segundo y yo tercero—, la búsqueda compulsiva del placer —el hedonismo patológico— y la primacía de los sentimientos sobre los hechos —la posverdad— están contribuyendo a la pérdida de nuestra identidad y compás moral.

En *Humano, demasiado humano* (1908), el filósofo alemán Friedrich Nietzsche culpa a las tradiciones "barbáricas" de la religión y a la filosofía moral occidental de inducirnos al error y convertirnos en seres burdos o "demasiado humanos". Según Nietzsche, solo podremos ser verdaderamente libres si matamos a Dios y nos transformamos en superhombres[4]. Estas recomendaciones captan a la perfección el *zeitgeist* de nuestros tiempos, tiempos marcados por el anticristianismo y por una antropofobia sin precedentes en la historia de la humanidad. Algunos están dispuestos a salvar a las ranas ladradoras en Guatemala, pero también a triturar los cráneos de seres humanos que ya no encuentran cobijo en el vientre materno. Otros prefieren establecer "relaciones" románticas y sexuales con robots mientras miles de ancianos languidecen en asilos. Tampoco faltan las brigadas del pensamiento único que no tienen reparos en destruir a quienes afirman, amparados por abrumadora verdad científica, que un hombre biológico no es —ni será nunca— una mujer mientras médicos inescrupulosos realizan mastectomías y castraciones en adolescentes físicamente sanos.

¿Qué está pasando? Pienso que nos hemos convertido en víctimas de un excesivo racionalismo[5], pero también de la vanidad y del egoísmo. A la batería de fobias manufacturadas deberíamos agregarle la atelofobia —el miedo exacerbado a las imperfecciones— que percibimos en nuestra propia naturaleza y existencia. Combinada con la

---

4. Si bien la famosa cita "Dios ha muerto. Dios sigue muerto. Y nosotros lo hemos matado" se extrae de *El alegre saber* (1882), la idea es reutilizada en *Así habló Zaratustra* (1883), donde introduce y elabora el concepto de übermensch —'superhombre'— o aquel ser que se libera de toda superstición para poder desarrollar su máximo potencial.
5. El racionalismo es una teoría y método epistemológico deductivo que considera la razón como principal fuente y prueba de conocimiento. Para el racionalista, la realidad es una estructura lógica, y existen principios tan fundamentales que no pueden ser negados, especialmente en el campo de las matemáticas y de las ciencias naturales. Se contrapone frontalmente al empirismo, teoría y método epistemológico inductivo, que sostiene que todo el conocimiento es obtenido y puesto a prueba mediante nuestros sentidos.

pandemia de victimización, la ley del mínimo esfuerzo y la veneración a la tecnología, las consecuencias de esta fobia pueden ser antropológicamente devastadoras. Hemos pasado de la contemplación a la autocontemplación para enfocarnos únicamente en nuestros vicios y defectos. Transitamos simultáneamente de la humildad a la arrogancia de creer que nuestra voluntad e ingenio bastarán para someter las leyes naturales a nuestros caprichos. Es durante este pernicioso ensimismamiento que algunos se están olvidando de ser personas y se están volviendo menos humanos.

1. 1. Ser humano y persona

Es imposible valorar y defender lo que somos sin saber qué somos. Podemos afirmar que somos criaturas complejas con diferentes facetas y predisposiciones. Somos hijos de Dios[6], pero también *Homo sapiens*, *Homo economicus*, *zoon politikón* y nobles salvajes[7]. No obstante, todos compartimos una naturaleza que nos hace humanos y nos distingue de las demás especies. Por naturaleza humana entendemos todos aquellos hábitos —capacidad de razonamiento, pensamiento abstracto, uso del lenguaje, expresión de emociones y comportamientos—, así como todas las características genéticas, anatómicas, fisiológicas y psicológicas que son propias de nuestra especie. Si la naturaleza humana se asocia genéricamente a la dimensión biológica, la condición humana hace referencia a la experiencia de vivir como ser humano,

6. La doctrina cristiana parte concibiendo al hombre como creatura/criatura de Dios, creado a su imagen y semejanza y elevado a dignidad de hijo. Dios diferencia entre hombre y mujer. Lo crea como un ser de carne y hueso y le asigna una dimensión espiritual, moral, física y mental, que lo convierte en su creación amada por sí misma.

7. El psicólogo cognitivo Steven Pinker aporta una interesante perspectiva sobre algunas teorías seculares de la naturaleza humana. En su libro *La tabla rasa* (2002), Pinker sostiene que la evidencia científica ha refutado las concepciones sobre el ser humano planteadas por el filósofo inglés John Locke (1632-1704) y su *tabula rasa* (1632-1704), el *bon sauvage* o noble salvaje de Jean-Jacques Rousseau (1712-1778) y el fantasma en la máquina de René Descartes (1596-1650). Con respecto a la idea de Locke de que solo nacemos con algunos instintos programados por la naturaleza y de que nuestra experiencia determina lo demás, Pinker aporta refutaciones desde las ciencias cognitivas y desde la neurociencia. El noble salvaje de Rousseau también es descartado por la genética al haberse identificado genes asociados a comportamientos agresivos y violentos. Finalmente, la dualidad mente-cuerpo cartesiana que sustenta la idea del fantasma en la máquina tampoco pasa la valla experimental, ya que la neurociencia ha demostrado que todos nuestros pensamientos, experiencias y sentimientos están directamente relacionados con actividades fisiológicas en nuestros cerebros.

desde el nacimiento hasta la muerte y más allá. Nuestra experiencia vital trasciende el ciclo de vida; somos la única especie consciente de su propia existencia y finitud. Al vivir como humanos, podemos generar y compartir ideas, asociar emociones a experiencias, desarrollar capacidades estéticas y expresarlas mediante el arte, música y literatura. También podemos registrar nuestro pasado —nuestra historia— e imaginar el futuro. La identidad del ser humano se fundamenta sobre su naturaleza y condición.

La antropología, del griego *anthropos* —humano u hombre— y *logos* —palabra, razonamiento, pensamiento, análisis y/o estudio— es el área del saber encargada del estudio del ser humano. Sus dos ramas principales son la antropología física o biológica, que investiga principalmente desde una perspectiva evolutiva, los aspectos biológicos y comportamientos humanos, mientras que la antropología cultural estudia nuestras diferentes formas de vida y medios de organización desde una perspectiva comparada[8]. Sin embargo, la antropología también aborda aspectos políticos, económicos, lingüísticos y psicológicos para copar con la complejidad de su objeto y sujeto de estudio. Debido a su enfoque multidisciplinario y ambiciones epistemológicas, la filosofía antropológica ocupa un lugar especial y controversial dentro de esta especialidad, especialmente por su rechazo a posiciones puramente naturalistas. Las principales interrogantes de la especialidad son de carácter ontológico[9] y aspiran a lograr una comprensión holística del ser humano.

---

8. En el siglo XVIII, todas las ramas del saber se desprendían de la filosofía, incluyendo la "ciencia del hombre" —término acuñado por el ilustrado escocés David Hume (1711-1776)—, que estudiaba la naturaleza del ser humano. Al igual que otras disciplinas de estudio, desde la segunda mitad del siglo XIX, la antropología comenzó a establecerse como una rama científica independiente. Sus primeras especializaciones surgieron con la publicación de la teoría evolutiva de Charles Darwin (1809-1882). La primera es la antropología física o biológica, que se encarga de estudiar la historia evolutiva del ser humano, mientras que la segunda corresponde a la antropología cultural, que orienta sus esfuerzos a entender nuestras diferencias culturales y sociales. Con la difusión del positivismo, comenzaron a establecerse las bases de la antropología moderna que hoy se concibe como una disciplina científica basada en la evidencia. No obstante, esta concepción minimiza la relevancia de la filosofía para la elaboración de teorías sobre la naturaleza humana.

9. La ontología es una rama de la metafísica que aborda preguntas fundamentales sobre la existencia, el ser y la realidad que no se limitan al ser humano. "¿Existe Dios? ¿Existe el universo? ¿Son reales los sentimientos? ¿Qué es la nada? ¿Qué significado tiene mi vida? ¿Qué pasa después de la muerte? ¿Es real el tiempo? ¿Es real el mundo físico?", entre otras, son preguntas de carácter ontológico. Del conjunto de respuestas e interrogantes ontológicas surgen conceptos e ideas

Un estudio más detallado del ser humano demanda distinciones conceptuales y categorías descriptivas que encuentren sustento empírico en la realidad. Podemos ser examinados como *Homo sapiens* o como personas, pero sin dejar de reconocer nuestra dualidad sexual como hombre y mujer. En un momento indeterminado, advertimos nuestra superioridad sobre las demás especies. El bipedismo nos permitió caminar erguidos y adquirir una perspectiva única de nuestro entorno. Desarrollamos el habla y la comunicación no verbal, refinamos nuestras habilidades motoras y con nuestras manos libres comenzamos a producir herramientas y otras tecnologías con las que modificamos nuestro ambiente. Gradualmente, la lógica de la sobrevivencia cedió ante el enorme poder de la creatividad humana, asentando nuestra posición de dominio en el mundo.

Esta superioridad cualitativa adquiere una dimensión cuantitativa cuando nuestras interacciones sociales y relaciones de poder se vuelven más complejas. En la *polis* griega, solo los hombres adultos dedicados a la administración del bien común eran considerados ciudadanos, mas no así las mujeres, niños y esclavos. En el Imperio romano, antes de la promulgación del Edicto de Milán[10], los cristianos fueron perseguidos y masacrados, suerte que también corrieron millones de esclavos en distintos territorios y períodos históricos. La jerarquización de las sociedades en castas y sistemas nobiliarios también contribuyó a la cuantificación del poder. Ciudadanos versus no ciudadanos, no creyentes versus creyentes, libres versus esclavos y señores feudales versus vasallos probaron que no bastaba ser humano para ser considerado persona.

Aristóteles (384-322 AC) es el primero en aproximarse al concepto de persona, pero sin definirlo con precisión. En sus estudios sistemáticos sobre el ser humano —especialmente en *Metafísica*— sostiene que la voluntad y el *logos* explican su posición dominante en la naturaleza. Poseemos un valor absoluto y la *nous* —inteligencia—, pero no somos

que deben ser categorizados y jerarquizados según sus propiedades y relaciones entre sí. Por ejemplo, si concluyo que el vino existe, puedo categorizarlo según su color —tinto, blanco o rosé—, pero también según el país de origen, precio, grado de alcohol, etcétera. Así también puedo categorizar cosas más complejas como, por ejemplo, las prioridades de mi vida.

10. El Edicto de Milán, promulgado en el año 313 por el emperador Constantino I, estableció la libertad religiosa en el Imperio romano y puso fin a la persecución de los cristianos.

dioses. Ergo, nuestra superioridad es evidente, pero insuficiente. El cristianismo logró lo que Aristóteles no pudo, desarrollando la idea de persona, pero ubicándola siempre debajo de Dios. Para el teólogo y filósofo católico Santo Tomás (1225-1274), "persona" corresponde a una categoría metafísica superior al ser humano[11]. Desde el nacimiento, Dios nos regala un alma para elevarnos de hombres a personas. Nuestro cuerpo es constituyente de nuestra persona y está provisto de una dignidad inherente que demanda consideración y respeto. Al hablar de persona, nos separamos completamente de los animales y hacemos referencia a una esencia y existencia superiores[12]. Esa superioridad no significa que estamos exentos de defectos, pero podemos redimirnos si nos encaminamos hacia una vida virtuosa, posición que puede ser respaldada sin inconvenientes desde el secularismo[13].

A la naturaleza y condición del ser humano se les agrega el reconocimiento de dos realidades distintas, pero complementarias de "persona" que no admiten interpretaciones ideológicas por ser verdades fácticas y autoevidentes. Somos hombre y mujer, persona masculina y femenina. La heterosexualidad no es una construcción social; ambos sexos se diferencian genética, biológica, anatómica y psicológicamente, pero son complementarios e indispensables para perpetuar **naturalmente** nuestra especie. De la complementariedad de esta dualidad sexual surgen instituciones como el matrimonio y la familia, que trascienden criterios de utilidad. Cada persona nueva se integra automáticamente a la humanidad y, de las relaciones interpersonales que va forjando con los miembros de su familia y comunidad, surgen

---

11. La metafísica —lo que está más allá de la realidad física y natural— es una de las principales ramas de la filosofía que aborda los principios fundacionales de las cosas, incluyendo el saber, la identidad, el tiempo y el espacio. Debido a su nivel de abstracción, es difícil definir con precisión su objeto de estudio, lo que ha llevado a algunos —especialmente desde el positivismo y desde el materialismo— a cuestionar su validez y su utilidad.

12. Esencia y existencia se desprenden de dos perspectivas filosóficas contrapuestas: esencialismo y existencialismo. El primero postula que las cosas poseen un conjunto de propiedades y características que las hacen ser lo que son y que la tarea de la ciencia y de la filosofía es descubrirlas y expresarlas. Para los esencialistas, la esencia de un objeto o de un sujeto precede a su existencia. Por otra parte, los existencialistas rechazan que las cosas tengan un significado intrínseco y afirman que la existencia precede a la esencia.

13. El secularismo es una perspectiva filosófica que muestra indiferencia y/o rechazo a toda forma de fe, prácticas y/o consideraciones religiosas en la toma de decisiones sobre asuntos públicos. Es también un sistema heterogéneo de creencias que incluye el anticlericalismo, el ateísmo y el agnosticismo. Por eso postula el principio de separación de Estado e Iglesia.

responsabilidades y compromisos que la vinculan con sus antepasados y con las futuras generaciones[14]. Nótese que la concepción de persona basada sobre la dualidad sexual choca frontalmente contra el relativismo imperante que alimenta perspectivas como la ideología de género y el transhumanismo[15].

Dignidad y libertad son dos cualidades constitutivas de la persona. La primera tiene un valor absoluto; nuestra dignidad no es asignada por alguien ni depende de nadie. Si somos tratados como objetos, no sujetos, o como cosas y no personas, nuestra dignidad se diluye. Esa instrumentalización se traduce en la pérdida total de libertad. Más aún, no somos libres, ya que la naturaleza y nuestras instituciones nos imponen ciertas restricciones que, como bien señaló Locke, son las que garantizan nuestra libertad[16]. Lamentablemente, desde posiciones libertarias, hoy se propone el altruismo egoísta como alternativa del libre albedrío; mientras el ejercicio de la libertad sea voluntario y las consecuencias de los actos individuales no causen daños a terceros, todo será moralmente permisible, desde la prostitución y el consumo de drogas hasta el alquiler de hijos y venta de órganos. Lamentablemente, las prácticas autodestructivas rara vez son producto de la voluntad, mas sí de la necesidad y/o ausencia de conciencia que son síntomas de dependencia. Nunca se es libre dependiendo de algo o de alguien.

El filósofo estadounidense Michael Sandel (1953) aborda la problemática mercantilista del ser humano en *Lo que el dinero no*

---

14. En *Reflexiones sobre la Revolución en Francia* (1790), el filósofo y político irlandés Edmund Burke (1729-1797) elabora el concepto de "asociación intergeneracional", que constituye un principio clave de la filosofía política conservadora. Según Burke "[La sociedad] es una asociación no solo entre los vivos, sino entre los vivos, los muertos y los que han de nacer". La asociación intergeneracional es la respuesta de Burke a la idea liberal de "contrato social", en la cual los hombres conceden y consienten ser gobernados por un gobernante a cambio de ciertos beneficios comunes.

15. El relativismo es una perspectiva filosófica que propone que las valoraciones sobre la verdad y falsedad, belleza y fealdad y bondad y maldad son producto de marcos de referencia y evaluación dependientes del contexto. De esta manera —al señalar que todo "depende de"—, el relativista rechaza la objetividad de manera absoluta y considera que todos los puntos de vista son igualmente válidos y relevantes. Al ser la verdad dependiente de cada punto de vista en cantidades iguales al número de personas que habitan la Tierra, el relativismo dificulta significativamente el logro de consensos e imposibilita la búsqueda de verdades objetivas, excluyentes y absolutas.

16. La teoría contractualista de la cual se desprende la idea de una libertad garantizada por arreglos institucionales es ampliamente elaborada por John Locke en *Dos tratados sobre el gobierno civil*, publicado por primera vez en 1689. Ver Locke, J. 1632-1704 (1887), *Two Treatises on Civil Government*, Routledge and Sons: London.

puede comprar (2012), en el cual plantea dos preguntas centrales: (I) ¿todo tiene precio en el mercado? y (II) si la respuesta es afirmativa, ¿es esto moralmente aceptable? Algunos ejemplos aportados por Sandel incluyen pagos de presos que deseen celdas carcelarias más cómodas, US$500.000 para adquirir la ciudadanía estadounidense, US$110.000-170.000 —precio actualizado— para alquilar un vientre en Estados Unidos y sumas de dinero variables para asegurar admisión a universidades de prestigio. Sandel responde negativamente a ambas preguntas. Los mercados deben tener límites morales porque su lógica transaccional terminará convirtiendo a las personas en productos no diferenciados y descartables. Además, creer que el mercado es el espacio excluyente para ejercer la libertad refleja un gran desconocimiento de las responsabilidades y potenciales consecuencias asociadas a su ejercicio. Una libertad sometida a las reglas del mercado donde predominen incentivos perversos puede derivar fácilmente en prácticas autodestructivas. La libertad conducente a la autodestrucción es una libertad deficiente porque nos impide desarrollar y expresar nuestro máximo potencial.

Es precisamente la promesa de lograr nuestro máximo potencial la que nos ofrece ideologías antihumanistas como el transhumanismo, la variante ideológica posmoderna, tecno-racionalista y vanguardista del progresismo. Ya en 1966, Michel Foucault advirtió que la materialización de la promesa del superhombre nietzscheano —hoy promovido por los transhumanistas— significaría la muerte inminente del hombre[17]. Siendo criaturas imperfectas e indeseables, la única alternativa que nos proponen es nuestro "mejoramiento" mediante aplicaciones tecnológicas al costo de dejar de ser lo que somos. Para lograr este objetivo, resulta indispensable alentar la atelofobia y recurrir a interpretaciones fundadas en el relativismo que descarten nuestra naturaleza y condición. Las revoluciones no cambian cosas: las destruyen, y la principal revolución del siglo XXI no es política ni económica, sino

---

17. En *La desaparición del hombre* (1966) —*'The Dissapearence of Man'*—, Foucault afirma que el humanismo y el concepto de ser humano heredados del siglo XIX cambiarán debido al desarrollo de las ciencias. El video, en francés con subtítulos en inglés, está disponible en el siguiente enlace https://www.facebook.com/watch/?ref=search&v=782376622275835&external_log_id=804aefe0-8983-491c-9418-ea45ac27760d&q=the%20dissapearence%20of%20man%20foucault

antropológica. Ni hombres ni personas sino "neo entes" —seres indiferenciados reales o imaginarios—, creados a imagen y semejanza del *Homo deus*, no de Dios.

1. 2. El misterio del ser humano en el tiempo

Las interrogantes inicialmente planteadas por la filosofía y la teología sobre el origen, esencia y significado de la existencia del hombre fueron posteriormente abordadas por las ciencias naturales y sociales. Sin embargo, es la filosofía antropológica la que ha estudiado de manera integral, sistemática y constante al ser humano y la realidad que lo moldea[18]. La pregunta "¿Qué es el hombre?" puede ser planteada ontológicamente desde tres planos distintos: (i) como miembro de la especie *Homo sapiens*; (ii) en términos de su identidad histórica y social; y (iii) en términos de su identidad personal individual[19]. Lamentablemente, debido al predominio de los enfoques positivistas en la academia, las respuestas se han concentrado en los aspectos biológicos y evolutivos, y la relevancia de la filosofía antropológica ha sido minimizada por no ajustarse a los parámetros cuantitativos del método científico[20].

Conceptos como alma y como mente difícilmente encajan dentro de marcos positivistas. El alma, denominada *psyche* o *fuerza vital* por los griegos antiguos, está íntimamente ligada a la experiencia de vida y muerte. A lo largo de la historia se pueden identificar tres puntos

18. Si bien en la tradición filosófica de Occidente el ser humano comenzó a ser estudiado en la Antigua Grecia, la filosofía antropológica, como área de estudio formal, nace en Alemania en 1928 con la publicación de *El puesto del hombre en el cosmos*, de Max Scheler (1874-1928) y *Los grados de lo orgánico y el hombre*, de Helmuth Plessner (1892-1985).

19. Trajtelova, J. (2016) *Philosophical Anthropology: Selected Chapters*, Peter Lang GmbH, Internationaler Verlag der Wissenschaften: Frankfurt am Main.

20. El método científico es la técnica experimental utilizada para la construcción, prueba y validación de hipótesis científicas —modelos predictivos de resultados— que buscan establecer las verdades de la ciencia. Estas verdades se manifiestan mediante hechos replicables, comprobables y verificables. Todo el conocimiento que obtenemos del estudio cuidadoso de las estructuras, dinámicas y comportamientos del mundo natural mediante la observación, medición y experimentación constituye conocimiento científico. Mediante prueba y error, las hipótesis permiten recoger datos que luego son utilizados para la elaboración de teorías científicas. El método científico ya no es exclusivo de las ciencias naturales y exactas. También se aplica en las ciencias sociales, aunque sus enfoques tienden a ser deductivos, es decir, parten de teorías que luego deben ser validadas empíricamente.

de inflexión en su concepción y análisis. El primero lo marca la Teoría Tripartita de Platón, quien por primera vez introduce y elabora el concepto de alma. El segundo lo aporta René Descartes en el siglo XVIII con el dualismo mente-cuerpo, distinción que remplaza el concepto de alma por "mente". El último quiebre se produce con el evolucionismo darwiniano a mediados del siglo XIX, impulsado por el positivismo y por el materialismo, que despoja al ser humano de su posición dominante en el mundo natural.

Platón fue el primero en aproximarse filosóficamente al concepto de alma al considerarla fuente de vida y pensamiento eterno. La dividió en tres partes —deseo, espíritu, y razón— y enfatizó su función intelectual. Según Platón, es a través de las "ideas", del griego *eido* —observar un objeto— que logramos obtener conocimiento; la forma visual del objeto observado se convierte en una idea, y el conjunto de formas visuales o ideas configura el conocimiento auténtico, con el cual es posible lograr una vida plena y virtuosa. Para Platón, el cuerpo es un contenedor temporal del alma, una especie de prisión de la cual esta intenta escapar constantemente mediante la adquisición de conocimiento. Esta priorización del intelecto fundamenta la visión occidental del ser humano como un ser racional y moral.

Mientras las ideas fueron centrales para la concepción platónica del alma, Aristóteles resaltó la experiencia práctica del hombre. Consideró que, si bien somos seres racionales, es a través de nuestros sentidos cómo acumulamos conocimiento, pero rechazó que las ideas sean formas visuales separadas de los objetos observados. No obstante, al igual que su maestro Platón, Aristóteles diferenció la actividad perceptiva o sensorial de la actividad intelectual sosteniendo que todas las ideas se derivan de nuestra experiencia. Por lo tanto, el mundo material no es solo una realidad pasiva, sino también causa de nuestras ideas. Obtenemos todo nuestro conocimiento mediante la experiencia, aunque siempre acompañada por la razón. Es esta capacidad de experimentar el mundo racionalmente la que nos diferencia de los animales.

La concepción platónica de "idea" como objeto de conocimiento auténtico y el empirismo sensorial aristotélico tuvieron un impacto decisivo en la concepción cristiana del alma. En cuanto a la esencia racional del ser humano, los teólogos cristianos afirmaron que las ideas no residen en nuestras almas, sino en Dios. Según Agustín de Hipona (354-430), uno de los principales exponentes de la teología antropológica —el estudio del ser humano y su relación con Dios—, los seres humanos somos una unidad perfecta entre cuerpo y alma. Sin embargo, fuertemente influenciado por la obra de Platón, Agustín de Hipona reconoció que ambas son metafísicamente distintas. Para el filósofo escolástico Santo Tomás, quien tuvo a Aristóteles como principal referente intelectual, Dios es condición necesaria para adquirir cualquier tipo de conocimiento del mundo natural. Ahora bien, si el alma posee capacidades cognitivas, entonces no es solo un elemento pasivo porque también nos permite hacer inferencias, tomar decisiones y actuar en consecuencia. Del vínculo entre las valoraciones que nos ayudan a tomar decisiones y las acciones guiadas por estas deliberaciones se desprenderá nuestra moral.

La representación de objetos externos mediante ideas no convenció a René Descartes, quien argumentó que las ideas alojadas en nuestra mente —término equivalente al "alma" de los griegos antiguos— no garantizan que los objetos que observamos sean representados fielmente. En *Discurso del método* (1637), Descartes acuñó la famosa locución *Cogito ergo sum* — 'Pienso, luego existo'—, con la cual estableció los fundamentos del racionalismo occidental. Decidido a fundar una filosofía tan precisa y rigurosa como la física y matemática, Descartes desarrolló un nuevo método filosófico que fuese universalmente aceptable. Desde un inicio buscó eliminar todo tipo de error mediante un enfoque novedoso, que denominó "duda metódica". Este enfoque intenta suspender completamente la actividad sensorial para poder reflexionar con una conciencia interior libre de toda idea derivada del mundo externo.

Descartes puso en práctica la "duda metódica", estableciendo una reflexión de la cual es imposible dudar: si pienso, existo. De esta manera, aisló la mente del mundo externo, lo que dio origen al dualismo cartesiano; el ser humano deja de ser una totalidad y se convierte en una mente alojada en el cuerpo, interpretación similar a la distinción entre alma y cuerpo planteada por Platón. La duda metódica de Descartes se apartó radicalmente de las posiciones realistas de Aristóteles y de Santo Tomás, y marcó el inicio de la filosofía moderna al introducir la pugna entre subjetividad y objetividad. Descartes especificó las diferencias entre las propiedades de las ideas mentales y los objetos del mundo externo. Las ideas son subjetivas; los objetos externos, objetivos. El dualismo mente-cuerpo es usado actualmente como argumento por quienes sostienen que los hombres que se sienten mujeres son mujeres, y viceversa. La mente es un elemento independiente del cuerpo que la aloja.

La filosofía de Descartes causó revuelo en el ambiente intelectual del siglo XVII. En Europa continental, sus contribuciones fueron valoradas favorablemente, mas no así en Inglaterra debido a la irrupción de la tradición empírica. La respuesta más elaborada al dualismo cartesiano la dio el padre del liberalismo inglés John Locke quien, como Aristóteles, insistió en que nuestros sentidos juegan un rol fundamental en la adquisición del conocimiento. Locke rechazó la teoría de ideas innatas[21] originalmente planteada por Platón y defendida por Descartes, y negó que la mente humana pueda adquirir conocimiento sin antes investigar el mundo material mediante los sentidos. Para Locke, todo el conocimiento surge del mundo material, demostrando mayor afinidad con los postulados aristotélicos. Sin embargo, la posición de Locke no llegó a ser totalmente materialista, ya que sus argumentos no resolvieron completamente las dificultades metodológicas planteadas por algunas ideas innatas como la "sustancia"[22].

Los cuestionamientos de Locke a los aportes de Descartes generaron un intenso debate, al cual se incorporó el filósofo irlandés George

21. En el pensamiento filosófico, las ideas innatas son aquellas que están incorporadas en el cerebro desde el nacimiento y son anteriores a la experiencia. Son ideas con las que nacemos. Ideas cuyo origen no puede ser explicado empíricamente —Dios y el infinito— constituyen ejemplos de ideas innatas.

22. El materialismo es una doctrina racionalista que sostiene que todo lo que existe, sea físico, biológico, psicológico, social, moral y/o matemático, está compuesto por materia y se rige por leyes físicas. La materia corresponde a la sustancia fundamental de la naturaleza, pero para el materialista no solo los objetos físicos están compuestos por materia. También son materiales las creencias y los sentimientos porque, según sostienen los materialistas, ambas también se reducen a partículas subatómicas, atómicas y moleculares que intervienen en diversos procesos bioquímicos, fisiológicos y neuronales. El materialismo es muy compatible con el pensamiento científico y rechaza el espiritualismo. Por lo tanto, niega toda dimensión trascendental del ser humano, contraponiéndose a la doctrina cristiana y a perspectivas filosóficas como el idealismo, el existencialismo y la fenomenología. El materialismo también es afín a la búsqueda de placeres corporales, la posesión de bienes materiales y/o cualquier medio que permita su obtención, conectándose directamente con el pensamiento utilitarista.

Berkeley (1685-1753), quien definió su posición con el aforismo "*Esse est percipi*" ('Ser es ser percibido'). Para Berkeley, principal representante del idealismo subjetivo, la materia solo es una idea abstracta; lo real es solo lo que percibimos con nuestra mente. Por lo tanto, Berkeley niega la existencia de la materia como sustancia metafísica, pero excluye la mente de este postulado. Propone la distinción entre mente, a la cual se refirió como espíritu, y las sensaciones o experiencias conscientes, que denominó "ideas". Las segundas son entidades pasivas que son producidas y percibidas de manera activa por nuestros espíritus o mentes. Su ferviente cristianismo lo llevó a concluir que todas nuestras experiencias, incluyendo el conocimiento que adquirimos mediante la percepción, se las debemos a Dios omnipotente y omnipresente.

A las respuestas de Locke y Berkeley a los postulados cartesianos se les unió el eminente pensador escocés David Hume (1711-1776), probablemente el más importante representante del empirismo británico[23]. Su premisa fundamental fue que solo podemos conocer y experimentar el mundo mediante nuestros sentidos. En *Tratado de la naturaleza humana* (1739-1740), Hume propone una "ciencia del hombre" —*Science of Man*— para estudiar empíricamente la naturaleza del ser humano. Rechaza radicalmente el dualismo cartesiano —mente y cuerpo como entidades separadas e independientes— y la condición universal de las ideas. Al afirmar que todo nuestro conocimiento proviene de nuestra percepción sensorial, Hume distinguió entre impresiones e ideas. Las primeras resultan de percepciones intensas relacionadas con nuestras emociones mientras que las ideas provienen del pensamiento y del razonamiento. Esta distinción fundamenta la crítica más potente de Hume al racionalismo cartesiano, que sostiene que el comportamiento humano se rige por pasiones, y no

23. El empirismo es la teoría epistemológica —del griego *episteme*, conocimiento— que sostiene que todo el conocimiento humano proviene, principal o exclusivamente, de nuestras experiencias sensoriales. Este conocimiento debe ser respaldado por evidencia empírica que obtenemos mediante nuestros sentidos —vista, oído, olfato, gusto y tacto—, aunque también mediante experimentación. El empirismo —perspectiva afín al método científico— descarta que el conocimiento pueda ser obtenido únicamente mediante el razonamiento, la intuición o la revelación. Argumentar que el conocimiento depende de la experiencia es un postulado empirista.

por la razón. Para Hume, antes que seres racionales, somos criaturas instintivas y emocionales.

La demolición del concepto de mente cartesiana por Hume abrió nuevas vías de reflexión sobre el ser humano, destacando el surgimiento del idealismo, movimiento filosófico que sostiene que la realidad es una construcción mental dependiente de nuestro espíritu, razón y/o voluntad[24]. El primer filósofo en reconocerse abiertamente idealista fue Immanuel Kant (1724-1804), quien aportó una variante al movimiento denominado "idealismo trascendental". Para Kant, cuyo pensamiento fue fuertemente influenciado por las ideas de Descartes, Locke, Berkeley y Hume, el tiempo y el espacio son propiedades inherentes a nuestra experiencia y a los objetos de la realidad, pero no son propiedades reales en sí mismas. Por lo tanto, la metafísica —que Kant denominó "ciencia no real" —se convierte en una ilusión trascendental carente de significado.

Para dar respuesta a la pregunta: "¿Qué es el hombre?", Kant concibió la antropología como una investigación integral, empírica y pragmática del ser humano, completamente alejada de especulaciones metafísicas. Inspirado por el rigor del conocimiento matemático y científico, desarrolló una nueva teoría del conocimiento alejada de la idea de imágenes mentales inicialmente elaborada por Platón. En *Crítica de la razón pura* (1781), Kant sostiene que la mente es una entidad activa que determina las condiciones y categorías de los objetos que conforman la realidad. Introduce y elabora el concepto de *noumena,* que define como los objetos y/o procesos que existen independientemente de nuestros sentidos y percepciones —la realidad en sí misma— para contrastarlo con los fenómenos u objetos que sí captamos con nuestros sentidos —la realidad que observamos—, estableciendo, así, una diferencia fundamental entre el conocimiento especulativo y el conocimiento fáctico. De esta manera, Kant introduce la dicotomía entre los mundos *noumenal* y fenomenal, que plantearía el desafío a

24. El movimiento idealista floreció en la actual Alemania en los siglos xviii y xix. Se distinguen el idealismo subjetivo y el objetivo. Los proponentes del primero argumentan que la realidad depende completamente de la mente de los sujetos que la perciben, mientras que el idealismo objetivo sostiene que las ideas existen independientemente de nuestras mentes y que solo podemos acceder a estas mediante la experiencia.

futuros pensadores de unir la totalidad de la experiencia y conocimiento del ser humano.

La obra de Kant encontró fuerte oposición en otros representantes del idealismo alemán como Johann Gottlieb Fichte (1726-1814), Friedrich Schelling (1775-1854) y Georg Wilhelm Friedrich Hegel (1770-1831), quienes criticaron, con diferentes matices, la división kantiana entre el mundo noumenal y el fenomenal. Para estos pensadores, mente y objeto son parte de una misma realidad y el mundo es solo una idea proyectada a través de la mente. Fichte argumentó que el ser humano posee una conciencia cognitiva que no se fundamenta en el mundo real, sino en su propia existencia; el conocimiento que derivamos del mundo es posible gracias a esta. Hegel compartió la crítica de Fichte, pero su aporte más importante al movimiento idealista fue la introducción del concepto *geist* —espíritu—, que destacó el carácter colectivo del pensamiento y el conocimiento. Para Hegel, el mundo del ser humano posee un espíritu objetivo conformado por instituciones y prácticas comunes que no encuentran réplica en el mundo natural ni en la condición individual del sujeto.

Las principales críticas al idealismo provinieron del positivismo y del darwinismo, corrientes naturalistas impulsadas por los avances científicos del siglo XIX que rechazaron las interpretaciones abstractas sobre la naturaleza y condición del ser humano. El positivismo, teoría epistemológica elaborada por el filósofo francés August Comte (1798-1857) enfatizó exclusivamente la obtención de conocimiento fáctico y lógico a través de la experiencia sensorial. Comte desarrolló este sistema de pensamiento mediante una serie de ensayos entre 1830 y 1842 y un texto compilatorio titulado *Discurso sobre el espíritu positivo* (1851), en el que celebró los rápidos avances científicos de la época y resaltó el carácter social de sus beneficios. Comte realizó la primera distinción explícita entre ciencia natural y ciencia, con el propósito de librar a la última de toda carga de abstracción, y su enfoque colectivo y puramente científico dio origen a la sociología y a las ciencias sociales. Según Comte, para el positivista solo existen los hechos, y lo único realmente verdadero es todo aquello que es útil. Esta posición pragmática y utilitarista es poco amable con el concepto de ser humano, ya que lo despersonaliza y lo vuelve vulnerable a la instrumentalización.

El segundo gran golpe al idealismo y tercer punto de quiebre de la filosofía antropológica provino del evolucionismo, teoría desarrollada por el naturalista británico Charles Darwin (1809-1882). En su obra *El origen de las especies* (1859), Darwin introduce el concepto de competencia natural para explicar cómo las especies se desarrollan, sobreviven y se adaptan en el ambiente. Sostiene que los individuos con mejor capacidad de adaptación tendrán mayor capacidad para reproducirse y generar descendientes que heredarán sus características genéticas y fenotípicas. La sobrevivencia de los más aptos será producto de este proceso de selección natural que se traducirá, a lo largo de las generaciones, en una población evolucionada. Debido a que las variaciones genéticas dentro de las especies son aleatorias, el darwinismo no es una teoría teleológica. Esto significa que no tiene una dirección y propósito determinados, por lo que no puede ser aplicada como marco explicativo del desarrollo de culturas y sociedades humanas. Al plantear que todas las especies provienen de un ancestro común, el darwinismo biológico dinamitó la posición privilegiada del ser humano en el mundo de la creación y asestó un duro golpe a la doctrina cristiana. Actualmente, a pesar de algunas críticas legítimas y bien argumentadas que ponen en duda su validez[25], el darwinismo evolutivo ha devenido en religión secular, especialmente en comunidades científicas y académicas que interpretan cualquier cuestionamiento como un comportamiento anticientífico.

La insatisfacción con el idealismo por su percibida banalización del ser humano dio origen al existencialismo, corriente filosófica cuyo principal propósito fue la promoción del individuo. Sus raíces se encuentran en el pensamiento del filósofo danés Soren Kierkegaard

25. Uno de los principales críticos de la teoría darwiniana es el geólogo británico Stephen C. Meyer, quien sostiene que ciertas características del universo y de los seres vivos se explican mejor mediante la teoría del diseño inteligente que le adjudica a un diseñador —Dios— el rol de la creación. En *La duda de Darwin* (2013), Meyer señala la ausencia de registros fósiles transicionales entre los períodos precámbrico y cámbrico, lo que fracasa en explicar la súbita aparición de formas de vida animal durante este último período. Otro problema surge con los registros genéticos que no explican satisfactoriamente las divergencias de las formas animales entre ambos períodos. El profesor de la Universidad de Yale y experto en informática David Gelernter recoge y expande la crítica de Meyer en un artículo publicado por el *Claremont Review of Books* en 2019. Gelernter reconoce la importancia de la teoría evolutiva para el desarrollo de la ciencia moderna, pero denuncia que su aceptación sin cuestionamientos, condición *sine qua non* para desarrollar una carrera académica, constituye un obstáculo para el verdadero progreso científico.

(1813-1855) y Friedrich Nietzsche (1844-1900), quienes criticaron las interpretaciones racionalistas, naturalistas, materialistas y religiosas del ser humano. El existencialismo floreció en Europa continental después de la Segunda Guerra Mundial, destacando las contribuciones de Martin Heidegger (1889-1976) y de Jean Paul Sartre (1905-1980). Para el existencialista, el concepto filosófico de esencia es dispensable; el ser humano es dueño y responsable absoluto de su propia vida, y su única obligación es consigo mismo. Rechaza categóricamente la idea de conocimiento universal y absolutiza la libertad y autonomía del individuo, contribuyendo decisivamente a posturas marcadamente individualistas.

La fenomenología también surgió en oposición al positivismo y materialismo predominantes en el mundo anglosajón. Fue un movimiento fundado por el filósofo austroalemán Edmund Husserl (1859-1938), quien buscó resolver la tensión entre el empirismo y el racionalismo. La metodología fenomenológica es predominantemente descriptiva y cualitativa, y su principal objeto de estudio es la conciencia del ser humano. Husserl fue más allá del esfuerzo de Descartes porque intentó desarrollar un concepto puro de conciencia que corrigiera las inconsistencias del idealismo trascendental de Kant. Sostuvo la necesidad de aislar la conciencia del ser humano del mundo externo de la realidad con la cual interactúa de diversas maneras como un ser empírico. Aunque insistió que la exclusión del estado de conciencia pura era meramente metodológica, de alguna manera Husserl terminó replicando el dualismo cartesiano.

La versión depurada del idealismo trascendental propuesto por Husserl tuvo un gran impacto en el pensamiento de Martin Heidegger. En *Ser y tiempo* (1927), Heidegger introduce el concepto de *dasein* —traducido del alemán como "existencia" o "ser/estar ahí"— en reemplazo de "mente" y/o de "conciencia" para referirse a la experiencia del ser del ser humano, un ser situado en el mundo y consciente de su lugar en este. Por lo tanto, la existencia es en sí misma un hecho incontestable y habilitador del análisis de la conciencia. El *dasein* también resalta al ser humano como una totalidad, no como una mente disociada del cuerpo, como propuso Descartes, o una conciencia pura, como planteó Husserl. Ante las críticas de Jean Paul

Sartre (otro destacado representante del existencialismo, que le asignó aspiraciones humanistas y antropológicas a sus aportes), Heidegger redactó *Una carta sobre el humanismo* (1947) para responder dichas acusaciones, manifestando que el humanismo es una corriente de pensamiento deficiente porque reduce al ser humano a un estado de identidad. Debido a sus profundas y variadas contribuciones filosóficas, Heidegger es considerado el más original e influyente filósofo fenomenológico existencialista de su tiempo.

El movimiento fenomenológico dio fuerte impulso al desarrollo de la hermenéutica —del griego *hermeneia*, 'interpretación'—, que trata sobre la explicación, interpretación y comprensión de la comunicación escrita, oral y no verbal. La hermenéutica se sumerge en el mundo del lenguaje para resaltar su indispensable rol mediador de la experiencia y conciencia humanas. Si bien los teólogos cristianos que interpretaban los libros sagrados de la Biblia fueron responsables de su creación como área de estudio, su origen como método filosófico original se debe a los esfuerzos de Heidegger en su intento por reformular la fenomenología trascendental de Husserl. Sin embargo, es Hans-Georg Gadamer (1900-2002), principal discípulo de Heidegger, quien en *Verdad y método* (1960) desarrolló la hermenéutica filosófica, con el propósito de entender la naturaleza de la comprensión humana. Gadamer concluyó que el significado que derivamos de la comunicación es producto de la intersubjetividad que corresponde a la interacción entre diferentes perspectivas cognitivas.

El renacimiento de la hermenéutica en la segunda mitad del siglo XX reflejó la creciente importancia del lenguaje para el estudio y comprensión del ser humano, especialmente en sus ámbitos culturales y políticos. Partiendo de las debilidades percibidas en la fenomenología y en el estructuralismo[26], el pensador francés Jacques Derrida

26. El estructuralismo es una teoría lingüística y cultural que, en su definición más abstracta, enfatiza las relaciones entre elementos u objetos de un sistema en vez de los objetos en sí mismos. Se sustenta sobre el principio planteado por el semiólogo suizo Ferdinand de Saussure (1857-1913) de que el lenguaje es una estructura racional y contenida en sí misma; el significado de las palabras que conforman la estructura del lenguaje se obtiene de su posicionamiento, relaciones y oposiciones binarias en un texto o discurso, y no tanto del objeto al cual hacen referencia. Según los estructuralistas, es gracias al lenguaje y a su estructura que podemos entender las culturas humanas.

(1930-2004) rechazó la hermenéutica heideggeriana —el lenguaje del *dasein*— y optó por un lenguaje de la nada. Sostuvo que las palabras pueden tener múltiples significados y descartó las oposiciones binarias —términos relacionados entre sí, pero opuestos en significado—, que impiden las interpretaciones objetivas de textos y discursos. Hombre-mujer, bonito-feo, bueno-malo. Más aún, criticó las categorías conceptuales rígidas y estructuras lingüísticas socialmente construidas que colocan a los autores en una injustificada posición de autoridad sobre sus lectores. Para acabar con esa asimetría, Derrida llamó a deconstruir los textos para obtener nuestro propio significado y comprensión de estos, negando de esta manera la obtención de conocimientos y verdades universalmente válidas.

Los argumentos de Derrida contribuyeron decisivamente al desarrollo del posestructuralismo, movimiento intelectual francés que también tuvo a Michel Foucault (1926-1984) entre sus máximos exponentes[27]. Foucault adoptó perspectivas históricas para elaborar sus argumentos y centró su atención en las variables de poder y conocimiento, así como sus relaciones a nivel lingüístico, cultural, político y social. En *La arqueología del saber* (1969), el filósofo francés sostuvo que la verdad que emerge de discursos o narrativas es relativa, ya que depende enteramente de las estructuras y contenidos del lenguaje que la expresa. Estos discursos también se enmarcan en estructuras y relaciones de poder que, a su vez, son influenciadas por sistemas de creencias. Las jerarquías de las organizaciones humanas a nivel político, corporativo, científico y académico expresan estas estructuras y sus relaciones, las cuales no son solo verticales. Con estos antecedentes, Foucault establece una relación íntima entre poder y conocimiento, en la que el primero habilita la generación del segundo mediante el uso del lenguaje; mayor poder se traducirá en mayor capacidad para generar conocimiento. Ergo, los más poderosos o influyentes tendrán el poder para determinar la verdad.

---

27. Otros grandes referentes del posestructuralismo francés son Jean-François Lyotard (1924-1998), Roland Barthes (1915-1980), Jean Baudrillard (1929-2007), Gilles Deleuze (1925-1995), Félix Guattari (1930-1992) y Jacques Lacan (1901-1981). Las feministas Luce Irigaray (1930) y Judith Butler (1956) y las politólogas Chantal Mouffe (1943) y Wendy Brown (1955), esta última, pareja sentimental de Butler, también han participado en la génesis y difusión del posestructuralismo.

El propósito deliberado de los posestructuralistas fue desmantelar la hegemonía de la tradición filosófica occidental al intentar vaciar de contenido y de significado los conceptos de verdad y de conocimiento. El origen de su movimiento se entremezcla con el del pensamiento posmodernista en las protestas estudiantiles y sindicales de mayo de 1968 en París, Francia. Ambas corrientes surgen como oposición al modernismo y sus fundamentos racionalistas del siglo XVIII, pero el posmodernismo se posicionó inicialmente como una crítica a la estética moderna[28]. Fue un movimiento artístico que también buscó desplazar al artista de su privilegiada posición de poder. Al extrapolar las críticas del posmodernismo más allá de lo estético, estas resaltaron la tendencia de los modernistas de imponer su verdad, compartiendo con el posestructuralismo la imposibilidad de encontrar verdades objetivas en la sociedad. A ambas corrientes les debemos el relativismo sistémico que hoy impera en Occidente.

Antes de finalizar este breve recorrido sobre la idea del ser humano desde la Grecia Antigua hasta nuestros días, es posible concluir —aunque sea de manera preliminar— que la filosofía occidental se encuentra en un período transicional de resultados inciertos. Por un lado, es deslegitimada por la hiperobjetividad a la que aspiran ontologías positivistas y materialistas, mientras que por otro es socavada por la hipersubjetividad del posmodernismo relativista. El resultado de esta contradicción es la idea de un ser humano fragmentado y sin identidad, incapaz de distinguir verdades de falsedades, tensión que es deliberadamente exacerbada por el progresismo contemporáneo. Sin embargo, es impresionante la similitud entre las interrogantes que plantearon filósofos como Platón y como Aristóteles y las interrogantes que hoy se plantean quienes buscan defender la naturaleza y condición del ser humano. Si algo queda claro en medio de tanta incertidumbre, es que aún no resolvemos el misterio que somos nosotros mismos.

---

28. La complejidad, colorido, asimetría y elaborada decoración de la arquitectura posmoderna desarrollada desde la década del sesenta contrastó notoriamente con los cánones estéticos de la arquitectura moderna, que priorizaron la uniformidad, el minimalismo y la funcionalidad en sus construcciones.

Capítulo II

La idea de progreso

Pero esos dos tiempos, el pasado y el futuro, ¿cómo pueden existir, si el pasado ya no existe y el futuro todavía no existe? En cuanto al presente, si siempre fuera presente y no llegara a ser pasado, ya no sería tiempo, sino eternidad.

Agustín de Hipona, *Confesiones* (397-398)

La sagrada fórmula del positivismo: el amor como principio, el orden como fundamento y el progreso como meta.

August Comte, *Discurso sobre el espíritu positivo* (1851)

El progreso es un hecho. Aun así, la fe en el progreso es una superstición. La ciencia permite a los seres humanos satisfacer sus necesidades. No hace nada para cambiarlos. No son diferentes hoy a lo que siempre han sido.

John Gray, *Perros de paja* (2002)

La palabra "progreso" tiene una connotación positiva. En su nombre se han desplegado grandes esfuerzos individuales y colectivos para alcanzarlo. La idea de progreso es tan atractiva y poderosa que de ella se han nutrido y se han inspirado las principales ideologías políticas, teorías económicas y corrientes culturales de la humanidad. Desde el siglo XVIII, período marcado por el racionalismo exacerbado, el progreso se ha convertido en una religión humanista y secular que hoy encuentra entre los progresistas a sus más fervientes promotores y creyentes. A pesar de sus diferentes definiciones, direcciones y naturaleza de los cambios que genera, el filósofo francés Alain de Benoist (1943) sostiene que existen dos elementos que son constitutivos de la idea de progreso[29]. El primero es de carácter descriptivo en la medida en que el progreso siempre toma una dirección determinada, cuya trayectoria podemos describir. El segundo es de carácter axiológico, es decir, hay un elemento de valoración y, en este sentido, el progreso siempre será considerado algo bueno o deseable.

2.1. Historia de la idea de progreso

Todas las civilizaciones antiguas abrazaron ideales, valores y principios morales, pero no todas tuvieron o trabajaron una noción de progreso. A partir del libro *La idea de progreso* (1920) del historiador británico John Bury (1861-1927), los apologistas seculares del progreso sostienen que la idea estableció sus bases empíricas durante la Revolución Científica[30] y sus bases teóricas durante el siglo XVIII. Sin

29. De Benoist, A. (2008) "A Brief History of the Idea of Progress", *The Occidental Quarterly*, 8 (1): 7-16.

30. La Revolución Científica corresponde a una serie de descubrimientos y avances científico-tecnológicos ocurridos en Europa en los campos de la matemática, la física, la química, la biología y la astronomía, que dieron origen a la ciencia moderna. El período en el que se sitúa este proceso histórico varía según el área de especialización. Para los historiadores italianos, se inicia con el Renacimiento en el siglo XIV, mientras que los académicos de Europa del Norte la sitúan entre los siglos XVI y XVIII en Ámsterdam, Londres y París. Para los filósofos, René Descartes es señalado como responsable del inicio de la filosofía moderna, pero los economistas sostienen que la Revolución Industrial británica en el siglo XVIII inicia este fenómeno. En *The Invention of Science: A New History of the Scientific Revolution* (2015), el historiador británico David Wooton marca su inicio en 1572 con los logros astronómicos del danés Tycho Brahe (1546-1601) y su término en 1704 con la publicación de *Óptica*, del eminente matemático y físico inglés Sir Isaac Newton (1643-1727). El impacto de la Revolución Científica fue tal que vio el nacimiento de múltiples disciplinas científicas modernas que impulsaron la hegemonía política, económica y cultural de Europa occidental a nivel mundial.

embargo, prominentes intelectuales como Ludwig Edelstein (1902-1965), Melvin Lasky (1920-2004), Robert Nisbet (1913-1996), Alain de Benoist y John Gray (1948) sostienen que la idea de progreso no surge con la modernidad, sino que es concebida y elaborada originalmente por pensadores de la Antigua Grecia, Roma y, especialmente, del cristianismo.

El progreso cíclico de los antiguos

Partiendo de las contribuciones de figuras como Hesíodo, Protágoras y Tucídides, los griegos concibieron el progreso como la generación y acumulación de conocimiento en las artes y las ciencias, lejos de aproximaciones materiales. Fueron Platón y Aristóteles quienes aportaron mayor profundidad a la idea de progreso. Para Platón, el hombre transita desde un estado natural hacia formas de organización social y política más complejas que encuentran su máxima expresión en la ciudad-estado. Por su parte, Aristóteles también elabora una narrativa de tránsito del hombre desde la organización tribal hasta el estado político, pero agrega que la razón y el conocimiento impulsan continuamente el progreso, retroalimentándose mutuamente. Tanto Platón como Aristóteles adoptan una perspectiva cíclica de los eventos humanos[31]. Ambos señalan que estos eventos ocurren de manera espontánea y que los declives y desastres son inevitables. Por lo tanto, para los griegos, el progreso se caracteriza por ciclos continuos de alzas y caídas que encuentran en el pasado, y no en el futuro, su principal punto de referencia y comparación.

Durante el período romano destacan las contribuciones de Lucrecio (99 a. C-55 a. C) y Séneca (4 a. C–65 a. C) quienes, siguiendo a los griegos, también adoptaron una narrativa de desarrollo cultural y moral del hombre. No obstante, el punto de quiebre más importante ocurre en el año 313 cuando el emperador Constantino promulga el Edicto de Milán, que declara la libertad y tolerancia religiosa en el Imperio romano. Desde entonces, el cristianismo se convierte en la religión dominante y experimenta una expansión y desarrollo teológico

31. Meek Lange, M. (2022) "Progress", *The Stanford Encyclopedia of Philosophy* (Summer 2022 Edition), Edward N. Zalta (ed.), disponible en https://plato.stanford.edu/archives/sum2022/entries/progress/

sostenidos. Es importante aclarar que los fundamentos de la idea de progreso no fueron elaborados por los racionalistas ilustrados del siglo XVIII ni mucho menos por los progresistas contemporáneos, sino por pensadores cristianos.

El cristianismo y la concepción moderna de progreso

El cristianismo fue la primera gran religión en desarrollar una visión holística de progreso. Agustín de Hipona es, junto a Platón y a Aristóteles, el filósofo de progreso más influyente de la etapa premoderna. Este Padre de la Iglesia fue el primero en derivar de los escritos bíblicos una idea de progreso aplicable a toda la humanidad. En *La Ciudad de Dios* (412-426), Agustín de Hipona marca diferencias entre el paganismo y el cristianismo, y describe el tránsito del pagano desde el mundo terrenal —la ciudad de los hombres— hacia el mundo celestial o la ciudad de Dios. Para ser aceptado en la ciudad de Dios o, en otras palabras, para lograr la salvación, el hombre deberá limitar sus insaciables deseos para alcanzar la sabiduría moral. Aquellos que no logren esta sabiduría quedarán confinados en la ciudad de los hombres.

Como señala Robert Nisbet[32], es gracias a teólogos como Agustín de Hipona que la idea de progreso adquiere cuatro características constantes. La primera, una concepción lineal del tiempo y la creencia de que la historia tiene un significado orientado hacia el futuro. Nótese la diferencia con la mirada de los griegos, que se orientaban hacia el pasado para describir las trayectorias de progreso. Mientras los griegos miran hacia atrás, los cristianos comienzan a hacerlo hacia adelante. En segundo lugar, es la doctrina cristiana la que aporta al secularismo moderno la idea de una sola humanidad y, por lo tanto, el carácter universal del progreso. En otras palabras, el progreso está al alcance de todos los seres humanos por igual. Tercero, la idea de que el mundo puede y debe ser transformado, es decir, la necesidad del hombre de ejercer dominio sobre la naturaleza. Por último, y quizás el aporte más importante de todos, la idea agustiniana de progreso, que proyecta un

32. Nisbet, R. (1979). "The Idea of Progress: A Bibliographical Essay", *Literature of Liberty*, 7-37.

final inevitable —en términos seculares, una utopía—, representado por la salvación de las almas.

Un mito ampliamente difundido por los progresistas es que, gracias a la introducción del método científico en el siglo XVII, la tierra y el universo se convirtieron finalmente en objetos formales de estudio científico. Alain de Benoist afirma que esto es falso. Es con la Biblia que el mundo celestial, terrenal y su historia se convierten en objetos de estudio y conocimiento humano, tema que Santo Tomás desarrolla ampliamente en su *Summa theologiae* en el siglo XIII. Regresando a la Biblia, en Génesis, Dios asigna al hombre la misión de dominar la Tierra. Aquí Dios aparece en la historia del hombre orientando el tiempo hacia el futuro, desde el momento de la creación hasta la segunda venida de Cristo. De esta manera, para los cristianos, la historia tiene un final, y ese final será bueno para quienes logren la salvación. Aquí se manifiestan los elementos descriptivos y axiológicos de la idea de progreso mencionadas previamente. Debido a que el universo y todo lo que este contiene ya ha sido creado siguiendo una temporalidad lineal, se elimina cualquier posibilidad de alzas y caídas en ciclos eternos como pensaron los griegos.

El teólogo católico italiano Joaquín de Fiore (1135-1202) fue otro gran pensador del progreso, cuyas contribuciones más importantes se dieron en la segunda mitad del siglo XII. Para De Fiore, la historia de la Iglesia representa la historia de la humanidad y se compone de tres etapas. La primera corresponde a la Edad del Padre o a La Ley, que se inicia con la creación. La segunda etapa es la Edad del Hijo, o del evangelio, que comienza con el nacimiento de Cristo. La última etapa corresponde a la Edad del Espíritu Santo, que empieza en el año 1000 y tendrá una duración de 1000 años. Durante estas tres etapas Joaquín de Fiore interpretó la historia de la Iglesia como una progresión hacia la perfección y es esta idea de perfección la que sería posteriormente reformulada en términos seculares como una aspiración, no de la iglesia, sino de la humanidad, tanto a nivel colectivo como a nivel individual.

Las raíces de la secularización

La negación de los aportes del cristianismo a la idea del progreso por los ilustrados del siglo XVIII podría explicarse en parte por el optimismo desbordante que los avances científicos alimentaron desde la Revolución Científica, especialmente entre los siglos XV y XVII. Nótese que la gran mayoría de científicos notables de la época como Tycho Brahe, Galileo Galilei, Johannes Kepler e Isaac Newton, abrazaron la fe cristiana, lo que refuta completamente la absurda acusación de ateos y progresistas de que la fe nubla la razón. Una figura central de la Revolución Científica fue el estadista inglés Francis Bacon (1561-1626) quien, en su obra *Novum Organum* (1620), introduce el método baconiano, precursor del método científico, que cambiaría radicalmente la forma en que el hombre describe, explica y comprende el mundo. Bacon también cuestionó la autoridad filosófica de Platón y de Aristóteles, y criticó la débil concepción de progreso de la filosofía natural. Afirmó que es un deber del hombre conocer la naturaleza y las leyes que la gobiernan.

René Descartes también cuestionó la autoridad filosófica de los griegos pero, a diferencia del enfoque empírico de Bacon, ofreció una alternativa racional y teórica para la investigación. Para Descartes, la naturaleza está regida por leyes matemáticas, y el universo no es más que una máquina que debe ser desarmada para su conocimiento y manipulación. De esta manera, el cosmos de los antiguos da paso a un cosmos matemático y potencialmente infinito, gobernado por leyes de causa y efecto. Sin haber abordado directamente la idea de progreso, Descartes es un personaje clave en su desarrollo teórico, ya que es uno de los grandes precursores del racionalismo. A partir de este nuevo culto a la razón, desde el siglo XVII en adelante, la fe en Dios se va trasladando gradualmente hacia la fe en el hombre racional y posteriormente a la fe en la ciencia y en la tecnología.

La idea de progreso fue formulada de manera explícita por primera vez a fines del siglo XVII en Francia durante el debate conocido como "La querella entre antiguos y modernos". Como en la época de los griegos, este debate también giró en torno al progreso en las artes y en las ciencias. Los antiguos, encabezados por el poeta francés Nicolas Boileau (1636-1711), sostenían que ninguna obra literaria o artística contemporánea sería capaz de igualar a los autores de la antigüedad como Homero, Platón o Séneca, pero los modernos criticaron este argumento de autoridad. Uno de sus representantes más importantes fue el poeta y autor Bernard Le Bovier de Fontenelle (1657-1757) o, simplemente, Fontenelle, quien fue un ferviente defensor y promotor de la tradición cartesiana. En 1688, en respuesta a los postulados de los antiguos, Fontenelle declaró la incuestionable superioridad de la modernidad sobre la antigüedad. Según él, la historia de la humanidad es comparable con el desarrollo individual, desde la infancia hasta la vejez, y la humanidad mejora constantemente a medida que se va educando. El debate finalmente se resolvió a favor de los modernos, y su visión se consolidó como la visión dominante a inicios del siglo XVIII.

El secuestro de la idea de progreso

Es durante el siglo XVIII, el Siglo de la Ilustración, cuando la idea de progreso comienza a posicionar, no el universo, sino al ser humano como principal sujeto y objeto de estudio. Este enfoque antropocéntrico marca el gran quiebre entre fe y razón, y acelera el proceso de secularización en Europa. Durante este siglo, que por convención histórica marca el inicio de la modernidad, los escritos sobre el progreso se inspiraron en las obras aportadas durante la Revolución Científica. Durante este período, Europa experimentó un notable desarrollo científico, especialmente en los campos de la física, astronomía y matemática, y esto generó un gran optimismo en las capacidades del hombre para descifrar los misterios de la naturaleza. Filósofos notables como Bernard de Mandeville (1670-1733) y como David Hume resaltaron el carácter acumulativo del conocimiento científico y concluyeron que era imperativo progresar. De esta manera, el progreso, gradualmente, dejó de ser un medio para convertirse en un fin.

Sobre la base de los argumentos elaborados por Fontenelle y por otros modernos, los ilustrados concluyeron que, mientras más sepamos, mejor estaremos y que, por lo tanto, el presente siempre será superior al pasado. Bajo esta supuesta superioridad, poco ganamos mirando hacia el pasado y bien hacemos en mirar hacia el futuro. Salvo la creciente indiferencia por el pasado, los ilustrados no descubren nada nuevo. Simplemente, elaboraron sobre los aportes de Agustín de Hipona, quien orientó la mirada del progreso hacia el futuro. La diferencia entre el cristianismo y la Ilustración con respecto a la orientación del progreso radica en que los segundos migraron su posición desde la comparación hacia la predicción. El progreso deja de tener un norte definido y, si antes era concebido como consecuencia, ahora es transformado en causa. Este giro es clave, ya que sigue siendo la base de orientación del progreso de nuestros días. Va surgiendo, así, una constante necesidad de cambio y una creciente idolatría por lo nuevo. Las cosas son mejores simplemente porque son nuevas, y esta mentalidad se consolida como otra gran obsesión de la modernidad.

El primer gran tratado sobre el progreso lo aporta el estadista francés Anne Robert Jacques Turgot (1727-1781) con *Revisión filosófica de los sucesivos avances de la mente humana* (1751). Turgot afirmó que el progreso no se reduce a las artes y a las ciencias, sino que se extiende a toda la cultura, las instituciones y la economía. Turgot también mantuvo la convicción de que la humanidad transita hacia la perfección. Aquí notamos una diferencia con el pensamiento de Joaquín de Fiore, para quien la Iglesia, no el hombre, progresaba hacia la perfección. Es cierto que Turgot ve a la humanidad como un todo, tal como lo hizo Agustín de Hipona, pero la providencia cristiana es desplazada por la razón humana. Desde entonces, si bien el hombre sigue siendo un ser de incesantes deseos y necesidades, también se convierte en un ser infinitamente perfectible. Esta aspiración a la perfección se expresa hoy con desconcertante claridad en el pensamiento transhumanista. El matemático y filósofo francés Marie Jean Antoine Nicolas de Caritat (1743-1794), más conocido como el "Marqués de Condorcet", refina la idea de perfectibilidad al aspirar a la perfección de la mente humana. En *Bosquejo de una imagen histórica del progreso de la mente humana* (1795), Condorcet elabora una teoría de progreso dividida en nueve etapas, en las cuales la humanidad transita desde el barbarismo hasta la utopía final, representada por un mundo de plena libertad, igualdad y justicia. En este mundo perfecto, nadie sufre hambre, y la mente humana despliega todo su potencial sin ningún tipo de restricciones, especialmente religiosas. Es el mundo del futuro que corresponde a la décima etapa de su teoría de progreso.

Al afirmar que todo el conocimiento humano se obtiene mediante la experiencia, Turgot y Condorcet hacen notar la fuerte influencia del empirismo británico en sus ideas, especialmente la de los trabajos de John Locke, George Berkeley y David Hume. Turgot y Condorcet también coinciden en señalar que el progreso científico depende del progreso tecnológico y viceversa, pero difieren en su actitud hacia el cristianismo. Turgot mantuvo una postura amigable hacia las religiones en general, pero Condorcet las despreció profundamente, y llegó a expresar su deseo de que la humanidad se libere de estas mediante el conocimiento. Esta acumulación, traducida en progreso científico-tecnológico, se reforzaría con mayor libertad política, y viceversa. Sin embargo, la mayor debilidad de sus respectivas propuestas teóricas es que ninguno definió qué es el progreso. Si bien hoy la mayoría lo asocia a desarrollo y a acumulación material, este reduccionismo es peligroso porque ignora las necesidades inmateriales del hombre como, por ejemplo, sus afectos y su desarrollo espiritual.

Vemos, entonces, que el siglo XVIII es un período que se caracterizó por un creciente rechazo al determinismo religioso y al pasado. Lo natural da paso a lo artificial; crece la obsesión por lo material y la idea de progreso alimenta rápidamente el racionalismo político y social. Este racionalismo impulsa el surgimiento de las primeras doctrinas políticas y económicas normativas. El liberalismo inglés que surge con John Locke a fines del siglo XVII lo acompañan el liberalismo clásico forjado durante la Ilustración escocesa y el liberalismo francés, cuyos postulados de libertad, fraternidad e igualdad terminan impulsando la Revolución Francesa en 1789, una de las más sangrientas y destructivas de la historia. Y, si la razón ahora basta y sobra para construir sociedades libres y pacíficas, la moral moderna es secuestrada por los beneficios generados por la ciencia y por la tecnología. En otras palabras, a mayor conocimiento, mayor desarrollo científico-tecnológico, mayor acumulación material, mayor bienestar y mayor felicidad. Por lo tanto, el progreso es moral en la medida en que lo acompaña el progreso material. La mayor oferta de bienes creó más necesidades materiales, y esto se tradujo en más deseos del hombre. El llamado del cristianismo a controlar estos deseos no solo fue ignorado, sino que, desde entonces, es moralmente bueno desear más. La búsqueda de sabiduría moral promovida por Agustín de Hipona fue largamente superada por la maximización de utilidades y por la satisfacción de deseos. De esta manera, el materialismo y el hedonismo se incorporan a la idea de progreso, teniendo como fundamento filosófico el utilitarismo.

Cuando Jeremy Bentham (1748-1832) postuló: "La naturaleza ha puesto a los seres humanos bajo el dominio de dos amos soberanos: el placer y el dolor. Solo a ellos corresponde indicarnos lo que debemos o no debemos hacer"[33], el filósofo inglés fundó formalmente una nueva teoría ética conocida como "utilitarismo". Bentham fue el primero en elaborar el principio de utilidad que postula "la mayor felicidad para el mayor número de personas" y le asignó la categoría de axioma fundamental. El utilitarismo posiciona la promoción del máximo placer y/o deseo y la máxima ausencia de dolor y/o sufrimiento como metas superiores del bienestar humano. Por lo tanto, es una perspectiva que aborda la moralidad de toda acción en función de sus consecuencias, siendo parte de una rama de la ética normativa denominada "consecuencialismo"[34].

Para Bentham, "bueno" o "correcto" es todo aquello directamente relacionado con el placer y con los medios que nos permiten lograrlo mientras evitamos o minimizamos el dolor. A partir de este postulado, sostiene que las valoraciones "bueno/malo" y/o "correcto/incorrecto" solo tienen significado si son utilizados en concordancia con el principio utilitarista que busca aumentar la plusvalía neta del placer sobre el dolor. Para facilitar estas valoraciones, Bentham formuló un algoritmo conocido como "cálculo utilitarista" para calcular el valor de los placeres y dolores, pero no hizo distinciones sobre la calidad de estos. Vemos, entonces, que el utilitarismo es una doctrina

---

33. Bentham, J. (1789) *An Introduction to the Principles of Morals and Legislation*, T. Payne, and son: London. pp.1-6.

34. El consecuencialismo es una clase de ética normativa que sostiene que el criterio fundamental de todo juicio o valoración moral depende de las consecuencias de un acto. Desde esta perspectiva, una acción será moralmente buena si su resultado es bueno. Otras formas de consecuencialismo son el altruismo y el egoísmo. En esta última versión cabe el libertarismo objetivista de Ayn Rand. El consecuencialismo se contrapone directamente con la ética deontológica que enfatiza el rol de las reglas y los deberes morales en los procesos de deliberación moral. Para la deontología, una acción no es buena o mala por las consecuencias que genera, sino por su adhesión a las reglas, principios y/o valores aplicables a ese acto. La ética del cristianismo es deontológica en la medida en que establece marcos de referencia valóricos para guiar la moralidad y acciones de los individuos. Una tercera variante de la ética normativa es la ética de la virtud que enfatiza el carácter del agente moral —la persona—, mas no la naturaleza o consecuencia de sus actos.

hedonista. Para el utilitarista, las acciones no son buenas o malas ni obligatorias ni dependen de dictados divinos. Lo son debido a la cantidad de bienestar que generan a los seres humanos.

El utilitarismo constituye una de las perspectivas filosóficas más poderosas y persuasivas de la ética normativa en la actualidad. Descarta las tradiciones religiosas y convenciones sociales en favor del bienestar terrenal del ser humano, teniendo la felicidad y el placer como fundamentos de todo juicio moral. Desde su aparición en 1789, el utilitarismo jugó un rol decisivo en la rápida secularización del Reino Unido, Europa y los EEUU durante el siglo XIX, siglo en el cual el progreso se convirtió en objeto de culto y adoración.

El progreso como religión

Si el siglo XVIII es considerado el siglo del progreso mediante la razón, el siglo XIX lo fue del progreso mediante la ciencia. Esta interpretación adquiere más fuerza con la irrupción del darwinismo. El progreso, que a partir de la modernidad es concebido como desarrollo y bienestar material, impone este sello durante la Revolución Industrial, período que comprende la segunda mitad del siglo XVIII y la primera del siglo XIX. La narrativa de progreso industrial es una narrativa económica en la que la mecanización de la producción es impulsada por tecnologías a vapor, y el desarrollo de las industrias textiles y ferroviarias desencadena un acelerado proceso de urbanización y de crecimiento económico. No obstante, si bien este crecimiento económico fue frenético, no llegó a todos, y esto generó diferentes interpretaciones sobre el supuesto alcance universal del progreso.

Uno de los primeros en advertir los potenciales efectos de la abundancia en la naciente sociedad de consumo fue el economista político y clérigo anglicano Thomas Robert Malthus (1766-1834). En 1798, Malthus publicó *Ensayo sobre el principio de la población*, donde alertó sobre la incompatibilidad entre un ilimitado crecimiento demográfico y limitados recursos alimentarios. Según Malthus, llegará un punto en que la velocidad de crecimiento de la población supere la oferta disponible de alimentos, lo que derivaría en un futuro de hambre, miseria y violencia. Este escenario, conocido como la "trampa maltusiana", constituye uno de los pilares argumentales de la sesgada y multimillonaria agenda medioambientalista.

Otro teórico clave del progreso de la época fue Henri de Saint-Simon (1760-1825), uno de los primeros en pronosticar la irreversible industrialización del mundo. En *Cartas de un Ciudadano de Ginebra* (1802), Saint-Simon propone que los científicos e ingenieros remplacen a los sacerdotes para liderar la creación de un nuevo orden social. De esta manera, aboga por una sociedad industrial guiada científica y moralmente por una élite de tecnócratas que lidere el proceso de industrialización para la producción de bienes y artefactos útiles para la sociedad. En 1825, publica su trabajo más influyente, titulado *Nuevo Cristianismo*, en el que busca conciliar la fe cristiana con sus postulados tecnocráticos. Para él, es un deber moral del nuevo cristianismo socialista luchar por el mejoramiento físico y moral de las clases más empobrecidas de la sociedad.

Si Saint-Simon buscó armonizar la ciencia con la religión, fue su discípulo, Auguste Comte, quien transformó la ciencia y la idea de progreso en una religión. Entre los mayores aportes de Comte, se encuentran la creación de la sociología como campo de estudio y el positivismo. Durante la década de 1830, Comte publicó una serie de ensayos que giran en torno a la filosofía positivista, donde argumentó que las sociedades humanas progresan en tres fases. La primera es la fase teológica o religiosa, que representa el estado infantil de la humanidad. La segunda fase es la metafísica o abstracta, que corresponde a un período de transición hacia la tercera y última etapa, que Comte define como la etapa positiva en la que la mente humana combina empirismo y razón para investigar las leyes que rigen las ciencias sociales.

En 1852 publica otro texto clave, *Catecismo positivista*, en el que establece dogmas, sacramentos y hasta lugares de peregrinación de la primera gran religión humanista secular: el positivismo. En este trabajo, Comte describe su idea de paraíso terrenal donde la humanidad es guiada por sus hallazgos en las ciencias sociales, hallazgos que le permiten liberarse de todas las creencias y costumbres limitantes del pasado. El filósofo británico John Gray (1948) comenta que Comte propuso elaborar uniformes para su nueva religión con botones en la espalda para promover el altruismo y que también propuso la designación de un gran pontífice con sede en París para que actuara como máximo representante de la religión positiva[35]. La religión positivista propuesta por Comte tuvo tal influencia que su Iglesia, llamada "Iglesia Positivista", inauguró sedes no solo en Francia, sino también en el Reino Unido, Países Bajos y otros países en Europa. Llegó incluso hasta Brasil, donde aún existe la Iglesia Positivista brasileña. Los ateos de hoy ignoran que son esclavos de las ideas de Comte y que su fe en la razón y la ciencia no se distingue en nada de la fe de las religiones primitivas que tanto critican.

A pesar de la evidente acumulación material durante la Revolución Industrial, el paraíso terrenal prometido por el progreso estaba aún muy lejos de lograrse. El capitalismo moderno, que nace con las industrias textiles en Manchester, convirtió a unos pocos en millonarios, pero condenó a cientos de miles de trabajadores a condiciones de vida deplorables. Esta realidad representó un duro revés empírico para la tesis universalista del progreso. En novelas clásicas como *Oliver Twist* (1837) y *Tiempos difíciles* (1854), Charles Dickens (1812-1870) recurrió a la ficción para describir realidades cuya dureza muchas veces superaban la ficción. Pero también surgieron alternativas ideológicas y políticas al progreso industrial; se destacó con nitidez el proyecto comunista de Friedrich Engels (1820-1895) y de Karl Marx (1818-1883). Ambos autores reconocen la influencia intelectual de pioneros del anarquismo y del socialismo, como Pierre Joseph-Proudhon (1809-1865) y el propio Saint-Simon. En el caso particular de Marx, la influencia de Hegel también es muy evidente, especialmente la dialéctica amo-esclavo, que Marx traduce en su lucha de clases. En el Manifiesto Comunista (1848), la obra más famosa de Marx y de Engels, ambos autores resaltan las grandes contradicciones del capitalismo y pronostican su gradual decadencia, a la que le sigue la ascendencia del socialismo y su consolidación final como comunismo. Durante este proceso de transformación, las fuerzas productivas terminan imponiéndose sobre las relaciones de producción capitalistas para finalmente crear el paraíso comunista del proletariado. La obra de Marx es

35. Gray, J. (2018). *Seven Types of Atheism*, Allen Lane: London.

más amplia y compleja, pero lo reseñado basta para posicionarlo como uno de los más grandes teóricos del progreso.

John Stuart Mill (1806-1873), padre del social liberalismo británico, fue gran admirador de la filosofía positivista de Comte. En *Sobre la libertad* (1859), su obra más conocida, Mill distinguió entre sociedades estacionarias y progresivas, en las que gradualmente aumenta y se ejerce la razón, pero marcó distancia del socialismo utópico de Comte, argumentando que la ciencia y la democracia liberal no solo son compatibles, sino que, además, configuran el mejor modelo para la expresión de las libertades individuales[36]. En *Utilitarismo* (1861), Mill tomó la posta de Jeremy Bentham para establecer una conexión entre utilidad, libertad e instituciones políticas. Mill argumentó que la humanidad progresa si es que la utilidad social se incrementa con el tiempo, pero se distanció de la aritmética moral benthamiana, estableciendo una clara diferencia cualitativa entre los placeres, distinción que Bentham omitió. Para Mill, la calidad de los placeres es más importante que la cantidad. Mill distinguió ente placeres superiores e inferiores; los primeros corresponden a placeres mentales, morales y estéticos mientras que los segundos se derivan de los sentidos del cuerpo.

Lo que diferencia a Mill de otros teóricos contemporáneos del progreso es que no asumió su inevitabilidad y consideró que las civilizaciones también pueden estancarse o involucionar si no producen los cambios institucionales adecuados. Una de las mayores inconsistencias de los postulados de progreso de Mill —y que perduran en la actualidad— es que Mill asumió que los seres humanos aprenden de sus errores. John Gray refuta este postulado de fe racionalista afirmando que los campos de concentración nazi y los gulags soviéticos no representaron progreso alguno en comparación con el circo romano o con el negocio de la esclavitud[37]. Mill fue un pensador del progreso que sostuvo que todas nuestras creencias deben estar basadas en la

36. Meek Lange, M. (2022). "Progress", *The Stanford Encyclopedia of Philosophy* (Summer 2022 Edition), Edward N. Zalta (ed.), disponible en https://plato.stanford.edu/archives/sum2022/entries/progress/

37. Ver Gray, J. (2018). *Seven Types of Atheism*, Allen Lane: London.

experiencia, pero ningún pensador secular del progreso sometió sus postulados y teorías a la rigurosa prueba del empirismo.

La publicación de *El origen de las especies*, la obra más importante de Darwin, dio origen a la biología evolutiva, pero su teoría también fue utilizada para desarrollar la idea de progreso social en términos evolutivos. El responsable de esta innovación teórica fue Herbert Spencer (1820-1903), el filósofo del progreso más famoso del siglo XIX. Spencer entendió el progreso como un proceso de diferenciaciones constantes y sucesivas que parten de estructuras simples y homogéneas que posteriormente derivan en estructuras complejas y heterogéneas. A su vez Spencer combinó la visión mecanicista de los siglos XVII y XVIII y la visión científico-tecnológica de la primera mitad del siglo XIX con su propia versión evolucionista, articulando así un concepto de progreso que resulta de la selección y sobrevivencia de los más fuertes de una sociedad. Bajo el paraguas de esta nueva biología social, el ideal de cooperación de la humanidad dio paso a una lógica de la competencia. De esta manera, el progreso deja de ser aleatorio y pasa a ser un proyecto en el que los sujetos menos aptos e imperfectos de una sociedad desaparecen en nombre del progreso.

Esta lógica de competencia también posiciona a la civilización europea como la expresión más avanzada de evolución social. En conjunto con el nuevo método positivista, se justificó la comparación con civilizaciones consideradas primitivas, y esto derivó en una clasificación jerárquica con Europa como máximo ideal civilizatorio. Resulta oportuno agregar que, en su teoría de evolución social, Spencer también clasificó explícitamente las diferentes razas humanas según sus supuestas capacidades mentales, colocando a la raza caucásica en la cima de la pirámide, con el argumento de que el hombre blanco y civilizado poseía un sistema nervioso más complejo y heterogéneo que los demás. Con el surgimiento de la eugenesia a fines del siglo XIX, el racismo adquirió legitimidad científica y asoció razas consideradas inferiores a civilizaciones primitivas que, en nombre del progreso, debían ser civilizadas o eliminadas. De más está decir que cualquier paralelo que se establezca entre la seudociencia de la eugenesia y la seudociencia de género no es casualidad.

2.2. Progresismo y corrupción de la idea de progreso

Durante el siglo XIX la idea de progreso fue reformulada con los cambios generados por la primera Revolución Industrial, el positivismo, el darwinismo y la eugenesia. Europa fue la matriz de estos fenómenos que transformaron la idea de progreso en la primera gran religión secular de la historia. Sin embargo, los orígenes del progresismo no se encuentran en Europa, sino en los EEUU como respuesta a la desigualdad económica derivada del proceso de industrialización que experimentó ese país a fines del siglo XIX. La invención y masificación de la electricidad, el desarrollo de la industria acerera y la expansión de los sistemas ferroviarios y de telecomunicaciones —fenómenos de la Segunda Revolución Industrial— gatillaron movimientos migratorios masivos del campo a la ciudad, que catalizaron los procesos de urbanización. El notable desarrollo económico del gigante norteamericano entre 1870 y 1920 definió un período conocido como la "Edad dorada", durante el cual EEUU duplicó su población y se posicionó como la economía más grande del planeta[38].

Hablar de un solo progresismo es imposible, ya que nunca fue un movimiento ideológicamente homogéneo y organizacionalmente cohesionado[39]. Lo conformaron políticos republicanos y demócratas, sindicatos de trabajadores agrícolas y ganaderos, académicos, periodistas, y activistas que compartieron el objetivo de fortalecer el gobierno federal para contrarrestar el gran poder económico y político de un pequeño grupo de industrialistas conocido como *robber barons* ('barones ladrones'). Entre los más poderosos representantes de esa élite

---

38. Entre 1880 y 1919, el Producto Interno Bruto (PIB) del país en dólares constantes pasó de US$11.000 millones a US$84.000 millones. Para una cobertura más detallada del tema, consultar Gordon, R.J. (2016). *The Rise and Fall of American Growth: The U.S. Standard of Living since the Civil War (The Princeton Economic History of the Western World)*, Princeton University Press: Princeton, NJ., y Lind, M. (2012). *Land of Promise: An Economic History of the United States*, Harper Collins: New York.

39. El pensamiento progresista no se limitó a lo político. En el campo de la economía y de la sociología, se destaca Thorstein Veblen (1857-1929), creador de la escuela de economía institucionalista. En 1899 publicó *Teoría de la clase ociosa*, donde elabora una ácida crítica a las clases altas cuyos frívolos estilos de vida no aportan absolutamente nada a la economía productiva. En el campo de la educación se destacan el pedagogo John Dewey (1859-1952), quien la concibió como un instrumento de reforma social y progreso; el psicólogo William James (1842-1910), fundador de la psicología funcional; y el filósofo Charles Sanders Peirce (1839-1914), creador del pragmatismo filosófico y de la semiótica moderna.

predatoria, se encontraban el magnate petrolero John D. Rockefeller, los industrialistas acereros Andrew Carnegie y Charles Schwab, el especulador financiero Jay Gould, el comerciante Leland Stanford, los banqueros Andrew Mellon y John Pierpoint Morgan y el empresario ferroviario Cornelius Vanderbilt. La magnitud de su poder les permitió operar fuera de las reglas del mercado y la legalidad, ofreciendo una multitud de incentivos a serviciales políticos de turno, especialmente a nivel de gobiernos locales, para expandir y consolidar sus imperios industriales y financieros[40].

Como parte de los esfuerzos para reducir estas asimetrías de poder, los progresistas enfatizaron la primacía de los deberes y derechos colectivos sobre los individuales, buscaron darle mayor poder del gobierno federal frente a los corrompidos gobiernos locales y se esforzaron para disminuir los perniciosos efectos del cabildeo o *lobby* en el Poder legislativo. Estas propuestas se materializaron en el estado de bienestar que operó entre 1933 y 1939, período conocido como el *New Deal*[41]. Cabe destacar que los barones ladrones fueron personajes ampliamente repudiados por las clases medias y trabajadoras del país. Para mitigar esta situación, siguiendo el ejemplo de John D. Rockefeller, algunos crearon fundaciones filantrópicas para apoyar diversas causas sociales y mejorar su imagen pública. Sus contribuciones fueron especialmente significativas en el campo educativo y resultaron en la creación de algunas universidades como Stanford, Rockefeller, Vanderbilt y Carnegie Mellon, que llevan los nombres de sus mecenas.

Si bien el progresismo mostró logros tangibles expresados en el *New Deal*, la coalición estuvo marcada por serias divergencias programáticas. Los sindicatos de trabajadores rurales que impulsaron regulaciones en el sector ferroviario rechazaron el ingreso de trabajadores extranjeros a las grandes urbes del país. Las divisiones también fueron

40. Josephson, M. (1934). *The Robber Barons: The Great American Capitalists 1861-1901*, Hartcourt, Grace, and Company: New York.

41. El *New Deal* o *'Nuevo Acuerdo'* fue un programa de recuperación económica implementado durante el gobierno del presidente Franklin D. Roosevelt para ayudar a las clases trabajadora y media, fuertemente golpeadas por el colapso financiero de Wall Street en 1929 y por la prolongada recesión económica conocida como "Gran Depresión". El programa se caracterizó por una política económica fuertemente intervencionista y asistencialista, que reformó el sistema financiero estadounidense e invirtió en obras públicas para generar empleo y para revitalizar la industria.

notorias con respecto a la participación de mujeres y de negros en los procesos políticos domésticos. Sin embargo, el aspecto más perturbador del progresismo fue la promoción consensuada de políticas eugenésicas para "mejorar" la naturaleza humana. La discriminación abierta de negros, discapacitados, minorías étnicas y pobres de toda edad; la aprobación de leyes de esterilización obligatoria y; la creación de centros de confinamiento para "no deseados" fueron iniciativas a nivel estatal y federal, alentadas por el progresismo, particularmente el ala demócrata, que sirvieron de inspiración al nacionalsocialismo alemán para asesinar a seis millones de judíos en los campos de concentración.

Robert Nisbet sostiene que, durante el siglo XX, el progreso secular finalmente logró expresarse a plenitud mediante dos guerras mundiales, la Gran Depresión, los excesos del comunismo, el fascismo y el nacionalsocialismo, los horrores de los campos de concentración y la Guerra Fría[42]. La promesa de una ciudad de Dios creada por ciudadanos en la Tierra, el paraíso de abundancia material y de ilimitados placeres se convirtió en el mayor infierno de la historia. En nombre del progreso secular impulsado por la moral racionalista, utilitarista, hedonista y materialista, se justificaron genocidios, que acabaron con las vidas de millones de seres humanos y destruyeron las estructuras sociales, culturales, políticas y económicas de decenas de países en todo el mundo. Por otro lado, es innegable que durante ese siglo se produjeron grandes avances científicos y tecnológicos coronados por la llegada del hombre a la luna, pero no es difícil concluir que los costos para la humanidad fueron muy altos.

La caída del Muro de Berlín en 1989 y el colapso del comunismo soviético pocos meses después devolvieron el optimismo por el progreso. Uno de los primeros en manifestarlo públicamente fue el intelectual estadounidense Francis Fukuyama (1952), quien, en *El fin de la historia* (1992), declaró la superioridad absoluta de la democracia liberal y la muerte de alternativas ideológicas a ese modelo. La recuperación económica experimentada por EEUU, Europa Occidental y Japón durante los ochenta reforzó un optimismo que se extendió en

42. Nisbet, R. (1979). "The Idea of Progress: A Bibliographical Essay", *Literature of Liberty*, 7-37.

la década siguiente a algunos países del sudeste asiático y de América Latina. Palabras como "competitividad" y "globalización" comenzaron a ser parte esencial de todos los discursos de progreso, y la irrupción y masificación de internet desde mediados de los noventa hizo más creíble la idea de una aldea global. Al vertiginoso desarrollo de infraestructura y tecnologías de información y comunicación se le sumaron grandes hitos científicos y tecnológicos, como el lanzamiento del telescopio Hubble, el inicio del Proyecto del Genoma Humano, la tecnología GPS, el desarrollo de protocolos y lenguajes de internet, la clonación de la oveja Dolly y otros avances científico-tecnológicos disruptivos, que ni la crisis de la burbuja puntocom ni el problema informático del año 2000, el famoso Y2K, pudieron detener.

La publicación de *La tercera vía* del sociólogo británico Anthony Giddens en 1998 estableció los fundamentos ideológicos del nuevo progresismo del siglo XXI. Manteniendo el espíritu reformista del progresismo primigenio, propuso alejarse de los excesos del neoliberalismo y de la incompetencia burocrática de la socialdemocracia para dar paso a una nueva economía política que priorizara la justicia social. Para ello, identificó las mayores fortalezas de la economía de mercado y el socialismo para combinarlas y construir, en sus propias palabras, un centro radical. Giddens esbozó los principales postulados del nuevo progresismo, entre estos, el compromiso con la agenda medio ambientalista, el empoderamiento de organizaciones sociales como las Organizaciones No Gubernamentales (ONG), el concepto de familias democráticas, la igualdad de género e igualdad como inclusión, la celebración de la diversidad y el desarrollo de una nación cosmopolita o una sola nación global fundada sobre el multiculturalismo. Los principales promotores de este movimiento fueron el expresidente estadounidense Bill Clinton y el ex primer ministro británico Tony Blair, quienes lideraron la formación de una coalición centrista internacional, identificada con el ideal de progreso utilitarista.

El protagonismo de la ciencia y de la tecnología desde inicios del nuevo milenio le aportó al progresismo globalista su dimensión tecnocrática. Según Joseph Stiglitz (1943), "la sociedad puede y debe cambiar para ayudarnos a lograr nuestras metas. El movimiento progresista valora altamente la innovación, tanto tecnológica como social"[43]. El economista estadounidense agrega que la actual plataforma progresista es la continuación del proyecto ilustrado del siglo XVIII, que posiciona el racionalismo y el uso de la ciencia y la tecnología como principales instrumentos de reforma. Por lo tanto, es posible definir el progresismo contemporáneo como un movimiento reformista, globalista, tecnocrático y de centro radical —compuesto por representantes de la izquierda y derecha tradicionales—. Su propósito es reformar la sociedad y mejorar la condición del ser humano mediante políticas de reingeniería social y cultural y la aplicación de tecnologías. Sin embargo, reducir al progresista a la categoría de marxista, neomarxista, socialista o izquierdista constituye un gravísimo error de interpretación política. El progresismo también se nutre de una falsa derecha liberal y libertaria fuertemente comprometida con la agenda arcoíris.

El psicólogo evolucionista Steven Pinker (1954) es uno de los principales representantes del progresismo contemporáneo, específicamente de la variante racionalista. Sus obras permiten comprender mejor la interpretación del mundo desde esa perspectiva política y cultural. Pinker aporta dos de las obras más populares sobre la idea de progreso publicadas en el siglo XXI. En *Los mejores ángeles de nuestra naturaleza* (2011), argumenta que, durante los últimos 30-40 años, todas las formas de violencia humana —desde las grandes guerras hasta el abuso infantil— han decrecido significativamente debido a nuestra mayor capacidad de razonamiento y un sentido más elevado de la moral. Pinker reafirma los fundamentos racionalistas del nuevo progresismo en su libro *En defensa de la Ilustración* (2018), donde identifica la razón, la ciencia y tecnología y el humanismo como los grandes motores del progreso. Junto a otros conocidos representantes de la variante racionalista como el físico británico Brian Cox (1968) y el físico estadounidense Neil deGrasse Tyson (1958), Pinker nos invita a compartir su tecno-optimismo y alejarnos de fanatismos religiosos y de algunas corrientes posmodernistas.

No todos comparten la visión progresista racionalista en la cual el progreso científico-tecnológico acompaña e impulsa el progreso

43. Stiglitz, J. (2016). "A Progressive Agenda for the Twenty-First Century". En Woolner, D.B. y Thompson, J.M. (eds.) *Progressivism in America: Past, Present, and Future*, pp. 215-232.

moral. Entre los mayores escépticos y críticos de la idea de progreso de la actualidad, se encuentran el polímata estadounidense-libanés Nassim Nicholas Taleb (1960), el filósofo británico John Gray y el recientemente fallecido filósofo conservador Sir Roger Scruton (1944-2020). Lo que separa a estos pensadores de sus pares tecno-optimistas es una concepción mucho más completa de la idea de progreso, que no reducen a ontologías materialistas. La segunda diferencia es que los pesimistas recurren a un empirismo más vigoroso para probar que, si bien nuestras condiciones de vida materiales han mejorado, nuestra naturaleza humana sigue siendo la misma que la de nuestros antepasados. John Gray no niega que el desarrollo científico y tecnológico y la acumulación de conocimiento sean dimensiones cuantificables y objetivamente verificables. Sin embargo, la misma capacidad que tenemos para aprender del conocimiento que generamos no se replica a nivel político y moral. Para Gray, no somos moralmente superiores a nuestros antepasados. Más aún, las instituciones formales —leyes, decretos y normas— que regulan nuestro comportamiento no eliminan nuestros vicios y comportamientos predatorios[44]. Que hoy la esclavitud sea penalizada no ha impedido que se siga cometiendo este crimen a nivel internacional. En otras palabras, según Gray, el progreso tecnológico no es sinónimo de progreso moral.

El progresismo posmodernista corresponde a la segunda variante del progresismo contemporáneo. Si bien es cientificista[45] como el progresismo racionalista, se diferencia de este en dos aspectos fundamentales. Primero, el progresista posmodernista no limita su fe a la ciencia, sino que la extiende a las posibilidades científico-tecnológicas

44. Gray, J. (2002). *Straw Dogs: Thoughts on Humans and Other Animals*, Granta Books: London.

45. El cientificismo es un término peyorativo que alude a una fe cuasirreligiosa en la ciencia. Para el cientificista, la ciencia deja de ser un mero instrumento para la búsqueda de verdades científicas y pasa a convertirse en un objeto de culto y adoración. Desde una perspectiva filosófica, el cientificista coloca la ciencia sobre las artes y humanidades, ya que considera que es la única herramienta para describir, explicar y entender el mundo natural. En el mejor de los casos, muestra indiferencia y, en el peor, desprecio por la religión. Para el cientificista, el único método de investigación válido es el método científico; sostiene que, si las artes y las humanidades buscan ser relevantes, también deberán adoptarlo. Este fanatismo resulta de una paupérrima o inexistente comprensión de las artes y humanidades, y también de la propia ciencia ya que, como señaló Sir Roger Scruton, la ciencia no puede ofrecer todas las respuestas, ya que no plantea todas las preguntas. Preguntas fundamentales de carácter ontológico, que jamás podrán ser adecuadamente resueltas solo con el método científico.

para generar un conocimiento especulativo, no fáctico. En segundo lugar, el progresismo posmodernista es antihumanista. A diferencia del progresista racionalista (que funda su fe en el humanismo secular), el progresista posmodernista muestra una profunda inconformidad y frustración con el ser humano, al cual considera una criatura imperfecta, maleable y mejorable en lo físico, intelectual, cognitivo y moral. El representante más popular de esta variante es el historiador judío Yuval Noah Harari, autor de una trilogía de libros[46], de la cual se destaca *Homo deus: una breve historia del mañana* (2016), texto en el que Harari plantea un futuro distópico que, sin embargo, es presentado como un triunfo del progreso humano.

Compulsivamente promocionado por medios de prensa, organismos multilaterales, grandes empresas tecnológicas y centros académicos de todo el planeta como un profeta del progreso, Harari plantea la insólita tesis de que el progreso humano pasa por la anulación del ser humano. *Homo deus...* es un libro cargado de especulaciones, y no de evidencia científica que parte de una concepción utilitarista, materialista y relativista del ser humano. Para Harari, somos, simplemente, organismos gobernados por algoritmos biológicos encargados de procesar datos y guiar nuestros procesos vitales. Devalúa la importancia de las percepciones y sentimientos y posiciona de manera exclusiva la inteligencia y el conocimiento en lo más alto de su escala moral. Su antropología es instrumental, y son evidentes las influencias de Descartes, Bentham, Mill, Darwin y los pensadores relativistas del posestructuralismo y posmodernismo. Para Harari, no somos una totalidad, sino seres modulares, cuyas mentes pueden ser disociadas del cuerpo. También niega una dimensión trascendental o espiritual del ser humano que puede explicarse por su evidente anticristianismo.

Apelando al inmenso potencial de tecnologías disruptivas como la inteligencia artificial, la biotecnología y la robótica, Harari afirma que estas nos permitirán jubilar al indeseable *Homo sapiens* y transformarnos en hombres dioses u *Homo deus*, seres con la capacidad de crear y destruir vida a voluntad. Ante este futuro, ¿quién necesita a Dios si

46. Los libros que completan esta trilogía son *Sapiens: de animales a dioses* (2015) y *21 lecciones para el siglo XXI* (2018).

somos dioses? Para que esta transición se materialice, Harari señala que será necesario acabar con la celebración de la naturaleza, condición y valores del ser humano. La erosión del humanismo debido a los avances científico-tecnológicos también nos permitirá erradicar creencias equivocadas sobre el poder de nuestras emociones, razón y voluntad. En un mundo donde el ser humano deja de ser la criatura más valiosa e importante de la creación, todas las instituciones que se desprenden de su naturaleza y condición —familia, estado, mercado, universidades— dejarán de ser relevantes. De esta manera, Harari anuncia que el humanismo será remplazado por el "tecno-humanismo", término que utiliza para referirse al transhumanismo, nuevo paradigma en el cual podremos mejorarnos constantemente mediante diversas aplicaciones tecnológicas. El conjunto de estas mejoras derivará, según Harari, en niveles de bienestar físico, intelectual, cognitivo y moral nunca registrados en la historia.

Las promesas de Harari serían mucho más convincentes de no ser por un pequeño, pero fundamental, detalle. Los beneficios de su tecno-humanismo —lo reconoce abiertamente— no serán para todos, sino para una pequeña elite capaz de pagar los altos costos de las tecnologías mejoradoras. Solo unos pocos serán *Homo deus*, y su concentración de poder económico, político y tecnológico será de tal magnitud que la brecha con los no mejorados será insalvable. Harari también habla del enorme poder de la inteligencia artificial, cuyos algoritmos nos conocerán mucho mejor que nosotros a nosotros mismos. De esta manera, los algoritmos nos guiarán en todo el proceso de toma de decisiones personales durante nuestras vidas, desde el trabajo más adecuado según nuestras capacidades hasta nuestra aptitud para la reproducción. Más aún, sobre la base de ese inmenso poder predictivo, los algoritmos gradualmente remplazarán a los seres humanos en el mercado laboral en un proceso conocido como "automatización de las labores productivas". Esto derivará en millones de personas desempleadas que jamás volverán a reinsertarse al mercado laboral, y conformarán un grupo, que Harari denomina despectivamente "la clase inútil" o "sobrante"[47].

47. El término despectivo utilizado por Harari y la explicación alrededor de este pueden ser corroborados y consultados en los siguientes enlaces: (1) *The Rise of the Useless Class*, TED, https://ideas.ted.

¿Qué futuro le espera entonces a la masa de inútiles que no podrá mejorarse y reintegrarse al mercado laboral? Harari les ofrece: (I) una nueva religión llamada "dataísmo"; (II) una nueva matrix denominada "internet de todas las cosas"; y (III) el fin de la humanidad. Con respecto a la primera, Harari adelanta la muerte del humanismo —y por extensión, del cristianismo— y la irrupción de un culto a los datos, que denomina "dataísmo". Este culto, cuyo templo inicial sitúa en Silicon Valley, girará en torno a la recolección y procesamiento de datos por poderosos algoritmos que sabrán absolutamente todo sobre nosotros. El internet de todas las cosas corresponde a la infraestructura tecnológica compuesta por sensores omnipresentes y por redes de transmisión de datos, que integrará todos los sistemas de recolección y procesamiento de datos para asegurar un seguimiento milimétrico e ininterrumpido de todas nuestras actividades en todas partes y en todo momento. Los algoritmos sabrán a qué hora nos levantamos, qué comemos, con quiénes hablamos, qué cosas compramos y, todo lo que pensamos para ayudarnos a tomar las mejores decisiones sobre nuestras vidas. El sistema de crédito social que opera en China desde noviembre de 2019[48] puede servir como adelanto del maravilloso futuro proyectado por Harari.

No es difícil comprender por qué Harari concluye que el surgimiento del tecno-humanismo significaría la destrucción del ser humano. Esta no se limitaría a una destrucción o deformación física debido a manipulaciones genéticas, implantes de chips y/o fusiones de partes blandas con prótesis robóticas. La muerte del ser humano, tal como la advirtió Foucault, pasaría por su completa desnaturalización en nombre del progreso tecnológico y del falso progreso moral, que se desprende del primero. Sin embargo, el ideal de progreso promovido por Harari y su descomunal aparato mediático no ha sido concebido ni consentido por las masas inútiles. Es un ideal que nace

com/the-rise-of-the-useless-class/; (II) *Workplace Automation & the Useless Class*, Carnegie Council for Ethics in International Affairs https://www.youtube.com/watch?v=OMDlfNWM1fA; (III) *Read Yuval Harari's blistering warning to Davos in full*, World Economic Forum https://www.weforum.org/agenda/2020/01/yuval-hararis-warning-davos-speech-future-predications/

48. Para más información sobre el sistema de control tecnológico chino, consultar Lukacs de Pereny, M. (2020). "La tiranía de los algoritmos". En Beltramo, C. y Polo, C. (eds.) *Pandemonium: ¿De la pandemia al control total?*, Population Research Institute Latinoamérica, pp. 45-56.

de las élites a las cuales Harari denuncia, pero a las que, en realidad, sirve con ejemplar obediencia. Harari ha difundido sus especulaciones en plataformas de difusión de Google, Facebook, la Organización de las Naciones Unidas para la Educación, la Ciencia y la Cultura (UNESCO), el Foro Económico Mundial (FEM), la Real Sociedad de las Artes (RSA), TED Conferences LLC y un sinnúmero de canales de televisión, estaciones de radio, medios de prensa y universidades que promueven activamente el ideal de progreso progresista. Denunciar a las élites desde sus plataformas políticas, económicas, sociales, culturales y tecnológicas mientras te beneficias económica y mediáticamente de estas demanda tanta valentía como la de quien abusa de un niño.

Capítulo III

Transhumanismo: la idea más peligrosa del mundo

¡La vida sin fin que buscas, jamás la encontrarás! / Cuando los dioses crearon a los hombres, / les asignaron la muerte / y se reservaron la inmortalidad para ellos.

Anónimo, *La epopeya de Gilgamesh* (2500-2000 a. C.)

La perfectibilidad del ser humano es indefinida.

Marqués de Condorcet, *Progreso de la mente humana* (1795)

En los próximos 30 años tendremos los medios tecnológicos para crear una inteligencia superhumana. Poco después, la era humana habrá terminado.

Vernor Vinge, *La singuralidad tecnológica* (1983)

En julio de 2019 se llevó a cabo la decimocuarta edición de "Transvision", la conferencia transhumanista más importante del mundo, en el Birkbeck College en Londres. Para entonces ya había acumulado tres años de conocimiento sobre los postulados del movimiento, sus objetivos y principales variantes, pero me faltaba experimentar el ambiente de esa comunidad. Durante dos días asistí a interesantes conferencias que abordaron la relación entre máquinas y seres humanos, la singularidad tecnológica, la creación de superbebés, el biohacking y la religión del dataísmo. A pesar de mi abierta disidencia, comprobé que el entusiasmo por las posibilidades de mejoramiento humano mediante aplicaciones tecnológicas era real, y el compromiso con su causa, genuino. Si el politólogo Francis Fukuyama definió el transhumanismo como "la idea más peligrosa del mundo"[49], sus proponentes demostraron que para ellos no es solo un deseo, sino una necesidad.

El transhumanismo es un movimiento cultural, intelectual y político de alcance global difícil de definir. Corresponde a un híbrido entre religión, filosofía, política, ciencia y tecnología que, según Humanity Plus, la principal organización transhumanista a nivel mundial, busca mejorar la naturaleza y experiencia vital del ser humano mediante la aplicación de tecnologías como la inteligencia artificial, biotecnología, nanotecnología, robótica y ciencia de materiales. Las mejoras incluyen la erradicación del envejecimiento y el potenciamiento de las capacidades intelectuales, físicas, psicológicas y morales del ser humano. El propósito de estas mejoras es superar las limitaciones impuestas por la naturaleza desde una perspectiva racionalista y utilitarista. El transhumanismo se fundamenta fuertemente en el progresismo posmodernista pero, a pesar de su aparente uniformidad, es un movimiento dinámico y heterogéneo.

Son varias las corrientes de pensamiento transhumanista identificadas por el historiador y periodista italiano Roberto Manzocco[50]. La primera corresponde al inmortalismo, cuyo principal promotor es el gerontólogo británico Aubrey de Grey (1963); busca extender la vida humana hasta alcanzar la inmortalidad. El abolicionismo, variante

49. Fukuyama, F. (2004). *Transhumanism, Foreign Policy*, 144 (144): 42.
50. Manzocco, R. (2018). *Transhumanism: Engineering the Human Condition*, Springer Praxis Books: Cham.

propuesta por el filósofo británico David Pearce (1959), se alimenta del utilitarismo benthamiano y aspira a eliminar todo tipo de sufrimiento en todos los seres vivos —no solo en los seres humanos—, haciendo uso de la biotecnología. Una tercera variante es el posgenerismo, que propone la abolición del dualismo sexual, especialmente la eliminación del sexo masculino, y aspira a un mundo de múltiples géneros. Para los posgeneristas (cuya base filosófica es el dualismo cartesiano), el sexo debe ser vaciado de contenido reproductivo, y la gestación natural debe ser remplazada por úteros artificiales para liberar a los seres humanos de sus roles paternales y maternales tradicionales. Inspirado por el trabajo de la feminista radical Shulamith Firestone, el transhumanista canadiense George Dvorsky (1970) es uno de sus principales exponentes[51].

Una cuarta variante es representada por el extropianismo, corriente de pensamiento fundada por el filósofo británico Max More (1964). Su enfoque es fuertemente racionalista y utilitarista, y busca la perfectibilidad constante del ser humano mediante procesos de autotransformación regulados por las fuerzas del mercado. Es una variante liberal y tecno-optimista del transhumanismo. El singularitarismo es la quinta variante, que postula la idea de una explosión de inteligencia artificial que superará la inteligencia humana. Los cambios tecnológicos generados por esta inteligencia artificial autónoma e independiente se volverán incomprensibles para los seres humanos y marcarán el fin de su superioridad como especie. Para sus principales representantes, entre quienes se destaca el ingeniero de Google, Raymond Kurzweil (1948), este escenario no solo es posible, sino altamente deseable. Finalmente, encontramos al tecnogaianismo, corriente formulada por el futurista estadounidense Alex Steffen (1968), que aspira a la restauración de los ecosistemas dañados por el hombre mediante aplicaciones bio- y nanotecnológicas.

El poshumanismo es una perspectiva que trasciende la categoría de variante y se constituye en una filosofía independiente del transhumanismo. Fuertemente influenciado por el pensamiento posestructuralista y posmodernista, se aparta del transhumanismo al abogar por

51. Dvorsky, G. and Hughes, J. (2008). *Postgenderism: Beyond the Gender Binary*. Disponible en https://philpapers.org/archive/HUGPBT.pdf

el fin del antropocentrismo. Los poshumanistas promueven el uso intensivo de tecnologías como la inteligencia artificial y la biotecnología para generar criaturas inmortales y superinteligentes que trasciendan su corporalidad biológica y artificial. El poshumanismo, que tiene entre sus principales precursores y representantes a la feminista Donna Haraway[52] (1944) y al filósofo sueco Nick Bostrom (1973), marca un quiebre definitivo con el humanismo, del cual se nutre filosóficamente, para anunciar una era dominada por seres indiferenciados que poseen absoluto control de su destino.

3.1. Raíces ideológicas

A lo largo de la historia los seres humanos nos hemos caracterizado por el deseo constante de superar nuestras limitaciones naturales. Sin embargo, la muerte, invariablemente, nos recuerda cuán frágiles, pasajeros e insignificantes somos. Leyendas y mitos como los de Gilgamesh, Ícaro y Fausto sirvieron para expresar la interminable lucha del hombre contra la naturaleza y para canalizar deseos frustrados. Más allá de la ficción, las momias de los antiguos egipcios, las técnicas de meditación de los taoístas chinos y las pócimas de los alquimistas de la Europa medieval fueron intentos de preservación y extensión de la vida, pero sus sistemáticos fracasos probaron la condición universal de la muerte. No importa cuándo y dónde hayas nacido, cuánto poder tengas y en qué o quién creas; llegado el momento, la muerte tocará tu puerta.

El transhumanismo se opone a este desenlace fatal. Es un movimiento que le declara la guerra a la muerte y constituye una actitud de emancipación de lo natural y lo divino. En una breve reseña histórica del pensamiento transhumanista, Nick Bostrom (2005), cita el siguiente fragmento de la obra *Oratio de hominis dignitate* (1486) del humanista italiano Giovanni Pico della Mirandola:

52. En su "Manifesto Cyborg", Donna Haraway, principal exponente del poshumanismo feminista, plantea una fusión quimérica entre el ser humano y la máquina, que ataca directamente los fundamentos del esencialismo. Más que una descripción figurativa, el Cyborg de Haraway busca borrar los límites conceptuales, biológicos y morales que separan al ser humano del resto de la naturaleza. Ver: Haraway, D. (1985). "Manifesto for Cyborgs: Science, Technology, and Socialist Feminism in the 1980s", *Socialist Review*, 80: 65-108.

> No te he hecho ni celeste ni terreno, ni mortal ni inmortal, con el fin de que tú, como árbitro y soberano artífice de ti mismo, te informases y plasmases en la obra que prefirieses. Podrás degenerar en los seres inferiores que son las bestias, podrás regenerarte, según tu ánimo, en las realidades superiores que son divinas.

Lo que el filósofo sueco infiere de este fragmento es la capacidad del ser humano de obrar como ser divino. Sin embargo, Bostrom omite un texto clave que precede inmediatamente al anterior y que aporta mayor contexto:

> Oh, Adán, no te he dado ni un lugar determinado, ni un aspecto propio, ni una prerrogativa peculiar con el fin de que poseas el lugar, el aspecto y la prerrogativa que conscientemente elijas y que de acuerdo con tu intención obtengas y conserves. La naturaleza definida de los otros seres está constreñida por las precisas leyes por mí prescriptas. Tú, en cambio, no constreñido por estrechez alguna, te la determinarás según el arbitrio a cuyo poder te he consignado. Te he puesto en el centro del mundo para que más cómodamente observes cuanto en él existe[53].

Con la adición de este texto se entiende que el poder, libertad y privilegios inferidos por Bostrom no son inherentes a Adán. No se trata de la posibilidad de convertirnos en dioses, ya que el poder de Adán fue otorgado por Dios. No fue un cheque en blanco, sino un conjunto de compromisos y responsabilidades que emanan del ejercicio libre y voluntario de ese poder. Más aún, Dios le recuerda a Adán los límites de su poder y existencia que, en términos seculares, corresponden a los límites de la naturaleza y sus leyes. Finalmente, Adán mordió la manzana, y su falta nos condenó a todos a la muerte. Es el castigo de Dios por su debilidad, castigo que, desde la perspectiva bíblica, los transhumanistas no están dispuestos a seguir asumiendo.

Ahora bien, la corriente de pensamiento humanista que Pico della Mirandola representó surgió en el norte de Italia durante los siglos

53. Pico della Mirandola, G. (1486). *Oratio de hominis dignitate*, Editorial π: Medellín. p.5.

XIII y XIV, Y alcanzó su apogeo durante el Renacimiento en el siglo XV. Posteriormente se difundió hacia el norte de Europa e Inglaterra; tuvo entre sus mayores exponentes al poeta Petrarca, el teólogo Nicolás de Cusa y el sacerdote católico Erasmo de Rotterdam. El humanismo enfatizó la naturaleza y condición humanas promoviendo el desarrollo de las virtudes en todas sus formas, desde lo ético hasta lo estético. Apunta hacia el cultivo de la *humanitas* y todas las cualidades que la componen: benevolencia, compasión, dignidad y piedad, pero también fortaleza, prudencia y un sentido de la justicia. El humanismo no fue solo una perspectiva filosófica, sino también un programa de reflexión que se apartó de posiciones teocéntricas para identificar al ser humano como principal sujeto de la creación. Ello no implicó una separación de la doctrina cristiana, pero sí la concepción de un ser humano más independiente, aunque siempre sometido a la autoridad divina.

El balance entre acción virtuosa y contemplación cristiana promovido por el humanismo comenzó a ser severamente erosionado por la Revolución Científica entre los siglos XV y XVII, particularmente por la difusión de la Teoría Heliocéntrica de Copérnico (1543) y del método baconiano —precursor del método científico— desarrollado por el estadista inglés Francis Bacon. En su obra *Novum Organum* (1620), Bacon propone el uso de la ciencia para dominar la naturaleza y ponerla al servicio del hombre. Privilegia la inducción[54] guiada por el empirismo o experiencia práctica antes que el enfoque deductivo, para investigar, explicar y entender nuestro mundo y las leyes universales. Plantea como objetivo final la expansión y consolidación de un imperio humano que someta a la naturaleza la totalidad de sus intereses y necesidades.

El Siglo de la Ilustración marca un punto de inflexión en la historia de Occidente. Inspirados por los aportes científicos de Galileo Galilei, Johannes Kepler e Isaac Newton y las ideas de filósofos como René Descartes y John Locke, un conjunto de pensadores, principalmente escoceses y franceses, consolidó los cimientos del racionalismo secular, que perdura hasta la actualidad. La herencia humanista del

54. El razonamiento inductivo parte de observaciones específicas y culmina en teorías generales, mientras que el razonamiento deductivo parte de teorías generales y deriva en conclusiones particulares.

Renacimiento derivó en una fe excluyente en el hombre y los avances científicos y tecnológicos durante la Revolución Científica posicionaron gradualmente la ciencia —no a Dios— como objeto de adoración. El secularismo, racionalismo e individualismo que se consolidaron durante el siglo XVIII contribuyen significativamente al *ethos* transhumanista del siglo XXI.

Conocer los aportes de los ancestros intelectuales del transhumanismo es necesario "para entender por qué los transhumanistas creen que el progreso exige la extinción humana" (Rubin, 2014: pp.11-12). Entre los más importantes encontramos nuevamente al Marqués de Condorcet. En *Bosquejo de una imagen histórica del progreso de la mente humana* (1795)[55], Condorcet argumenta que la razón humana ha permitido un progreso material y moral que no debe involucionar. Ese progreso se traduce en mayor prosperidad y oportunidades educativas libres del yugo de la religión. Todas estas mejoras derivan en una mayor libertad y esperanza de vida, por lo que —según Condorcet— no sería descabellado pensar en el progreso humano perpetuo:

> ¿Acaso sería absurdo suponer que el mejoramiento y progreso de la raza humana serán ilimitados? ¿Que llegará un tiempo donde la muerte solo resultará de accidentes extraordinarios o de un desgaste gradual de la vitalidad, y que, finalmente, la duración del intervalo promedio entre el nacimiento y el desgaste de la vitalidad no tendrá límites específicos de ningún tipo? No hay duda de que el hombre nunca será inmortal, pero ¿podrá no aumentar constantemente la brecha entre el momento que comience a vivir hasta el tiempo en que, libre de enfermedad y accidentes, considere que la vida es una carga?[56]

A pesar de aceptar que nunca seremos inmortales, la idea de eterna perfectibilidad que sostuvo Condorcet también caló en dos importantes personajes contemporáneos suyos. El primero, su compatriota

55. El título original que se consigna en la sección de referencias es *Esquisse d'un tableau historique des progrès de l'esprit humain.*

56. De Caritat, M.J.A.N. -marquis de Condorcet (1795). *Esquisse d'un tableau historique des progrès de l'esprit humain,* Les classiques de sciences sociales, Université du Québec a Chicoutimi. pp. 217-218.

Denis Diderot, quien en *El sueño de D'Alembert*[57] (1769: p. 12), pronosticó que "la humanidad eventualmente será capaz de rediseñarse en varios tipos cuya viabilidad y estructura orgánica final son imposibles de predecir". El segundo, el polímata estadounidense Benjamin Franklin quien, al preguntársele cómo preferiría morir, respondió que conservado en whisky en barril de Madeira, junto a sus mejores amigos para ver los logros de su país en el futuro.

Las aspiraciones de Bacon, Condorcet, Diderot y Franklin de extender y mejorar la calidad de nuestras vidas chocaron frontalmente con la publicación del *Ensayo sobre el principio de la población* de Malthus. La trampa maltusiana tendría enorme influencia sobre futuros autores, entre ellos Charles Darwin y su idea de competencia natural desarrollada. Los debates contemporáneos sobre la idea de progreso surgen, según Rubin (2014), de las tensiones entre las ideas de perfectibilidad de Condorcet, la trampa malthusiana y el evolucionismo darwiniano.

Un texto muy poco conocido pero influyente en el pensamiento transhumanista es *El martirio del hombre*, escrito en 1872 por el escocés William Winwood Reade (1838-1875). Reade argumentó que la naturaleza limita seriamente las capacidades físicas e intelectuales del ser humano y que, por lo tanto, resulta imperativo mejorarlas mediante el poder de la ciencia. No obstante, sus aspiraciones van más allá de lo terrenal, como lo muestra el siguiente fragmento:

> Las enfermedades serán extirpadas; las causas del decaimiento serán removidas; se inventará la inmortalidad. Y luego, siendo la tierra pequeña, la humanidad migrará hacia el espacio [...] Finalmente, los hombres dominarán las fuerzas de la naturaleza; se convertirán en arquitectos de sistemas, fabricantes de mundos. Luego el hombre será perfecto, entonces será el creador[58].

Reade va más allá de la inmortalidad para pronosticar la transformación del *Homo sapiens* en *Homo deus* pero, para lograrlo, primero

57. El título original que se consigna en la sección de referencias es "*Le rêve de d'Alembert*".
58. Reade, W.W. (1872). *The Martyrdom of Man*, Internet Archive. p. 515.

deberá colonizar el espacio. La idea de conquista espacial fue muy popular durante el siglo XIX. Una de sus corrientes fundacionales fue el cosmismo ruso, que postuló el derecho a la existencia eterna y que tuvo a Nikolai Fedorovich Fedorov (1829-1903) como máximo referente. En *Filosofía de la tarea común*, Fedorov fija como punto de partida la mortalidad del hombre y combina pensamientos místicos, teorías científicas y cristianismo ortodoxo ruso para elaborar sus ideas pretranshumanista[59]. Solucionar el problema de la muerte es, según Fedorov, encontrar solución a todos los problemas que aquejan a la humanidad, pero es indispensable que todos los seres humanos unamos esfuerzos para lograrlo. Konstantín Tsiolkovsky (1857-1935), considerado uno de los padres de la exploración espacial soviética, también contribuyó al desarrollo de este movimiento futurista-esotérico-intelectual. En 1903 publicó *Exploración del espacio cósmico por medio de dispositivos a reacción*, donde advierte que la sobrevivencia de nuestra especie dependerá de la colonización del sistema solar.

El cosmismo ruso tuvo un fuerte impacto ideológico en el programa de adoctrinamiento comunista de la naciente Unión Soviética. La idea de trascender nuestra existencia terrenal por medio de la exploración espacial caló hondo en Maxim Gorky (1868-1936), líder revolucionario bolchevique, quien promovió activamente la ideología de la Construcción de Dios. Motivados por el positivismo de Comte, sus fuertes convicciones eugenésicas y un odio visceral a la religión, sus promotores tuvieron como propósito crear un racionalismo socialista de carácter religioso que facilitara los programas de adoctrinamiento comunistas. En su novela *Confesión* (1908), Gorky caracteriza a las personas como individuos sin valor, pero señala que el conjunto de la humanidad posee el potencial para convertirse en Dios[60]. Otro marxista inspirado por el cosmismo y enemigo acérrimo del cristianismo fue León Trotsky (1879-1940), íntimo colaborador de Lenin, quien fue más allá de posiciones políticas para proponer explícitamente la creación de un superhombre mediante herramientas científicas. Las mejoras físicas, mentales y estéticas aplicadas a toda la población

59. Para una descripción más detallada del cosmismo ruso, ver Manzocco, R. (2018). *Transhumanism: Engineering the Human Condition*, Springer Praxis Books: Cham.

60. Cabe señalar que Gorky fue nominado cuatro veces al Premio Nobel de Literatura.

convertirían a la Unión Soviética en un ente biológico vivo que se dirigía, imparable, hacia la ruta del eterno progreso secular.

El título del excelente libro *La Comisión de la inmortalidad* de John Gray hace referencia al nombre de la comisión encargada por el politburó soviético para embalsamar a Lenin, comisión que fue dirigida por el director de seguridad interna de la Unión Soviética, Félix Dzerzhinsky y que contó con la activa participación de Leonid Krasin, comisario de política exterior de Stalin, Nikolai Bukharin, editor en jefe del panfleto comunista *Pravda*, y el propio Trotsky. Todos ellos fueron promotores de la construcción de Dios; estuvieron fuertemente influenciados por las ideas de Fedorov y de Tsiolkovsky, y creyeron firmemente que el embalsamiento de su líder —proyecto inicialmente rechazado por Stalin— permitiría revivirlo en el futuro.

Las ideas futuristas que asociaron la inmortalidad con la conquista espacial no se limitaron al cosmismo ruso. El astrónomo y espiritista francés Nicolás Camille Flammarion (1842-1925) fue un firme creyente de la existencia de vida extraterrestre y mostró poco aprecio por su propio planeta, que consideró sobrevaluado y mediocre. Flammarion adhirió a las tesis progresistas del siglo XIX, pero complementó la dimensión material dominante con bizarras interpretaciones de reencarnación interestelar. También vale la pena mencionar el trabajo del autor polaco de ciencia ficción Stanislaw Lem (1921-2006) quien, en *Summa Technologiae* (1964), incorporó conceptos como intelectrónica (inteligencia artificial), fantomática (realidad virtual) y molectrónica (nanotecnología), avizorando que estas tecnologías nos permitirían tomar control total del proceso evolutivo y superar los límites biológicos.

Uno de los precursores intelectuales más polémicos del transhumanismo es el paleontólogo y sacerdote jesuita francés Pierre Teilhard de Chardin (1881-1955). En *El fenómeno humano* (1955) y en *El futuro de la humanidad* (1959), Teilhard de Chardin combinó la doctrina cristiana, el evolucionismo darwiniano y su afición por la tecnología para proyectar un hipotético punto de unión entre el hombre evolucionado y Dios, que denominó "punto omega". Para Teilhard de Chardin, las tecnologías de comunicación —televisión, radio y computadoras— conforman una tecnosfera que envuelve a la Tierra y acelera la integración de todos los seres humanos. En determinado momento, dicha tecnosfera adquiere una conciencia colectiva para transformarse en noósfera, término que toma prestado de Vladimir Vernadsky (1863-1945), otro de los grandes referentes del cosmismo ruso. A partir de este nuevo organismo sintiente, surgen superhumanos superinteligentes que se integran y evolucionan colectivamente en secuencias progresivas hasta el punto de encuentro y fusión con Dios. No sorprende que sus trabajos hayan sido vistos con recelo y preocupación por la Iglesia Católica al punto que, en 1962, fue sancionado con un *monitum*, advertencia que se emite a clérigos errantes y que puede llevarlos a la excomunión temporal o permanente.

A las importantes contribuciones de los autores franceses y rusos, brevemente reseñados, durante la primera mitad del siglo xx, se les sumaron influyentes autores de habla inglesa, entre los cuales se destacan los biólogos evolutivos británicos John Burdon Sanderson (1892-1964) Haldane y Julian Huxley (1887-1975) y el científico matemático irlandés John D. Bernal (1901-1971). Con la creciente difusión del idioma inglés, facilitada por el acelerado desarrollo económico y cultural de los EEUU, las ideas prototranshumanistas comenzaron a asentarse en la cultura angloamericana.

A pesar de no tener formación académica formal, John B. S. Haldane enseñó biología en la Universidad de Cambridge y fue uno de los fundadores del neodarwinismo[61]. En 1924 publicó el ensayo *Dédalo e Ícaro: el futuro de la ciencia*, en el que planteó el control científico del proceso de evolución y la fabricación de seres humanos fuera del útero materno, lo que lo convirtió en el creador del concepto de ectogénesis. Haldane no contempla la idea de inmortalidad, pero nos ofrece un futuro libre de patologías y de sufrimiento, afirmando el rol revolucionario de la ciencia. Tres años después, publicó *El juicio final*, texto en el que proyecta el futuro de la humanidad a 40.000.000 de años. A pesar de anticipar la destrucción total de la tierra y el sol, Haldane asegura que el destino de la humanidad será eterno e infinito, pero mediante

61. El neodarwinismo, también denominado "Síntesis evolutiva moderna", corresponde a una línea de investigación científica formada en la década de 1930 que integró la teoría darwiniana de evolución mediante selección natural con la teoría genética de Grigor Mendel como base de la herencia biológica y de la genética matemática de las poblaciones.

un progreso de la deshumanización. Las ideas de Haldane —que siempre planteó en términos de ficción— inspiraron al novelista Aldous Huxley a escribir su novela más popular: *Un mundo feliz* (1932).

Julian Huxley (1887-1975), nieto de Thomas Huxley —amigo cercano y principal promotor de las teorías de Charles Darwin— y hermano de Aldous, fue un reconocido científico británico, presidente de la Asociación Británica de Eugenesia y primer director general de la Organización de las Naciones Unidas para la Educación, la Ciencia y la Cultura (UNESCO). Con frecuencia se le asigna erróneamente la autoría del concepto de transhumanismo[62], pero Huxley sí es el primer autor en usarlo en su acepción moderna y elevarlo a la categoría de potencial religión. Al respecto, Huxley anota lo siguiente:

> Debemos ser agnósticos sobre aquellas cosas que son mera especulación y carecen de evidencia. No debemos abrazar creencias simplemente porque gratifican nuestros deseos[63].

Al igual que su hermano Aldous, Julian nunca ocultó su rechazo a la religión, especialmente al cristianismo. Además, su pasión por la eugenesia se tradujo en un intenso deseo de mejorar nuestra especie por medios científico-tecnológicos con el propósito de convertirnos en seres superiores. Con la publicación del ensayo *Transhumanismo*, Huxley reafirma su fe en esta religión antihumanista:

> Creo en el transhumanismo: una vez que un número suficiente de personas afirme lo mismo, la especie humana se encontrará ante un nuevo tipo de existencia, tan diferente de la nuestra como la nuestra del Hombre de Pekín[64].

62. En *Paradiso*, la tercera parte y final de su obra *La divina comedia* (1308-1320), Dante utiliza el verbo *trasumanar* para describir el tránsito al cielo junto a su musa Beatrice Portinari. La primera traducción de la palabra al inglés la realiza Henry Francis Carey en 1814 y el primer autor en utilizarla fuera del contexto de la obra de Dante fue el filósofo canadiense William D. Lighthall en 1940, en un ensayo sobre evolución cósmica publicado por la Real Sociedad de Canadá (Harrison y Wolyniak, 2015).
63. Huxley, J. (1927). *Religion Without Revelation*, Harper Brothers: London, p. 29.
64. Huxley, J. (1957). *New Bottles for New Wine*, Chatto & Windus: London. p. 13.

Resulta paradójica la fe militante de Huxley en el transhumanismo. ¿Fueron sus creencias respaldadas por contundente evidencia científica o solo se redujeron a mera especulación porque gratificaban sus deseos? Más aún, ¿cómo pudo Huxley seguir promoviendo la eugenesia después de los horrores registrados en los campos de concentración durante la Segunda Guerra Mundial? Estos cuestionamientos siguen siendo válidos para los transhumanistas actuales.

John D. Bernal compartió el ateísmo militante de los hermanos Huxley. En *El mundo, la carne y el diablo* (1929), el científico marxista irlandés plantea la primera gran propuesta postumanista. En la primera parte, "El mundo", Bernal retoma el anhelo de los cosmistas rusos para colonizar el espacio y habitarlo permanentemente mediante estaciones espaciales conocidas como las "esferas Bernal". En la segunda parte, "La carne", apela abiertamente a la transformación gradual de los humanos en cyborgs —incluyendo estados larvarios de seis a 12 décadas de duración—, para desarrollar capacidades físicas y sensoriales superiores. Según Bernal:

> El hombre normal es un punto evolutivo muerto: el hombre mecánico, que representa aparentemente un quiebre de la evolución biológica es, en realidad, una expresión más verdadera de la misma[65].

La manipulación biológica del hombre por el hombre es una etapa inevitable del proceso evolutivo en la que los cyborgs resultantes configurarán un futuro posthumano de inteligencias interconectadas. Cierra Bernal con el diablo, donde proyecta un futuro sin la presencia de Dios y de vidas completamente dedicadas al conocimiento y a la intelectualidad. Pero, si el posthombre y los mundos que crea son perfectos, ¿qué rol jugaría la ciencia en este escenario? Además, ¿cómo es posible mejorar al ser humano destruyéndolo? Ignorando estas fundamentales contradicciones, los pensadores transhumanistas insistieron en promover las bondades de su religión, y el tecno-optimismo que exhibieron se entiende mejor en el contexto histórico de su época.

---

65. Bernal, J. D. (1929). *The World, The Flesh, & the Devil: An Enquiry into the Future of the Three Enemies of the Rational Soul*, Verso: London. p. 23.

Finalizada la Segunda Guerra Mundial, los Estados Unidos y la Unión Soviética iniciaron una agresiva carrera militar y espacial que reforzó las aspiraciones transhumanistas. Ya en 1945, Vannevar Bush (1890-1974), director de la Oficina de Investigación Científica y Desarrollo de los EEUU, preparó un reporte titulado *Ciencia, la última frontera,* que marcó el compromiso formal del gobierno norteamericano para invertir seriamente en la exploración espacial. Este hecho es muy importante porque las especulaciones científicas se convirtieron en políticas públicas de interés nacional. A medida que la competencia entre ambas potencias se intensificó durante las décadas de los cincuenta y sesenta, surgió en Estados Unidos un culto a la ciencia ficción que se tradujo en numerosas películas, series de televisión, revistas y círculos de entusiastas que rescataron las ideas transhumanistas de la marginalidad. Descubrimientos como la estructura del Ácido Desoxirribonucleico (ADN), el desarrollo de computadoras y robots[66], el surgimiento de la Inteligencia Artificial como área de estudio y la llegada del hombre a la luna sirvieron como potentes estímulos para el desarrollo de una cultura popular entregada a la posibilidad del superhombre.

Gradualmente, la ciencia ficción comenzó a jugar un rol preponderante en los EEUU para difundirse posteriormente en todo Occidente. Activos divulgadores mediáticos de esta cultura fueron el bioquímico estadounidense de origen ruso, Isaac Asimov (1920-1992), el astrónomo Carl Sagan (1934-1996) y el sociólogo futurista Alvin Toffler (1928-2016), quienes estimularon la imaginación de millones con sus libros y programas de televisión. A ellos los acompañaron autores menos conocidos que aportaron ideas y conceptos originales al transhumanismo actual. Se destacan el escritor estadounidense Jerry Sohl (1913-2002) y su novela *El ego alterado* (1954), donde introdujo la idea de *mind uploading* o la capacidad de digitalizar y subir pensamientos a la red; Robert Ettinger (1918-2011) con *El prospecto de la inmortalidad* (1962), donde explora el congelamiento clínico como técnica de resucitación; Irving John Good (1916-2009) quien,

66. El escritor checo Kare Čapek (1890-1938) fue quien inventó la palabra "robot" en su novela *R.U.R.* (1920), donde narra la historia de unas criaturas fabricadas con materia orgánica sintética —*roboti*— que se rebelan contra los humanos y los llevan a la extinción.

en *Especulaciones concernientes a la primera máquina ultrainteligente* (1964), plantea el aprendizaje de máquinas *—machine learning—* y la posibilidad de una explosión de inteligencia artificial; Alan Harrington, que, con *El inmortal* (1964), como Ettinger, especuló con la tecnología criónica para combatir la muerte.

Las universidades fueron el último bastión que los transhumanistas comenzaron a ocupar a inicios de los setenta; el académico estadounidense de origen iraní, Fereidoun M. Esfandiary, fue uno de sus primeros representantes. Dedicado al estudio del futurismo, enseñó esta materia en universidades de California, Florida y Nueva York. Esfandiary —quien cambió su nombre legalmente a "FM-2030"— no tuvo tapujos en declararse públicamente transhumanista. En su libro *Up-Wingers: un manifiesto futurista* (1973), ratificó sus convicciones y resaltó la labor de todos los científicos y personas comprometidos con la transformación de la naturaleza humana. En sus aulas se formaron grupos de estudiantes universitarios que fundaron diversas organizaciones transhumanistas durante la década de los setenta y de los ochenta. La Universidad de California en Los Ángeles se convirtió en el epicentro de esta subcultura, donde comenzaron a debatirse las dimensiones políticas del transhumanismo. Junto a la artista estadounidense Natasha Vita More (quien en 1983 publicó uno de los primeros manifiestos transhumanistas), FM-2030 participó activamente en estos eventos estudiantiles. Cabe destacar que en 1983 se fundó la Universidad para el Avance de la Tecnología en Arizona, institución en la cual Vita More es actualmente profesora. En 1989, FM-2030 publicó *¿Eres transhumanista?*, donde identificó el uso de prótesis, la fertilización in vitro (FIV), la androginia, el ateísmo y el rechazo al concepto de familia como elementos típicos del transhumanismo. Paso a paso, gracias a sus aportes, el movimiento comenzó a adquirir mayor presencia en la academia.

A diferencia del transhumanismo, la nanotecnología es una rama científica establecida y rigurosa que estudia la manipulación de materia a nivel atómico y molecular. El físico estadounidense Richard P. Feynman (1918-1988) es considerado el fundador de esta disciplina a partir de una conferencia ofrecida en 1959, en la que planteó esa posibilidad. Inspirado por Feynman y por el reporte de control demográfico, *Los límites del crecimiento* (1972), elaborado por el Club de Roma, el ingeniero estadounidense Eric Drexler (1955) publicó *Motores de la creación* (1986), donde concibió las nanomáquinas, robots del tamaño de virus y bacterias capaces de autorreplicarse y de autoensamblarse para, entre otras cosas, reparar estructuras orgánicas dañadas. Sin embargo, Drexler alertó sobre la posibilidad de una plaga gris —*grey goo*—, en la que las nanomáquinas se autorreplican sin control y consumen toda la materia orgánica del planeta, y lo llevan a su destrucción. Los transhumanistas encontraron en la obra de Drexler —y en la nanotecnología— una potente herramienta para materializar sus postulados, desde la reconstrucción y fabricación de cuerpos sintéticos hasta la resucitación de cuerpos conservados en nitrógeno líquido. También merece mención el experto en robótica Hans Moravec (1948). Con la publicación de *Mind Children* (1988), el ingeniero austríaco adelantó que las barreras entre las inteligencias biológica y postbiológica se disolverían muy pronto y que nuestra futura descendencia sería artificial.

La década de los noventa marcó la consolidación definitiva del transhumanismo como movimiento filosófico, cultural y global gracias a la masificación de Internet. Uno de los principales responsables de esta consolidación es Max T. O'Connor, filósofo británico, quien hoy es conocido como "Max More". En 1988, More cofundó el Instituto de la Extropía[67] y, dos años después, publicó el ensayo *Transhumanismo: hacia una filosofía futurista*, en el que denuncia la inutilidad de la religión y aboga por un pensamiento racional que aporte verdadero significado y propósito a nuestras vidas. More considera que debemos aspirar a un sistema de creencias más optimista que nos permita superar nuestras limitaciones naturales para trascender en el tiempo. En 1991, su instituto elaboró una lista de correos electrónicos y organizó un foro en línea para debatir y difundir ideas transhumanistas. Se inscribieron reconocidos escritores, teóricos y especialistas en tecnología que empezaron a publicar artículos con frecuencia. Como respuesta a

67. More elaboró el concepto de extropianismo en contraposición a la Ley de la Entropía, la cual describe la tendencia natural de un sistema ordenado hacia el caos. A partir de este concepto, el extropianismo se consolida como una de las primeras y principales variantes del transhumanismo. Sus postulados se resumen en progreso perpetuo, autotransformación y pensamiento racional, con el propósito de erradicar la muerte y todas las imperfecciones del ser humano.

estos logros, el Instituto de la Extropía organizó la primera gran conferencia transhumanista en Sunnyvale, California en 1994. En este evento, el movimiento comenzó a tomar conciencia de sus nuevas dimensiones[68].

El crecimiento del transhumanismo en espacios digitales no se detuvo y, en 1998, los filósofos Nick Bostrom y el británico David Pearce, activos participantes de las comunidades transhumanistas en Internet, fundaron la Asociación Transhumanista Mundial (WTA, por sus siglas en inglés), primera organización internacional dedicada a la difusión y promoción de ese pensamiento. Bostrom y Pearce enfocaron sus esfuerzos hacia el mundo académico para —tal como antes lo hicieron Esfandiary y Vita More— legitimar el transhumanismo como área de estudio. Para tal efecto, lanzaron el *Journal of Evolution Technology*, revista especializada que solo publica artículos revisados por pares. La WTA comenzó a cobrar notoriedad, particularmente entre las corporaciones tecnológicas asentadas en California, y sus grandes referentes en Estados Unidos y Europa comenzaron a colaborar en diversas iniciativas académicas, culturales y empresariales. En el 2000, por iniciativa del emprendedor estadounidense Peter Diamandis, el inversionista indocanadiense Salim Ismail y el director de ingeniería de Google, Raymond Kurzweil, se fundó la Universidad de la Singularidad. Esta institución opera como incubadora de negocios y ofrece programas de capacitación tecnológica, pero no está acreditada formalmente como institución educativa. El financiamiento para su creación fue aportado por empresas como Google, Nokia, ePlanet Capital, Autodesk y Genentech, la primera empresa de biotecnología en el mundo.

Raymond Kurzweil es, sin duda alguna, el pensador y activista transhumanista más importante e influyente de la actualidad. Tomando como referencia el concepto de singularidad acuñado por Vernor Vinge[69], en 2005 Kurzweil publicó *La singularidad está cerca*, libro en el cual señala que la biotecnología, la nanotecnología, la robótica y la

68. A partir de Sunnyvale, el Instituto de la Extropía organizó conferencias anuales hasta 2004; fueron continuadas por las conferencias "Transvision", las más importantes del mundo transhumanista, que también tienen una frecuencia anual.

69. El científico computacional, matemático y autor de ciencia ficción estadounidense, Vernor Vinge publicó en 1993 *La singularidad tecnológica*, ensayo en el que elabora la teoría de la

Inteligencia Artificial experimentarán un desarrollo exponencial durante la primera mitad del siglo XXI, y llegará a un punto en que la velocidad de estos cambios hará imposible el control humano sobre estas. Como resultado de estos procesos, surgirán máquinas inteligentes infinitamente más poderosas que todas las mentes humanas combinadas, y el hombre será incapaz de comprender los subsecuentes cambios que estas generen de manera independiente. La ocurrencia de ese fenómeno se denomina "singularidad tecnológica" —del que Kurzweil estima que ocurrirá en el año 2045 —, el cual marcará un punto de no retorno para nuestra especie, ya que la tecnología humana se fusionará con la mente humana. Según Kurzweil:

> La Singularidad nos permitirá trascender las limitaciones de nuestros cuerpos biológicos y cerebros. Tendremos el poder para controlar nuestro destino. Nuestra mortalidad dependerá de nosotros. Seremos capaces de vivir el tiempo que queramos (una afirmación sutilmente diferente a decir que seremos inmortales). Entenderemos completamente el pensamiento humano y expandiremos y extenderemos significativamente su poder. Al final de este siglo, la parte no biológica de nuestra inteligencia será trillones de trillones de veces más poderosa que la inteligencia humana común[70].

Resulta evidente que los transhumanistas conciben el cuerpo humano modularmente, y no como una totalidad orgánica que trasciende su dimensión material. Desde esta perspectiva, las máquinas pueden ser creadas, modificadas y/o reparadas a voluntad con el propósito de perfeccionarlas ilimitadamente. Conceptos como dignidad, valor intrínseco, significado y propósito en la vida son completamente irrelevantes para quienes conciben al hombre como un objeto imperfecto, indeseable y maleable. Interpretarlo de esta manera demanda una mentalidad moldeada por perspectivas utilitaristas, materialistas,

---

singularidad y predice que llegará antes de 2030. Según Vinge, este evento marcaría el fin de la humanidad

70. Kurzweil, R. (1999). *The Age of Spiritual Machines: When Computers Exceed Human Intelligence*, Viking: London. p. 25.

relativistas y posmodernistas. Es el enfoque racional de quienes, respaldados por posibilidades científico-tecnológicas y por la ciencia ficción, convierten la ciencia —mero instrumento para la búsqueda de verdades científicas— en un elemento de culto y adoración. Ese culto militante a la ciencia, tan común entre ateos y transhumanistas, se denomina, como expliqué previamente, "cientificismo".

Desde el inicio del nuevo milenio, el movimiento transhumanista ha experimentado un crecimiento acelerado que se explica, en gran medida, por su alianza tácita con las grandes empresas de tecnología de los EEUU, también conocidas como *"Big Tech"*. En 2006, la WTA pasó a llamarse "Humanity Plus", y ese mismo año Max More cerró el Instituto de la Extropía con el propósito de evitar potenciales divisiones en la comunidad. Al año siguiente, Humanity Plus estableció su sede principal en Palo Alto, California, y el movimiento transhumanista comenzó a desarrollar fuertes vínculos intelectuales y empresariales con la comunidad tecnológica de Silicon Valley[71]. Desde entonces, numerosas organizaciones transhumanistas como el Foresight Institute, Lifeboat Foundation, SENS Research Foundation y el Machine Intelligence Research Unit, entre otras, se han afincado en varias ciudades de la Bahía de San Francisco, epicentro de la innovación tecnológica en Occidente. Esta concentración ha permitido la organización de numerosos eventos, conferencias y congresos transhumanistas en empresas como Alphabet (ex Google), Apple y Meta (ex Facebook), así como en universidades como Stanford, California en Berkeley, California en Los Ángeles y California del Sur. No es coincidencia, como veremos más adelante, que el Foro Económico Mundial haya establecido la sede principal de su flamante Centro para la Cuarta Revolución Industrial en San Francisco.

Durante las últimos dos décadas, las iniciativas transhumanistas se han diversificado y multiplicado dentro y fuera de los EEUU. En el sector educativo, las principales universidades del mundo han establecido departamentos y centros de investigación especializados en tecnologías convergentes, como la inteligencia artificial, la biotecnología,

---

71. "Immortality 2.0: A Silicon Valley Insider Looks at California´s Transhumanist Movement", *The Futurist*, https://ce399eugenics.wordpress.com/2010/06/19/immortality-2-0-a-silicon-valley-insider-looks-at-californias-transhumanist-movement/

la biología sintética, nanotecnología, la robótica, la ciencia de materiales y/o computación cuántica, pero también en áreas como la ética aplicada a las tecnologías, humanidades digitales y el arte. No todas estas iniciativas constituyen en sí mismas prueba de adherencia institucional a los postulados transhumanistas, pero es imposible negar su obvia conexión con las aspiraciones de este movimiento. Hay, sin embargo, casos donde la conexión es directa. Aquí encontramos el Instituto para el Futuro de la Humanidad de la Universidad de Oxford, liderado por Nick Bostrom, que tiene entre sus investigadores a Eric Drexler. También está el Centro Uehiro de Ética Práctica de la misma universidad cuyo director, el australiano Julian Savulescu, aboga, entre otras cosas, por el mejoramiento de nuestra moral mediante manipulación genética. Por su parte, la Universidad de Cambridge, en colaboración con las universidades de Oxford, Berkeley, y el Imperial College, cuenta con el Centro Leverhulme para el Futuro de la Inteligencia, cuyo objetivo institucional —declarado en su propia página web— es preparar a la humanidad para la era de las máquinas inteligentes. A estas organizaciones se les suman numerosas asociaciones de estudiantes transhumanistas como las de Yale, Stanford, UCLA, Berkeley e Imperial College, y universidades como Turku (Finlandia), Stellenbosch (Sudáfrica), Isfahan (Irán), Libre de Berlín (Alemania) y Kerala (India) ya ofrecen maestrías y/o doctorados en estudios del futuro, que contienen materias transhumanistas.

Con respecto al sector empresarial, tampoco sorprende que diversos líderes tecnológicos estadounidenses hayan realizado inversiones significativas para diseñar, implementar y comercializar productos y servicios de base transhumanista. En el caso de Alphabet, empresa matriz de Google cofundada por Larry Page y por Sergey Brin, se destacan Google Brain, proyecto de inteligencia artificial iniciado en 2011 y CALICO Labs, empresa creada en 2013 por Larry Page y por Arthur Levinson, exdirector de Apple, que busca combatir "la enfermedad" de la muerte. Se destaca también la compra de Deep Mind en 2014, empresa británica de inteligencia artificial que absorbió Google Brain y que hoy es subsidiaria de Alphabet. Otro entusiasta promotor de proyectos futuristas es el multibillonario Elon Musk, quien en 2002 cofundó Space X, agencia aeroespacial que promete llevar la primera misión tripulada a Marte en 2030 y Neuralink, empresa que desarrolla Interfases Computadora-Cerebro (BCI, por sus siglas en inglés) con fines terapeúticos y no terapéuticos, como el *mind uploading*. Musk también ha realizado donaciones importantes a causas transhumanistas, como US$10 millones para el Future of Life Institute en 2015, institución que busca desarrollar una inteligencia artificial amigable.

La lista de multibillonarios de grandes empresas tecnológicas norteamericanas entusiasmados con la posibilidad del *Homo deus* no se detiene con Page y con Musk. En 2014, Mark Zuckerberg, cofundador y director ejecutivo de Meta (ex Facebook) creó, junto a Sergey Brin, el Breakthrough Prize in Life Sciences, que premia proyectos de creación de sistemas de vida complejos y extensión de la vida. Meta es también líder mundial en desarrollo de Inteligencia Artificial y tecnologías de realidad virtual relacionadas con el metaverso. El mandamás de Amazon, Jeff Bezos, es otro comprometido inversionista en emprendimientos disruptivos. En 2012, durante el primer período del presidente demócrata Barack Obama, Bezos y la Agencia Central de Inteligencia (CIA) del gobierno de los EEUU aportaron conjuntamente US$30 millones a la compañía canadiense *D-Wave* para el desarrollo de la computación cuántica. Bezos también tiene aspiraciones astrales, razón por la cual fundó la compañía aeroespacial Blue Origin en el 2000, y Amazon, su mayor empresa, lidera el desarrollo de inteligencia artificial a nivel mundial. Su última iniciativa es Altos Lab, empresa de biotecnología cofundada en 2021 con el billonario ruso Yuri Milner, que busca aplicar técnicas de rejuvenecimiento celular para revertir la vejez.

William *Bill* Gates, cofundador de Microsoft y uno de los filántropos más populares, tampoco puede dejar de ser mencionado. Su portafolio de inversiones es altamente diversificado, pero muestra preferencia por los sectores de tecnología y de salud. Microsoft Azure es una división líder de Inteligencia Artificial, y Microsoft Mesh es su apuesta para el desarrollo del metaverso. En el sector salud, debido al contexto pandémico por coronavirus, su inversión más conocida es en la empresa biofarmacéutica Moderna, especializada en el desarrollo de tecnología médica con ARNm. Sin embargo, Gates también ha invertido en otras empresas del rubro como CureVac, BioNTech, Immunocore,

Univercells, Exscientia, Ginkgo Bioworks, e innumerables startups biofarmacéuticas y biotecnológicas. Finalmente, aunque no tan conocido como Gates, tenemos al billonario conservador Peter Thiel, quien financia varios proyectos de extensión de vida e inteligencia artificial a través de su fundación filantrópica Thiel Foundation. Este billonario de origen alemán —cofundador de Paypal y actual director general de Clarium Capital— es uno de los personajes más populares de la escena transhumanista en Silicon Valley, donde frecuentemente organiza eventos y reuniones temáticas para la comunidad.

Es importante notar que todos los multibillonarios mencionados fueron fuertemente influenciados por la cultura de ciencia ficción que emergió en los EEUU durante la década del cincuenta y que explotaron con destreza las oportunidades ofrecidas por la internet en los noventa e inicios del 2000. Son personajes que acumularon enormes riquezas para transformar sus fantasías y su visión de progreso en realidad. El transhumanismo democratiza esa clase de aspiraciones, lo que explica el surgimiento de partidos políticos transhumanistas, principalmente en EEUU y en Europa. En 2014, el empresario estadounidense de origen húngaro, Zoltan Istvan, fundó el Partido Transhumanista, con el cual postuló a las elecciones presidenciales de su país al año siguiente. También encontramos partidos transhumanistas formalmente constituidos y legalizados en Australia, Alemania, Francia, India, Corea del Sur y el Reino Unido, entre otros. Hoy su representación es marginal, pero sería un error minimizar su impacto futuro, considerando el descomunal crecimiento experimentado por ese movimiento en todo el mundo, especialmente durante los últimos 25 años.

3.2. Los tres "super"

Si el propósito del transhumanismo es elevar la condición humana mediante la creación de un superhombre, propósito explícitamente señalado en la página web de *Humanity Plus*, sus objetivos deben ser proporcionalmente ambiciosos. Más allá de eufemismos, son tres y se resumen en: (I) vida eterna; (II) omnipotencia; y (III) bienestar infinito. Para lograrlos, será necesario recurrir a la ciencia y tecnología, herramientas que permitirán transformar seres corrientes e imperfectos en dioses compuestos, entre otros, de materiales genéticamente modificados, titanio y nanochips. Los transhumanistas nos prometen un uso ético y seguro de tecnologías como la Inteligencia Artificial, Biotecnología, Nanotecnología y Robótica para desarrollar interfases cerebro-computadora, prótesis integradas, órganos y extremidades biónicas, transferencias de memoria, nuevas funciones fisiológicas y un sinnúmero de beneficios adicionales. Entusiasmados por estas posibilidades, los transhumanistas ya no desean este futuro: lo plantean en términos de inevitabilidad.

La inmortalidad es el objetivo fundacional de los transhumanistas y corresponde a la superlongevidad. Su segundo objetivo, la omnipotencia, busca aumentar radicalmente nuestras capacidades intelectuales, psicológicas y cognitivas para lograr la superinteligencia. El tercer super, el superbienestar, valida y justifica el logro de los dos primeros; de nada serviría a estos seres superpoderosos vivir eternamente si su calidad de vida no está a la altura de su condición cuasi divina. Cada "super" tiene su propia historia, dinámica y sus personajes, como veremos a continuación.

Superlongevidad

Derrotar a la muerte implica detener y/o revertir el proceso natural de envejecimiento. "¿Por qué —se preguntan los transhumanistas— debemos estar condenados a un desenlace que no pedimos ni merecemos?". La primera teoría moderna del envejecimiento fue planteada en 1951 por el biólogo brasileño-británico Peter Medawar (1915-1987), quien también descubrió el mecanismo de inmunotolerancia. Gracias a este último aporte, Medawar fue premiado con el Nobel de Medicina en 1960 al facilitar los trasplantes de órganos. En su *Teoría de la acumulación de mutaciones*, Medawar remplaza la palabra "envejecimiento" por el concepto de senescencia para explicar que el declive gradual de nuestras capacidades físicas se debe a daños genéticos acumulados. A medida que envejecemos, las fuerzas de la selección natural disminuyen, y con ello nuestra capacidad para eliminar mutaciones dañinas. Estas mutaciones se van acumulando, y su posibilidad de transmisión a futuras generaciones se limita mediante la competencia reproductiva con individuos más jóvenes.

Los procesos de envejecimiento y de muerte también han sido tratados ampliamente desde la antropología biológica y cultural. Sucede que el ser humano es la única especie consciente de su propia existencia y desenlace. En *La negación de la muerte* (1973) —obra que lo hizo acreedor del Premio Pulitzer—, el antropólogo estadounidense Ernest Becker (1924-1974) argumentó que el ser humano existe entre dos mundos: uno de objetos físicos y otro de símbolos. Para mitigar el trauma de la muerte y trascender su ocurrencia, los seres humanos recurrimos al mundo simbólico. Es durante este largo proceso de mitigación cuando intentamos dar sentido y buscar propósito a nuestras vidas. De esta manera intentamos justificar nuestra muerte para aceptarla. Polvo somos, y en polvo nos convertiremos.

Quien no aceptó los argumentos de Becker fue el físico y matemático estadounidense Robert Ettinger, brevemente reseñado en el subcapítulo anterior. Ettinger no buscó nunca justificarla y fue un firme creyente en la inmortalidad. Su libro *El prospecto de la inmortalidad* es considerado el momento fundacional de la criónica por la comunidad transhumanista. La criónica consiste en la aplicación tecnológica de frío para preservar, y posteriormente resucitar, seres vivos declarados biológica y legalmente muertos. Ettinger adelantó que la inmortalidad cambiaría nuestra concepción sobre lo que somos; la naturaleza humana daría paso a una concepción de la persona como ser de información, definida por ordenamientos específicos de átomos, especialmente a nivel cerebral. Si recuperar esos patrones de información fuese posible, la persona no podría ser declarada muerta. Ettinger advirtió que el éxito de esta técnica tendría devastadoras consecuencias sobre la religión:

> Algunos miembros de la Iglesia verán la gran sombra del secularismo. Con el prospecto de una vida física ilimitada ¿Se olvidarán sus rebaños de la inmortalidad del espíritu? ¿Se volcarán en masa hacia el materialismo? ¿Venerarán solamente al becerro dorado?[72]

---

72. Ettinger, R. (1962). The Prospect of Immortality, Cryonics.org: Michigan. p. 77.

La mayor preocupación de Ettinger fue que su aspiración a la vida eterna terrenal no se cumpliera por falta de iniciativa. Sin embargo, sus trabajos impulsaron la fundación de algunas organizaciones criónicas desde fines de los sesenta. La primera criogenización de la historia fue llevada a cabo en 1967 por la Sociedad Criónica de California; fue James Nelson, un técnico reparador de televisores, la primera persona criogenizada de la historia. La Sociedad Criónica Americana, fundada en 1969, es la sociedad operativa de mayor antigüedad en ese rubro. Sin embargo, la más importante es la Alcor Society for Solid State Hypothermia (ALCOR), organización creada en California en 1972. Cuatro años después, ALCOR realizó su primera criogenización y en 1977 asumió su actual nombre, *ALCOR Life Extension Foundation.* Debido a la posibilidad de sismos en California, la fundación se mudó a Scottsdale, Arizona, en 1994 y desde 2011 es dirigida por el transhumanista Max More.

Entre los clientes criogenizados por ALCOR se encuentran FM-2030, Robert Ettinger y el famoso beisbolista estadounidense Theodore *Ted* Williams. Entre sus futuros clientes están el actual director de ALCOR, Max More y su esposa, Natasha Vita More, Nick Bostrom, Ray Kurzweil, Eric Drexler y varios empresarios de Silicon Valley. La principal fuente de financiamiento de ALCOR proviene de las pólizas de seguro de sus futuros clientes. Las tarifas de la fundación dependen de la especie —humano o animal— y las partes a ser criogenizadas. Si se trata del cuerpo completo de un adulto, el costo es US$200.000 y US$705 anuales por concepto de mantenimiento mientras que la neuropreservación —solo la cabeza de una persona— cuesta US$80.000. La persona criogenizada de mayor edad tiene 101 años mientras que la menor es una niña de dos años. Al 30 de junio de 2022, ALCOR contaba con 1384 clientes que serán criogenizados y 193 que ya están congelados en nitrógeno líquido a -196 °C, de los cuales aproximadamente un tercio son mascotas[73]. Es importante mencionar que ALCOR no garantiza la resucitación a sus clientes.

Según un estudio de 2017[74], aproximadamente 150.000 personas

73. ALCOR https://www.alcor.org/library/alcor-membership-statistics/

74. El estudio, no citado por el Foro Económico Mundial, está disponible en la siguiente página web: https://www.weforum.org/agenda/2020/05/how-many-people-die-each-day-covid-19-coronavirus/

mueren diariamente por diversas causas. Para el gerontólogo británico, Aubrey de Grey, el 90% de esas muertes están relacionadas con el envejecimiento. Licenciado en computación y doctorado en biología por la Universidad de Cambridge, De Grey, principal promotor de la superlongevidad dentro y fuera del movimiento transhumanista, es crítico de las terapias regenerativas de la medicina e industria cosméticas. Al mismo tiempo sostiene que el envejecimiento no es un proceso biológicamente programado, ya que los seres humanos no declinamos de forma homogénea como sí ocurre con nuestro nacimiento y crecimiento inicial. Según De Grey, el primer ser humano que vivirá 1000 años ya nació y hoy tiene entre 50 y 60 años[75].

En *El fin del envejecimiento* (2007), libro que escribió con su asistente de investigación, Michael Rae, De Grey afirmó que la bomba de tiempo no existe, pero identificó siete procesos que nos conducen al envejecimiento y que incluyen muerte y/o atrofia celular por mutaciones en el genoma, pérdida de células madre, mutaciones mitocondriales que afectan la producción de energía celular y desechos intra- y extracelulares. De Grey propuso un conjunto de terapias regenerativas y genéticas denominadas "Estrategias para la Ingeniería de la Senescencia Insignificante" (SENS, por sus siglas en inglés) para reparar periódicamente los tejidos dañados y así jubilar para siempre a la muerte por envejecimiento. En 2009, De Grey fundó el SENS Research Foundation, institución dedicada a la investigación de terapias médicas regenerativas. Entre su lista de donantes se encuentran la Thiel Foundation y Vitalik Buterin, cofundador de *Ethereum*. De Grey —quien regularmente realiza presentaciones para empresas como Yahoo y como Google— no descarta que, en un futuro cercano, la esperanza de vida humana llegue a 5000 años.

Las iniciativas más recientes para alcanzar la superlongevidad provienen del sector privado, donde se destacan nítidamente California Life Company o CALICO Labs y Altos Labs. La primera —hoy subsidiaria de la megacorporación tecnológica Alphabet— fue creada en 2013 por Larry Page, cofundador de Google, y por Arthur Levinson, ex director general de Apple, con el propósito explícito de

75. Ver la conferencia ofrecida por de Grey en TED Global 2005, disponible en https://www.ted.com/talks/aubrey_de_grey_a_roadmap_to_end_aging

combatir el envejecimiento y la muerte. Por su parte, Altos Lab fue creada formalmente en 2022 por el mandamás de Amazon, Jeff Bezos, y por el billonario ruso-israelí Yuri Milner con los mismos propósitos que su par californiana. Esta empresa biotecnológica cuenta con sedes en la Bahía de San Francisco, San Diego, Cambridge (Reino Unido) y Japón, y se dedica a la investigación aplicada, especialmente de tecnologías de rejuvenecimiento celular vía Células Madre Pluripotentes Inducidas o células iPS[76]. Es interesante anotar que tanto Altos como CALICO Labs ya no se presentan públicamente como instituciones que combaten la muerte, sino como híbridos académico-empresariales orientados al negocio de la extensión de la vida.

A nivel científico, ya se registran resultados de experimentos que han extendido significativamente la vida de ciertos animales. En junio de 2021, un equipo de investigadores de la Universidad Bar Ilan de Israel y el Instituto Nacional de Salud de los Estados Unidos lograron extender la vida de 250 ratones en promedio de 23% mediante el incremento de una proteína conocida como SIRT6, que decrece naturalmente con la vejez[77]. En junio de 2022, científicos de la Escuela de Medicina de Rutgers en Nueva Jersey, financiados por la empresa biotecnológica BioViva, aplicaron técnicas de edición genética en ratones para aumentar la producción de una enzima que interviene en el desarrollo de los telómeros. Los animales recibieron inyecciones con esta proteína a los 18 meses de edad. Aquellos que sirvieron como grupo de control murieron a los 29 meses, mientras que los inyectados murieron entre los 38 y 42 meses[78]. Si este incremento se aplicara proporcionalmente a los seres humanos, la esperanza de vida aumentaría

76. Las células iPS fueron obtenidas por primera vez en 2006 por el médico e investigador japonés Shinya Yamanaka mediante experimentos realizados en ratones. Al año siguiente, Yamanaka y su equipo obtuvieron las mismas células en humanos. En 2012 recibió el Premio Nobel de Medicina junto al biólogo británico John Bernard Gurdon por haber explicado y logrado obtener células madre a partir de células adultas. Actualmente, Yamanaka trabaja para Altos Lab como Asesor Científico Senior.

77. "Israeli scientists extend mice's lives by 23%, say method may work on humans", *Times of Israel*, https://www.timesofisrael.com/israeli-scientists-extend-mices-lives-by-23-say-method-may-work-on-humans/#:~:text=Mice%20not%20only%20live%20longer,Health%20boosts%20a%20single%20protein&text=Israeli%20scientists%20have%20boosted%20the,eventually%20be%20replicated%20in%20humans.

78. "Gene therapy showcases technique to extend life in mice", *Chemistry World*, https://www.chemistryworld.com/news/gene-therapy-showcases-technique-to-extend-life-in-mice/4015718.article

de 75 a 105 años en promedio. Estos resultados confirman que las especulaciones transhumanistas sobre la extensión de la vida se están convirtiendo gradualmente en certeza científica.

Superinteligencia

Al deseo de inmortalidad, el transhumanismo le agrega el desarrollo de la superinteligencia. Nick Bostrom la concibe como una mente artificial cuya capacidad intelectual y cognitiva en órdenes de magnitud superior al cerebro humano en todas las áreas, desde el conocimiento general hasta la creatividad. Para materializarla se pueden tomar dos vías. La primera es mediante aplicación de biotecnologías, especialmente vía manipulación genética, en la que la inteligencia de los seres humanos es gradualmente mejorada con un enfoque abiertamente eugenésico. Este es el enfoque propuesto por el filósofo transhumanista David Pearce. La segunda opción es mediante el desarrollo de mentes o inteligencias artificiales que pueden ser fusionadas con nuestros cerebros para potenciar significativamente su capacidad de almacenamiento y procesamiento de datos. Esta es la alternativa que Bostrom elabora y propone en su libro *Superinteligencia*, el texto de referencia del segundo “super”.

Los transhumanistas distinguen tres niveles de superinteligencia. La Inteligencia Artificial Débil (IAD) es la más común, pero también la más limitada. Mediante el aprendizaje de máquinas y la aplicación de sofisticados algoritmos, se enfoca en la ejecución de una o pocas tareas a una velocidad y eficiencia muy superiores a la de nuestros cerebros. Su propósito no es imitar la mente humana, sino replicarla en ciertas capacidades específicas, especialmente en tareas analíticas cuantitativas y de memorización o almacenamiento de información. Puede ser concebida como una inteligencia especializada que dejó de ser teoría para convertirse en realidad. La Inteligencia Artificial General (IAG) y la Super Inteligencia Artificial (SIA) siguen confinadas a la ciencia ficción. La IAG es una inteligencia que iguala o supera a la inteligencia humana promedio en tareas como comprensión, abstracción y razonamiento. Sin embargo, para lograr este nivel de desarrollo, la IAG debería adquirir conciencia de su propia existencia, algo que aún parece poco probable. Finalmente se encuentra la SIA, un tipo de inteligencia que supera largamente a la mente humana en todos los aspectos intelectuales, cognitivos, sensoriales y de percepción, a nivel tanto cuantitativo como cualitativo. Es meramente especulativa, y es muy posible que jamás se convierta en realidad.

Independientemente de las especulaciones, el desarrollo de la Inteligencia Artificial —la principal herramienta para la materialización de la superinteligencia— ha mostrado avances significativos en los últimos 20 años. Debido a su potencial impacto sobre actividades productivas y creativas, es indispensable proyectar y evaluar sus consecuencias sociales, culturales, políticas y económicas. Personajes como el físico británico Stephen Hawking y el multibillonario Elon Musk han alertado sobre los posibles riesgos de la aplicación de esta tecnología. El primero declaró que el logro de la SIA podría significar el fin de la especie humana[79], mientras que Musk alertó que la Inteligencia Artificial podría convertirse en "un dictador inmortal del cual no podríamos escapar jamás"[80]. Nick Bostrom también ha mostrado su preocupación al afirmar que "si algún día logramos construir cerebros de máquinas que superen largamente la inteligencia general de los cerebros humanos, esta nueva superinteligencia podría ser muy poderosa. Así como el destino de los gorilas depende más de los humanos que de los gorilas, el destino de nuestra especie dependería de las acciones de la máquina superinteligente"[81]. El común denominador de estas advertencias es que la IAG y la SAI podrían plantear un riesgo existencial para la especie humana ya que, al ceder nuestro poder para tomar decisiones, estaríamos subordinando nuestra autonomía, voluntad y autodeterminación a las máquinas inteligentes.

Superbienestar

¿De qué le serviría al *Homo deus* ser superlongevo y superinteligente si sus nuevas condiciones no son acompañadas por una calidad

---

79. "Stephen Hawking warns that artificial intelligence could end mankind", BBC, https://www.bbc.com/news/technology-30290540
80. "Elon Musk warns A.I. could create an 'immortal dictator' from which we can never escape", CNBC, https://www.cnbc.com/2018/04/06/elon-musk-warns-ai-could-create-immortal-dictator-in-documentary.html
81. Bostrom, N. (2014). *Superintelligence: Paths, Dangers, Strategies*, Oxford University Press: Oxford.

de vida excepcional? Esta es la pregunta que plantea el filósofo utilitarista británico David Pearce, quien propone el superbienestar, tercer y último gran objetivo de la religión transhumanista, para completar el tránsito del mediocre *Homo sapiens* hacia la divinidad. Pearce articula este proceso en su manifiesto *El imperativo hedonista*[82], en el cual propone la aplicación de herramientas biotecnológicas para erradicar el sufrimiento y dolor en todos los seres sintientes, no solo en los seres humanos. El suyo es un plan ambicioso que busca acabar con nuestro esclavizante darwinismo para lograr niveles de placer inimaginables. Para Pearce no es descabellado hablar de una felicidad eterna —*eternal bliss*—, alcanzable mediante la manipulación controlada de hormonas como la dopamina —la hormona del placer— y la serotonina —la hormona de la felicidad—, regulando sus niveles según nuestras nuevas necesidades de bienestar general.

En noviembre de 2019 viajé a la ciudad de Brighton, en el sur de Inglaterra, para entrevistar a Pearce y entender mejor las motivaciones y propósitos de su gran proyecto abolicionista, título que el propio Pearce acuñó para referirse a la total erradicación del dolor y el sufrimiento[83]. Encontré a un hombre de trato agradable y cortés, pero a quien le era difícil comunicarse con fluidez. Durante la entrevista, Pearce partió definiéndose como veganovegetariano de tercera generación y continuó explicándome las bondades del transhumanismo, entre estas, la posibilidad de recurrir a la criogenia para recuperar nuestra información y la buena moralidad de todo acto que derive en placer. Acabada nuestra conversación, fuimos a cenar a un restaurante vegetariano, donde pude conocer aún más a este fascinante personaje, para quien el transhumanismo es una inevitabilidad histórica.

Si bien Pearce muestra amplios conocimientos sobre genética, neurofisiología y neurociencias (los cuales despliega con competencia en su manifiesto hedonista), los procesos que busca implementar y los resultados que aspira a lograr caen nuevamente en la especulación. Ninguna de las manipulaciones genéticas que propone para

82. El manifiesto completo, en inglés, puede ser consultado en https://www.hedweb.com/welcome.htm

83. La entrevista a Pearce —en inglés, con subtítulos en español— está disponible en mi canal de Youtube https://www.youtube.com/watch?v=9J3YtX4syik&t=46s

regular voluntariamente nuestros niveles y umbrales de placer han sido respaldadas por literatura científica. Más aún, Pearce recurre a especulaciones metafísicas y a problemáticos reduccionismos al afirmar que la felicidad de los seres humanos depende exclusivamente de sus niveles hormonales y de sus genes. Como bien anota Rubin[84], por más imperfectos que seamos, asumir *a priori* que hemos llegado a un punto evolutivo muerto es asumir que la ciencia ya tiene todas las respuestas sobre nuestras limitaciones y potencialidades físicas, intelectuales y psicológicas. Las dos últimas son particularmente preocupantes, máxime si consideramos que nuestros conocimientos actuales y nivel de comprensión sobre el funcionamiento del cerebro y de la conciencia son muy limitados. Implementar los cambios propuestos por Pearce, considerando estas falencias, es, en el mejor caso, una irresponsabilidad y, en el peor, un desprecio absoluto por lo que somos como especie.

3.3. Las herramientas del superhombre

El proyecto transhumanista es incomprensible e inviable sin la incorporación de la variable tecnológica. Sin embargo, el concepto de tecnología es tan amplio y complejo que no cuenta con una definición rígida. Por lo tanto, podemos entenderla como la aplicación de conocimiento científico con fines prácticos o una capacidad obtenida mediante la aplicación práctica de conocimiento, pero también como la relación entre una sociedad y las herramientas que le permiten controlar su entorno. La tecnología no solo se reduce a una dimensión material. Incorpora también una dimensión inmaterial representada por el conocimiento necesario para producirla y utilizarla. Ambas dimensiones, material —representada por su condición y características físicas— e inmaterial —el conocimiento que la concibe y la aplica—, son constitutivas de la tecnología. El conjunto de tecnologías conforma sistemas tecnológicos que procesan insumos materiales e inmateriales para modificarlos con el propósito de obtener los resultados para los cuales fueron creados.

---

84. Rubin, C.T. (2014). *Eclipse of Man: Human Extinction and the Meaning of Progress*, Encounter Books: New York.

La historia del hombre es también la historia de su tecnología. Desde el primer ser humano que tomó una piedra para defenderse de un depredador hasta los nanochips que nos permiten procesar inimaginables cantidades de datos, la tecnología ha sido protagonista del cambio y progreso de la humanidad. Las grandes revoluciones —cognitiva, agrícola, científica, industrial y posindustrial— no hubiesen sido posibles sin su concurso. Representan el pináculo de la innovación y creatividad humanas, y expresan nuestro deseo permanente de dominar la naturaleza. No obstante, su desarrollo nunca ha sido constante ni proporcional en el tiempo. Esta afirmación es validada por la velocidad, complejidad, envergadura y poder asociado al cambio tecnológico experimentado especialmente durante las últimas tres décadas. En un lapso de 300.000 a 400.000 años, pasamos de controlar el fuego a desarrollar tecnologías cuyas aplicaciones tienen el poder de modificar nuestro entorno, pero también, por primera vez en nuestra historia, de redefinirnos y reconfigurarnos como especie.

Las tecnologías convergentes son las grandes protagonistas del cambio tecnológico contemporáneo. Entre las más disruptivas se encuentran la Inteligencia Artificial (IA), la biotecnología, la nanotecnología, la robótica, *blockchain*, la Internet de Todas las Cosas (IoT, por sus siglas en inglés), impresión en 3D o tercera dimensión, el desarrollo de prótesis, computación en la nube y la computación cuántica. Se denominan "convergentes" porque fueron creadas para cumplir diferentes funciones y propósitos; no tenían inicialmente relación alguna entre estas[85]. Sin embargo, mientras se van refinando mediante prueba y error, se van encontrando nuevas aplicaciones para la solución de problemas transversales o comunes que gradualmente las terminan integrando al punto de unificarlas. La integración de las tecnologías previamente listadas se expresa mediante el acrónimo NBIC, que encapsula los conceptos Nano, que aluden a la escala atómica y subatómica en la que ya opera la tecnología actual[86]; "Bio",

85. Roco, M.C. and Sims, W. (2003). *Converging Technologies for Improving Human Performance: Nanotechnology, Biotechnology, Information Technology, and Cognitive Science*, Kluwer Academic Publishers: Dordrecht.

86. Un nanómetro (nm) equivale a la mil millonésima parte de un metro o millonésima parte de un milímetro. Matemáticamente, se expresa como $1 \text{ nm} = 10^{-9}$ m. A modo de ilustración, un átomo tiene entre 0,5 y 1,5nm de diámetro, una molécula de agua tiene 1,5nm, el diámetro de

que hace referencia a potentes biotecnologías; "Info", que resalta el rol clave que juega la información; y "Cogno", que aborda la dimensión cognitiva potenciada por las tecnologías convergentes. Un ejemplo de convergencia lo aportan los xenobots, formas de vida sintética programados mediante algoritmos evolutivos y creados combinando diversos tejidos biológicos[87]. Para producir estos robots vivos, fue necesaria la convergencia entre la IA y la biotecnología.

Debido a la enorme complejidad de las tecnologías mencionadas, la extensión deseada para este libro y sus propósitos, solo describiré y explicaré los aspectos principales de la IA y la técnica de edición genética CRISPR. La robótica también juega un rol clave en los procesos de cambio tecnológico actuales, pero será abordada complementariamente a las dos tecnologías seleccionadas. Estas bastarán para ilustrar mis principales argumentos y críticas al movimiento transhumanista y sus propósitos declarados. Corresponderá al lector con iniciativa encontrar más información sobre estas y las demás adelantando que las fuentes en inglés son más numerosas y de mucho mayor calidad que las disponibles en español.

Inteligencia Artificial

El término "Inteligencia Artificial" fue introducido por primera vez en 1956 por el matemático estadounidense Claude Elwood Shannon (1916-2001) y por el científico computacional John McCarthy (1927-2011) en un reporte conjunto para la Conferencia de Dartmouth, evento académico que dio origen a la Inteligencia Artificial (IA) como área científica formal. Debido a la complejidad del concepto de inteligencia, sus usos y alcances, la IA no cuenta con una definición estándar. Sin embargo, podemos recurrir a la definición

---

una hebra de ADN es 2,5nm, una bacteria promedio tiene 1,000 nm de longitud y una hoja de papel tiene un ancho de 100.000 nm.

87. En enero de 2020 se crearon los primeros xenobots a partir de células madre extraídas del corazón y piel de la especie de rana *Xenopus laevis*. Pueden observarse en el siguiente video de la CNN: https://cnnespanol.cnn.com/2020/01/14/conoce-a-los-xenobots-los-primeros-robots-vivos-del-mundo-que-se-curan-a-si-mismos-y-fueron-creados-a-partir-de-celulas-madre-de-rana/. En diciembre de 2021 se anunció que los xenobots ya son capaces de reproducirse sin intervención humana. Ver "AI-designed Xenobots reveal entirely new formo f biological self-replication- promising for regenerative medicine", Wyss Institute, https://wyss.harvard.edu/news/team-builds-first-living-robots-that-can-reproduce/

genérica pero incompleta de sistemas computacionales con la capacidad de imitar y/o replicar tareas que demandan inteligencia humana para su ejecución y concreción. Estas tareas incluyen procesos de toma de decisiones, razonamiento, percepción visual, intuición y articulación y comprensión de lenguaje, entre otras.

Los antecedentes de la IA se remontan a 1942, cuando el escritor estadounidense de origen ruso Isaac Asimov publicó la historieta *Runaround*, en la que propuso sus famosas "Tres leyes de la robótica". Las leyes formuladas fueron las siguientes:

1. Un robot no hará daño a un ser humano y, ni por su inacción, permitirá que un ser humano sufra daño.
2. Un robot debe obedecer las órdenes dadas por los seres humanos, excepto si estas entran en conflicto con la primera ley.
3. Un robot debe proteger su propia existencia en la medida en que no entre en conflicto con la primera ley o con la segunda ley.

De esta manera, Asimov expresó la obsesión de los seres humanos por controlar su entorno y todos los productos de su ingenio, así como la intuición sobre los serios riesgos existenciales planteados por ciertas tecnologías. En 1950, el matemático británico Alan Turing planteó otro escenario conocido como el "Test de Turing", en el cual un interrogador humano debe determinar si las respuestas a sus preguntas provienen de otro ser humano o de una máquina. Con los actuales avances en el procesamiento de lenguaje natural, una de las áreas de investigación más importantes de la IA, hacer esta distinción ya no es una tarea tan sencilla.

La era dorada de la IA se inicia con la ya mencionada Conferencia de Dartmouth, en la que un reducido pero entusiasta grupo de matemáticos, ingenieros y científicos computacionales formalizó la investigación de la IA. Uno de los más importantes contribuyentes del evento fue el científico computacional estadounidense Marvin Minsky (1927-2016) quien, en su obra *Perceptrones*, identificó —aunque equivocadamente— algunas limitaciones para el desarrollo de las redes neuronales artificiales —*neural networks*—, concepto clave para el desarrollo de los sistemas de IA actuales. Las redes neuronales artificiales son sistemas computacionales inspirados en las redes neuronales biológicas que configuran los cerebros. Corresponde a un conjunto de nodos llamados "neuronas artificiales", que se conectan entre sí, simulando la sinapsis o conexión natural entre las neuronas biológicas, para transmitir señales representadas por datos mediante mecanismos de propagación y de retropropagación. Están compuestas por una capa de entrada que recibe los datos externos, una o más capas ocultas que procesan los datos recibidos por la capa interna y una capa de salida que entrega los resultados de todos los datos procesados en las capas previas. Cada capa posee un número variable de nodos que en las redes neuronales artificiales actuales puede llegar fácilmente a miles de millones.

En 1966 aparece el primer robot móvil inteligente, Shakey, capaz de desplazarse de manera autónoma y de ordenar pequeños objetos[88]. El inicio de la década de los setenta vio el surgimiento de sistemas computacionales aplicados a la industria como MYCIN —sistema experto utilizado para diagnosticar infecciones bacterianas y proponer tratamientos—, pero el entusiasmo inicial por la IA fue desvaneciéndose debido a las enormes limitaciones técnicas y a los pobres resultados alcanzados. Como consecuencia del creciente pesimismo sobre su viabilidad, los fondos de financiamiento público para la IA en países como EEUU y como el Reino Unido decrecieron significativamente; se inició un período conocido como "invierno de la IA". A pesar de una marcada disminución en la investigación, algunas iniciativas menores continuaron. En 1980 el filósofo estadounidense John Searle (1932) propuso "La habitación china", un experimento mental para refutar la idea de que el pensamiento puede reducirse a cálculos y para evaluar la capacidad de las máquinas de lograr la autoconciencia. Este experimento reavivó el debate e interés por la IA, cuyas investigaciones dejaron de enfocarse en la creación de una IAG y pasaron al desarrollo de la IAD.

La nueva era de la IA comienza en 1997 con la victoria de Deep

88. Para conocer un poco más a Shakey, acceder al video en la siguiente dirección: https://www.youtube.com/watch?v=7bsEN8mwUB8

Blue, un programa de ajedrez desarrollado por IBM, sobre el campeón mundial Garry Kasparov. Por primera vez en la historia, una máquina superaba al ser humano más talentoso en una disciplina creativa, hecho que impulsó la investigación básica y aplicada de IA de manera decisiva e irreversible. Desde el inicio del nuevo milenio, la IA ha mostrado avances espectaculares. A la creación de Roomba en 2002, el pequeño robot de limpieza que pavimentó el camino para la producción de otros robots autónomos, se le sumó el desarrollo de los automóviles autónomos a partir de una competencia organizada por la Agencia de Proyectos de Investigación Avanzados de Defensa (DARPA, por sus siglas en inglés) en 2004. Si bien ese año no hubo ganador, al año siguiente, STANLEY, un automóvil autónomo desarrollado por la Universidad de Stanford y por Volkswagen, se llevó la corona, lo que dio origen a este segmento industrial que hoy tiene a la empresa automotriz Tesla entre sus principales líderes. Sin embargo, la trascendencia del año 2005 está marcada por la irrupción del Aprendizaje Automático o Aprendizaje de Máquinas, también conocido como *Machine Learning*, que hoy corresponde a la rama más importante de la IA. Las investigaciones también se extendieron al campo militar, donde se destaca la creación de BigDog —robot cuadrúpedo desarrollado por la empresa Boston Dynamics— también en 2005, y que derivó en la fabricación de robots con mucha mayor autonomía, precisión y capacidad, como Atlas y como Spot[89].

El lanzamiento de Siri, el asistente virtual de la empresa Apple, en 2010 posicionó el reconocimiento de voz como una de las principales tecnologías de la IA[90]. El desarrollo de redes neuronales también marcó un punto de inflexión un año después con el triunfo de Watson en el popular programa de conocimientos *Jeopardy*, en el que los ingenieros de IBM dedicaron tres años para refinar la tecnología de procesamiento de lenguaje natural que lo respalda. La compra de Deep Mind —empresa británica líder en Aprendizaje de Máquinas— en 2014 por Google se tradujo en un desarrollo sin precedentes de

89. Los robots reseñados pueden ser apreciados en la página web institucional de Boston Dynamics, disponible en https://www.bostondynamics.com/products

90. Entre los principales productos que hoy compiten con Siri, se encuentran Alexa, desarrollada por Amazon, y Google Home.

complejos algoritmos. En la ciencia de la computación, estos se definen como modelos matemático-estadísticos utilizados para procesar datos y ejecutar acciones específicas que resulten en la solución de un problema[91]. Operan como una lista exacta de instrucciones para ejecutar paso a paso acciones específicas que deriven en la solución deseada. Gracias a los algoritmos, expresados mediante lenguajes de programación, hoy el Aprendizaje de Máquinas es posible[92].

En 2016, Deep Mind presentó Alpha Go, programa especializado en el complejo juego de estrategia chino Go. Este programa desafió al campeón mundial de esa disciplina, el surcoreano Lee Sedol, a quien derrotó enfáticamente con cuatro victorias y sufrió una derrota. Debido a las infinitas combinaciones asociadas a cada movimiento, que superan al número de átomos en el universo, no bastaba que la máquina redujese sus decisiones al cálculo bruto. Al ser interrogado después de su derrota, Sedol aseguró que Alpha Go había desplegado creatividad y no solo poder de procesamiento[93]. En los últimos 10 años, se han logrado impresionantes avances en las ramas de reconocimiento facial y traducción de textos, especialmente mediante mecanismos de aprendizaje no supervisado y aprendizaje por refuerzo, en los que los algoritmos "aprenden" con escasa o nula intervención humana. El significativo aumento en el poder y velocidad de procesamiento de

---

91. Son varios tipos de algoritmos programados para ejecutar tareas variables. Entre estos encontramos los algoritmos para los motores de búsqueda, encriptación, recursivos, de fuerza bruta, aleatorios, "codiciosos" y de programación dinámica, entre otros.

92. Existen tres grandes mecanismos de aprendizaje de máquinas. El primero es el aprendizaje supervisado, que consiste en deducir información a partir de bases de datos clasificados y etiquetados. Se recurre a datos de entrenamiento para entrenar el modelo algorítmico, y sus resultados son comparados con datos de prueba hasta la homologación entre ambas. El segundo mecanismo es el aprendizaje no supervisado en el que los datos que la máquina utiliza para "aprender" no están clasificados. Mediante un enfoque inductivo, los algoritmos procesan los datos y van determinando patrones y tendencias que permiten clasificarlos. El término "no supervisado" indica la ausencia de intervención humana en el proceso de aprendizaje. Finalmente encontramos el aprendizaje por refuerzo en el que, mediante prueba y error, los algoritmos de la máquina, mediante un proceso de aprendizaje autónomo, son recompensados o castigados, dependiendo de las decisiones que toman.

93. Cabe destacar que, un año después de su victoria sobre Sedol, AlphaGo fue derrotada por un nuevo algoritmo desarrollado por Deep Mind, AlphaGo Zero, por un aplastante marcador de 100 a cero. Los detalles de esta historia pueden ser consultados en la siguiente dirección: https://www.theverge.com/2019/11/27/20985260/ai-go-alphago-lee-se-dol-retired-deep-mind-defeat#:~:text=After%20three%20days%20of%20self,strongest%20Go%20player%20in%20history

las computadoras ha contribuido de manera decisiva a este progreso técnico.

Gobiernos, empresas y centros de investigación en todo el planeta continúan desarrollando sistemas de IA, pero la competencia es dominada por China y por EEUU. La primera, gracias a empresas como Baidu, Ali Baba, Tencent y DJI, lidera el desarrollo de drones, sistemas de reconocimiento de voz, traducción de textos y tecnología de reconocimiento facial mientras que empresas tecnológicas estadounidenses como Alphabet (ex Google), Amazon, Microsoft, Meta (ex Facebook), Apple, Boston Dynamics y Tesla, entre otras, presentan mayores avances en robótica, vehículos autónomos e IA aplicada a los negocios, especialmente tecnología financiera o *Fintech*. Los sistemas de IA ya intervienen de manera cotidiana en nuestras vidas como cuando hacemos búsquedas en internet o usamos aplicativos para evitar el tráfico, compramos productos o pagamos recibos en línea. Sus aplicaciones son múltiples y pueden ofrecer enormes beneficios en campos como la medicina, agricultura, comercio electrónico, educación, transportes y comunicaciones, finanzas y entretenimiento. No obstante, estos mismos algoritmos también podrían abolir nuestra privacidad y suprimir nuestras libertades con absoluta impunidad, tal como hoy ocurre en China[94].

Una de las mayores preocupaciones relacionadas con la IA es el impacto que esta tecnología tendrá sobre el mercado laboral, especialmente sobre trabajos analíticos altamente susceptibles a la automatización, lo cual se traducirá en millones de desempleados en todo el mundo. Son quienes conformarán la próxima "clase inútil" de Harari. Particularmente influyentes son los trabajos de los investigadores de la Universidad de Oxford, Carl Frey y Michael Osborne, quienes en 2013 estimaron que un 47% de las 702 ocupaciones que analizaron en EEUU estaban bajo riesgo de ser automatizadas y del economista

94. Ver: (I) "The panopticon is already here", *The Atlantic*, disponible en https://www.theatlantic.com/magazine/archive/2020/09/china-ai-surveillance/614197/; (II) "How to tackle the data collection behind China's AI ambitions", *The Brookings Institution*, disponible en https://www.brookings.edu/techstream/how-to-tackle-the-data-collection-behind-chinas-ai-ambitions/; (III) "China ¿Estado policial o laboratorio del futuro?", documental de la DW, disponible en https://www.youtube.com/watch?v=ux547wpA0dc&t=4s; y (IV) "How China's surveillance is growing more invasive", *The New York Times*, disponible en https://www.youtube.com/watch?v=Oo_FM3mjBCY

británico Daniel Susskind, quien, en *Un mundo sin trabajo* (2020), argumenta que los estados intervencionistas serán necesarios para amortiguar el impacto económico y político del desempleo masivo. Propuestas como la Renta Básica Universal (RBI), hoy adornadas con falsos discursos de justicia e igualdad, se entienden mucho mejor en este contexto[95].

La IA es una tecnología disruptiva que ofrece grandes oportunidades, pero también plantea serios riesgos y amenazas a nuestro bienestar y libertad. En el corto y mediano plazo son especialmente sensibles los temas de vigilancia estatal o corporativa privada y la vulneración de la privacidad mientras que, en el largo plazo, las propuestas de fusión hombre-máquina planteadas por los transhumanistas pasan por instrumentalizar al ser humano. Pero ¿somos los seres humanos meros instrumentos? En 1983, el psicólogo estadounidense Howard Gardner elaboró la *Teoría de inteligencias múltiples* como respuesta a las limitantes pruebas psicométricas. Como parte de su teoría, Gardner identificó los siguientes tipos de inteligencia: (I) lógico-matemática, o la capacidad para establecer relaciones y discernir patrones lógico-numéricos; (II) lingüístico-verbal, referida a la sensibilidad a los sonidos, palabras y ritmos del lenguaje escrito y verbal; (III) visual-espacial, o la habilidad para percibir el mundo con precisión mediante el dibujo o la pintura e interpretar imágenes, gráficos y mapas de manera competente; (IV) musical, o la habilidad para producir, comprender e interpretar la música, su estructura, patrones y sonidos; (V) corporal-cinestésica, o la capacidad para expresar, controlar y realizar movimientos precisos con el cuerpo; (VI) inteligencia interpersonal, o la capacidad para interactuar con y responder a los humores y actitudes de terceros con discernimiento; (VII) inteligencia intrapersonal, o la habilidad para comprender y evaluar nuestros propias emociones y estados de ánimo para guiar nuestro comportamiento; (VIII) inteligencia natural, o la capacidad para entender a los seres vivos y "leer" la

95. La Renta Básica Universal propone un programa gubernamental, en el cual cada ciudadano mayor de edad recibe un ingreso fijo en plazos predeterminados. Sus objetivos declarados son aliviar la pobreza y remplazar programas sociales similares afectados por la burocracia. Para un tratamiento más profundo y detallado del tema, aunque ligeramente sesgado a favor de la RBI, consultar el texto de Sammeroff, A. (2019). *Universal Basic Income: For and Against*, Rational Rise Press: Australia.

naturaleza: y (IX) inteligencia existencial, o la capacidad para abordar preguntas de carácter ontológico como por qué vivimos y/o morimos.

La tecnología está ejecutando gradualmente tareas que competen a estos tipos de inteligencia. Aplicaciones de IA como Microsoft Azure y como Tensor Flow de Google son muy superiores en poder de cálculo a nuestra inteligencia lógico-matemática. El potente algoritmo GPT-3 desarrollado por *Open AI* —laboratorio fundado en 2015 por Elon Musk y por otros aportantes— es un modelo autorregresivo de lenguaje capaz de procesar 175.000 millones de parámetros y condiciones que le permiten elaborar textos completos a partir de un solo enunciado. Corresponde a una inteligencia lingüístico-verbal, cuya calidad de resultados es tal que la gran mayoría aprobaría el Test de Turing. En cuanto a la inteligencia visual-espacial, el desarrollo de metaversos[96] como *Meta Platforms* (ex Facebook), y *Microsoft Mesh* está impulsando tecnologías de Realidad Virtual, Aumentada y Mixta, capaces de replicar la realidad y crear mundos de ficción de altísima resolución. La música tampoco escapa a este fenómeno gracias a compositores artificiales como Aiva y Jukebox, que pueden combinar y armonizar estilos tan disímiles como música clásica, rock pesado y reggaetón en una sola composición. El desarrollo actual de la robótica combinada con IA ha producido resultados espectaculares en cuanto a la autonomía, movilidad y agilidad de sus creaciones. El robot Atlas es capaz de correr, saltar, subir escaleras, girar sobre su propio eje y hacer volantines en circuitos de parkour[97]. Parece ser cuestión de tiempo para que este y otros robots superen ampliamente nuestras capacidades corporal-cinestésicas. Solo las inteligencias que demandan altos niveles de creatividad, abstracción, percepción y sensibilidad como la natural, existencial e intrapersonal siguen siendo inmunes a la amenaza de la IA y, si bien se han desarrollado

96. El metaverso se define como un espacio de realidad virtual generado por computadora, que permite diversos tipos de interacción permanente y en tiempo real entre múltiples usuarios. Las plataformas más conocidas son Meta, de Meta Platforms, cuya presentación oficial puede ser vista aquí: https://www.youtube.com/watch?v=Uvufun6xer8&t=167s y Microsoft Mesh, disponible en el siguiente enlace: https://www.youtube.com/watch?v=Jd2GK0qDtRg&t=1s. MetaMetaverse es otra iniciativa menos popular, pero igualmente interesante. Su página web puede ser consultada aquí: https://www.metametaverse.io/

97. El impresionante desempeño de Atlas puede apreciarse en el siguiente video de Boston Dynamics: https://www.youtube.com/watch?v=tF4DML7FIWk

robots humanoides como Sofía[98] para interactuar con seres humanos en tiempo real, sus capacidades interpersonales siguen siendo muy limitadas.

Los tipos de inteligencia propuestos por Gardner pueden ser teóricamente debatibles, pero expresan una realidad empírica mucho más profunda, relevante e incontestable. No somos máquinas, y nuestras imperfecciones naturales no restan mérito a nuestro poder creativo. La complejidad de nuestro intelecto se manifiesta de múltiples maneras y solo es posible gracias a la totalidad de nuestra existencia. En este sentido, las tecnologías de IA reducen el intelecto a un poder de procesamiento cuantitativo obviando capacidades cualitativas fundamentales, especialmente la inteligencia inter- e intrapersonal. Tampoco somos mente o cuerpo como propuso Descartes sino mente, cuerpo y algo —o mucho— más que eso. Una tecnología que no sirve al ser humano, pero se sirve de él, no constituye progreso. Más aún, esta debe complementarnos, y jamás sustituirnos. Por eso, cuando un pequeño grupo de *Homo sapiens* aspira a convertirse en *Homo deus* sin conocer ni entender lo que busca cambiar, está actuando de manera egoísta e irracional. El uso de la palabra "mejorar" prueba que los transhumanistas incurren en actos de fe, y no en hechos verificables para proyectar los resultados de sus aplicaciones tecnológicas. "Modificar" sería mucho más adecuado, ya que nada ni nadie garantiza que los resultados de la fusión hombre-máquina serán positivos o favorables para nuestra naturaleza y experiencia de vida.

CRISPR

Entre octubre de 1990 y abril de 2003 se llevó a cabo el Proyecto del Genoma Humano, uno de los más importantes de la historia, que culminó con la secuenciación completa de un genoma humano adulto representativo del 90% de la población. El proyecto fue liderado por

98. Desarrollada por la empresa Hanson Robotics Limited en 2016, Sofía es capaz de interactuar verbal, auditiva y visualmente con seres humanos en tiempo real. En 2017, el gobierno de Arabia Saudita le otorgó la ciudadanía, con pasaporte incluido y, ese mismo año, el Programa de Desarrollo de las Naciones Unidas (PNUD) la declaró "Campeona de la Innovación", lo que la convirtió en el primer no humano en recibir esa cuestionable distinción. Para conocer un poco más a Sofía y otros androides producidos por Hanson Robotics, acceder al siguiente enlace: https://www.youtube.com/watch?v=XrSAQoetF0A

el médico genetista católico Francis Collins quien, inspirado por la envergadura y complejidad de los resultados, escribió *El lenguaje de Dios*, argumentando en favor de la armonía entre las ciencias naturales y su fe. Para Collins (2007: p. 5), "no existe un conflicto entre ser un científico riguroso y una persona que cree en Dios, quien se interesa personalmente en cada uno de nosotros. El dominio de la ciencia es explorar la naturaleza. El dominio de Dios se encuentra en el mundo espiritual, un mundo que no puede ser explorado con las herramientas y lenguaje de la ciencia. Debe ser examinado con el corazón, la mente y el alma, y el alma debe encontrar un camino para abrazar ambos reinos".

Más allá de nuestras creencias personales, la sentida reflexión de Collins devela la majestuosidad del mundo natural y sus misterios. Reducir esta complejidad a relaciones causa-efecto nos impide apreciar y valorar plenamente su belleza y magnitud. El genoma humano, el conjunto de información que posee nuestro organismo dentro del núcleo de cada célula, también exhibe métricas que trascienden lo cuantitativo. Por ejemplo, almacenar toda la información contenida en un genoma humano completo, compuesto por 3000 millones de pares bases de Ácido Desoxirribonucleico (ADN)[99], demandaría un disco duro de tres gigabytes. A partir de esta estructura se configuran aproximadamente 30.000 genes con todas las instrucciones que permiten a cada una de nuestros 100.000.000.000.000 de células sintetizar proteínas vitales para nuestro organismo. Más aún, si desenredáramos y atáramos todas nuestras hebras de ADN, estas podrían extenderse 600 veces, ida y vuelta, la distancia entre la tierra y el sol[100].

Identificar una sección específica del genoma humano es mucho más difícil que encontrar una aguja en un pajar. Es por su capacidad para ubicar con precisión y modificar segmentos específicos de nuestro ADN donde radica la importancia de las Repeticiones Palindrómicas Cortas Agrupadas y Regularmente Espaciadas o *Clustered Regularly Interspaced Short Palindromic Repeats* en inglés, la revolucionaria técnica

99. El ADN es un polímero con estructura de doble hélice que contiene todas las instrucciones para el desarrollo, crecimiento, funcionamiento y reproducción de todos los organismos vivos, excepto algunos virus y priones.

100. NOVA- Genome facts, disponible en https://www.pbs.org/wgbh/nova/genome/facts.html

de edición genética conocida como "CRISPR". El biólogo molecular español Francisco Juan Martínez Mojica fue quien descubrió, caracterizó y estudió las funciones de las primeras secuencias CRISPR obtenidas de bacterias en 1993. A partir de este descubrimiento, la bioquímica estadounidense Jennifer Doudna y la microbióloga francesa Emmanuelle Charpentier describieron el método de edición genética CRISPR-cas9 en 2012 y lo aplicaron experimentalmente en años siguientes, lo que les permitió obtener el Premio Nobel de Química en 2020.

La técnica CRISPR es utilizada para editar genes mediante la identificación de segmentos específicos de ADN en el núcleo celular[101]. Existe una variedad de proteínas como Cas9, Cas12a y Cas13, que aportan diferentes funciones a esta técnica; Cas9 es la más utilizada. Esta proteína puede ser "programada" para encontrar una secuencia objetivo de ADN con la asistencia de un segmento de Ácido Ribonucleico (ARN). Al ser agregada a la célula, CRIPSR-cas9 se engancha a una cadena de ARN que la guía a lo largo de las hebras de ADN. Una vez ubicado el segmento objetivo —que no debe ser mayor que 20 nucleótidos[102] de longitud—, CRISPR-Cas9 se fija a este. El nivel de precisión es impresionante considerando que cada ADN posee 6000 millones de nucleótidos. Posteriormente a la fijación, el segmento objetivo de ADN es cortado por Cas9 y la célula huésped procede a repararlo inmediatamente, introduciendo mutaciones que generalmente inactivan el gen que aloja al segmento en cuestión. Esta descripción corresponde a la edición genética, el uso más común de CRISPR. La técnica CRISPR también puede ser utilizada para realizar cambios más precisos como el remplazo de genes defectuosos, pero esta es una tarea mucho más difícil.

---

101. El portal hhmi-Interactive ofrece una excelente explicación animada sobre el funcionamiento de la técnica CRISPR en el siguiente enlace: https://www.biointeractive.org/classroom-resources/crispr-cas-9-mechanism-applications

102. Los nucleótidos son las moléculas esenciales o monómeros de los ácidos nucleicos (ADN y ARN) que se encadenan linealmente para conformar sus estructuras. En el caso del ADN, son cuatro bases nitrogenadas las que lo configuran: Adenina (A), Guanina (G), Timina (T) y Citosina (C). Solo son posibles los emparejamientos A-T y C-G, que le otorgan al ADN su estructura de doble hélice. La combinación de una base nitrogenada con una pentosa configura un nucleótido. En el caso del ARN, la Citosina no está presente, pero sí lo está el Uracilo (U). Del patrón específico de ordenamiento de los nucleótidos se desprenderán las características genéticas particulares de cada especie y de cada individuo.

Antes de la aplicación de CRISPR existían técnicas alternativas para editar genomas de plantas y animales, pero eran muy costosas y más imprecisas. CRISPR ha abaratado significativamente los costos y obtenido mejores resultados. Sus aplicaciones son múltiples, pero especialmente prometedoras en los campos de la agricultura, energía y medicina. En el sector agropecuario, CRISPR puede ser utilizado para mejorar la resistencia, duración y contenido nutritivo de frutos, vegetales y productos de origen animal[103]. También puede ser utilizado para la síntesis de biocombustibles, bioplásticos y pesticidas más eficientes y menos contaminantes[104]. Sin embargo, es en el campo de la medicina donde CRISPR promete una revolución tecnológica sin precedentes con aplicaciones terapéuticas orientadas no solo a la cura, sino también a la prevención del cáncer; enfermedades neurodegenerativas como el alzhéimer; enfermedades oculares como la retinitis pigmentosa; enfermedades monogénicas como la fibrosis quística, anemia falciforme, la enfermedad de Huntington y la distrofia muscular de Duchenne, y otras enfermedades sin causas genéticas como la diabetes, autismo y VIH/SIDA[105].

El poder de la técnica CRISPR radica en la posibilidad que le otorga al ser humano de redefinir, reconfigurar, crear y destruir vida. Es un poder que no solo le permite alterar su entorno, sino a sí mismo y todo el mundo natural. En atención a ese poder y sus profundas implicaciones bioéticas, la edición genética debe ser aplicada responsablemente para evitar alteraciones irreversibles que podrían poner en riesgo la misma existencia del ser humano[106]. En abril de 2022, el biofísico He

---

103. Dos artículos muy interesantes son "Why Gene Editing is the Next Food Revolution", *National Geographic*, disponible en https://www.nationalgeographic.com/environment/article/food-technology-gene-editing y "Gene editing could upend the future of factory farming–for better or worse", *Vox*, https://www.vox.com/22994946/gene-editing-farm-animals-livestock-crispr-genetic-engineering

104. "10 ways CRISPR will revolutionize environmental science", Alliance for Science, https://allianceforscience.cornell.edu/blog/2018/07/10-ways-crispr-will-revolutionize-environmental-science/

105. Ver: (I) "CRISPR in cancer biology and therapy", *Nature*, https://www.nature.com/articles/s41568-022-00441-w; (II) "How CRISPR is Changing Cancer Research and Treatment", National Cancer Institute, https://www.cancer.gov/news-events/cancer-currents-blog/2020/crispr-cancer-research-treatment ; y (III) "Diseases CRISPR Could Cure: Latest Updates on Research Studies and Human Trials", *Synthego*, https://www.synthego.com/blog/crispr-cure-diseases

106. El minidocumental "Gene editing: risks and rewards", producido por el semanario británico *The Economist*, aborda algunas de estas consideraciones. Puede ser visto en el siguiente enlace: https://www.youtube.com/watch?v=F7DpdOHRDR4

Jiankui fue liberado tras haber purgado su condena tres años en una prisión china[107]. En 2018, violando las ambiguas regulaciones éticas del Ministerio de Salud y del Ministerio de Ciencia y Tecnología de su país, Jiankui alteró el genoma de dos embriones fertilizados *in vitro,* que posteriormente fueron implantados en el útero de una mujer que dio a luz a dos niñas. El propósito de esta alteración genética fue otorgar inmunidad permanente a las niñas contra el virus VIH/SIDA, pero fueron células germinales y no somáticas las sometidas a edición, con lo cual el ADN modificado será heredado por los hijos de estas niñas en caso de que decidan tenerlos. La irresponsable intervención de Jiankui motivó a 18 prominentes expertos en genética y bioética a proponer una moratoria indefinida sobre el uso clínico de ediciones genéticas heredables[108]. Lamentablemente, los malos usos no se limitan a la alteración genética de células germinales.

En la mitología griega, Quimera, del griego *chímaira*, cabra hembra, era un monstruo con cabeza de león, cuerpo de cabra y cola de serpiente. La destrucción que causaba fue detenida por Belerefonte quien, con la ayuda de su caballo Pegaso, mató al nefasto híbrido. Desde entonces, el término ha sido utilizado para describir criaturas ficticias compuestas por diferentes partes de animales. La biología define las quimeras como organismos que contienen células o tejidos de dos o más especies diferentes y estas también pueden tener un origen natural. Ya en 2016, el Instituto Nacional de Ciencias de los EEUU comenzó a evaluar la posibilidad de crear quimeras inyectando células madre de seres humanos en embriones animales argumentando que

107. "The creator of the CRISPR babies has been released from a Chinese prison", *Technology Review,* https://www.technologyreview.com/2022/04/04/1048829/he-jiankui-prison-free-crispr-babies/

108. El comunicado conjunto de estos expertos puede ser consultado en "Adopt a moratorium on heritable genome editing", *Nature,* https://www.nature.com/articles/d41586-019-00726-5. Cabe destacar que la moratoria propuesta por estos científicos, en la cual no participó Jennifer Doudna, fue precedida por dos cumbres internacionales sobre edición del genoma humano, que abordaron cuestiones científicas, médicas, éticas y regulatorias relacionadas con la investigación de la edición genética, especialmente la aplicación de la técnica CRISPR. La primera cumbre se llevó a cabo en Washington DC en 2015 con el auspicio de la Academia Nacional de Ciencias y la Academia Nacional de Medicina de los EEUU, la Academia China de Ciencias y la Real Sociedad del Reino Unido. La segunda se realizó en 2018 en Hong Kong y la tercera se llevó a cabo en marzo de 2023 en Londres. Más detalles sobre los temas y conclusiones de estas cumbres están disponibles en la siguiente página: https://www.nationalacademies.org/our-work/human-gene-editing-initiative

estas investigaciones nos permitirían conocer mejor los mecanismos de enfermedades hereditarias, sintetizar nuevos fármacos para combatirlas y desarrollar órganos humanos cultivados en animales para xenotrasplantes[109]. El primer caso de xenotrasplantación reportado públicamente ocurrió en Baltimore, EEUU, en enero de este año, cuando David Bennett recibió un corazón genéticamente modificado y cultivado en un cerdo durante un procedimiento quirúrgico consentido que duró siete horas[110].

Retornando a las quimeras, estas son creadas actualmente en laboratorios con aparentes fines científicos. Al unir dos células de diferentes especies donantes o fuente, estas se incorporan a diferentes partes del organismo quimérico. Las células pueden ser somáticas, células que no intervienen en ningún aspecto de la reproducción, pero también células reproductivas o gametos —espermatozoides y óvulos—, células germinales —células que posteriormente se convierten en gametos— y células madre o totipotenciales que, en órganos o tejidos adultos, a diferencia de las células madre embrionarias, presentan más limitaciones para diferenciarse y especializarse. La mayor capacidad de diferenciación de las células madre embrionarias las vuelve mucho más atractivas para efectos de experimentación y de comercialización. Este hecho podría explicar —parcialmente— el compulsivo interés de la industria del aborto para generar embriones humanos con fines de lucro, especialmente aquellos descartados en clínicas de fertilización

---

109. La xenotrasplantación corresponde a cualquier procedimiento que involucra el trasplante, implantación o infusión de células vivas, tejidos, fluidos u órganos provenientes de animales a seres humanos. Sus proponentes justifican estas intervenciones debido a la escasa oferta de donantes humanos y a la alta demanda de órganos. Debido a su similitud anatómica y fisiológica con los seres humanos, los cerdos son los animales más aptos para desarrollar este procedimiento. Sin embargo, la xenotrasplantación plantea serios interrogantes médicas y bioéticas. Con respecto a las primeras, pueden generarse nuevas infecciones con agentes patógenos desconocidos para las personas, que podrían ser transmitidas al resto de la población. También surgen riesgos de infecciones entre especies causadas por agentes que no podrían ser identificados con las técnicas de diagnóstico disponibles. En cuanto a los cuestionamientos bioéticos, surge el peligro de extender esta técnica a niveles que terminen "animalizando" a los seres humanos y humanizando a los animales, al punto de volver indistinguibles las especies y los actuales marcos éticos y legales que las separan. Desde un punto de vista religioso, este procedimiento viola la dignidad humana mientras que, para los activistas contra el sufrimiento animal, sería moralmente inaceptable aliviar el sufrimiento humano sacrificando a los animales.

110. Bennett falleció el 8 de marzo de 2022; vivió, más de seis semanas posteriores a la cirugía, conectado a un respirador artificial. Los detalles de su histórica intervención médica pueden ser consultados en la nota periodística de la BBC "Man gets genetically-modified pig heart in world-first transplant", disponible en https://www.bbc.com/news/world-us-canada-59944889

in vitro (FIV). Dichos embriones, al igual que los fetos abortados, proporcionan la materia prima —células, tejidos y órganos— para la realización de estos experimentos[111]. Si alguna duda queda sobre la existencia de este perturbador negocio, esta queda despejada por empresas como Precision for Medicine, la cual, desde su página web institucional, promociona la venta de tejidos humanos; cuenta con un stock de 25 millones de "especímenes" y con 14.000 proyectos de investigación —sus clientes— distribuidos en 55 países[112].

La creación de quimeras hombre-animal también es posible mediante la inoculación de células o tejidos humanos en embriones, fetos y adultos vertebrados de otras especies. Otra vía es la introducción de células madre de humanos en otras especies animales en cualquier período de desarrollo. Al hacerse en estados embrionarios tempranos, estas células pueden integrarse al cuerpo de la quimera, incluyendo su línea germinal, para formar novedosos y diversos tejidos celulares. Las quimeras interespecie, incluyendo las que combinan genoma humano, ya no son ciencia ficción. En 2004, células madre sanguíneas humanas fueron transferidas a fetos de ovejas de dos meses de edad mediante transfusión, de las cuales surgieron hepatocitos humanos funcionales[113]. Un año después, genetistas del Instituto Salk de California recurrieron a la técnica CRISPR para inyectar células madre de embriones humanos en los cerebros de embriones de ratón de dos semanas, que derivaron en la formación de neuronas humanas adultas

---

111. Particularmente notable es el caso reportado por la organización provida Center for Medical Progress en 2015 sobre la presunta venta de órganos de seres humanos abortados por Planned Parenthood (PP), investigación que tomó cinco años y que demandó la participación de infiltrados en la estructura interna de la multinacional abortista. Algunos segmentos de esta investigación, donde funcionarias de PP conversan sobre tipos de órganos de fetos abortados a la venta y sus respectivos precios, pueden ser vistos en los siguientes videos: (I) https://www.youtube.com/watch?v=BoOoYCaLbrg; (II) https://www.youtube.com/watch?v=IZTtvKQ-Ulk; y (III) https://www.youtube.com/watch?v=45k8wW_K9l4. También está disponible el video de un médico abortista de Planned Parenthood que, en tono de broma, habla de la necesidad de ir al gimnasio para realizar abortos por desmembramiento en fetos de 20 semanas de edad. El video en cuestión se encuentra en el siguiente enlace: https://www.youtube.com/watch?v=nOVte9k_DMs

112. La página web de la mencionada empresa está disponible en el siguiente enlace: https://www.precisionbiospecimens.com/

113. "Formation of human hepatocytes by human hematopoietic stem cells in sheep", *Blood*, https://ashpublications.org/blood/article/104/8/2582/19098/Formation-of-human-hepatocytes-by-human

funcionales[114]. En 2017, otro equipo de la misma institución creó 150 quimeras hombre-cerdo, las primeras entre ambas especies, con el futuro propósito de cultivar células hepáticas y cardíacas humanas[115]. Finalmente, en 2019, científicos del Instituto de Zoología de Kunming en China inyectaron un gen humano relacionado con la inteligencia en macacos que posteriormente mostraron capacidades cognitivas superiores a las de sus pares[116]. Los ejemplos reseñados no son los únicos, pero sí suficientes para probar que CRIPSR ya está siendo utilizado para crear quimeras entre seres humanos y otras especies.

Ahora bien, en nombre de la ciencia y del progreso, ¿qué tipos de quimera seguirán después? ¿Hombre-perro? ¿Hombre-pez? ¿Hombre-hormiga? ¿Ameba-orca? ¿Alga-cóndor? Es imposible no preocuparse por las desconocidas, pero potencialmente devastadoras consecuencias que estos experimentos podrían tener sobre la naturaleza y condición del ser humano y todo el mundo natural. Se abre una Caja de Pandora para la ilimitada creación de neo entes, seres vivos con comportamientos y características genéticas, biológicas, anatómicas, fisiológicas y reproductivas desconocidas que no resultan de la evolución darwiniana y/o de la creación divina, sino de la avezada curiosidad, ambición y/o arrogancia del propio ser humano. ¿Qué sucedería si estas nuevas criaturas adquieren niveles de inteligencia y conciencia comparables o superiores a los de nuestra especie? ¿Cómo acomodar los marcos éticos y legales vigentes ante esta posible convivencia distópica? ¿Adquirirían estas nuevas criaturas el estatus moral de un ser humano? ¿Qué impacto se generaría en los ecosistemas y sus cadenas tróficas? ¿Nos organizaríamos en sociedades o "zoociedades"? Las interrogantes que surgen ante esta posibilidad superan largamente las aquí planteadas y le corresponderá al lector reflexionar sobre estas.

Quienes no parecen estar muy preocupados por estos cuestionamientos son los *biohackers*, individuos que practican la biología DIY

---

114. "Development of functional human embryonic stem cell-derived neurons in mouse brain", Procedures of the National Academy of Science (PNAS), https://www.ncbi.nlm.nih.gov/pmc/articles/PMC1317971/

115. "Human-Pig Hybrid Created in the Lab?", *National Geographic*, disponible en https://www.nationalgeographic.co.uk/science-and-technology/human-pig-hybrid-created-in-the-lab

116. "Scientists are making human-monkey hybrids in China", Technology Review https://www.technologyreview.com/2019/08/01/652/scientists-are-making-human-monkey-hybrids-in-china/

—*Do It Yourself* o 'Hazlo tú mismo'—, también conocida como "biología de garaje". El *biohacking* corresponde a la experimentación biológica mediante técnica CRISPR y/o uso de drogas e implantes para mejorar las capacidades físicas, intelectuales y cognitivas propias y/o de otros seres humanos y organismos vivos. Se trata de transhumanismo aplicado. Los *biohackers* trabajan de manera individual o grupal, y no todos poseen formación especializada, pero todos laboran fuera de los circuitos médicos y científicos tradicionales. Generalmente, sus prácticas no están respaldadas por evidencia científica, por lo que la mayoría actúa como su propio conejillo de indias. Entre los procedimientos más comunes, mayoritariamente realizados en garajes, se encuentran la criogenia, transfusiones de sangre joven, trasplantes fecales, sauna cuasi infrarroja y edición genética con CRISPR[117]. Los kits de CRISPR pueden ser comprados en línea por cualquier persona a empresas como *The Odin,* cuyos precios van desde los US$40 hasta los US$1440[118]. El creador de este negocio es Josiah Zayner (1981), renombrado *biohacker* estadounidense, quien en 2017 se convirtió en la primera persona en autoaplicarse CRISPR para mejorar su musculatura, acto del cual luego se arrepintió al reconocer los peligros asociados a esta irresponsable práctica[119].

Los *biohackers* no son los únicos interesados en aplicaciones no terapéuticas de CRISPR. Otros tecno-optimistas sueñan con la posibilidad de crear bebés diseñados genéticamente[120]. De ofrecerse este servicio, cualquier cliente podría recurrir al catálogo de una empresa de medicina reproductiva para elegir, asistido por un nutrido catálogo, las características genéticas y fenotípicas de su producto humano; alto, de contextura muscular, cabello ensortijado, sin riesgo de ataques cardíacos y con pene, pero con altos niveles de estrógeno. O una niña

117. "How biohackers are trying to upgrade their brains, their bodies and human nature", *Vox,* https://www.vox.com/future-perfect/2019/6/25/18682583/biohacking-transhumanism-human-augmentation-genetic-engineering-crispr

118. *The Odin,* https://www.the-odin.com/

119. "A Biohacker Regrets Publicly Injecting Himself with CRISPR", *The Atlantic,* https://www.theatlantic.com/science/archive/2018/02/biohacking—stunts—crispr/553511/

120. Ver: (I) "Designer babies: choosing our children's genes", *The Lancet;* https://www.thelancet.com/journals/lancet/article/PIIS0140-6736(08)61538-X/fulltext; y (II) "Designer babies aren't futuristic. They're already here", *Technology Review,* https://www.technologyreview.com/2018/10/22/139478/are-we-designing-inequality-into-our-genes/

con un coeficiente intelectual garantizado de 120, de rasgos orientales y piel morena, y una esperanza de vida no menor de 85 años. Pues bien, algunas características físicas como el color de ojos ya pueden ser solicitadas, tal como lo anuncia The Fertility Institutes, una empresa de medicina reproductiva con sedes en los EEUU, México e India[121]. Otras empresas como 23andMe y GenePeeks han desarrollado herramientas de predicción genética de bebés mediante la examinación del esperma y genoma de los donantes. Estos servicios, que aún son marginales, podrían extender su oferta a productos quiméricos, una especulación perfectamente razonable considerando los avances de las tecnologías reproductivas y sus usos proyectados y deseados.

Resulta inevitable asociar las aplicaciones de CRISPR y otras tecnologías reproductivas complementarias como la FIV[122] con tendencias actuales de mercado y políticas reproductivas eugenésicas. El Diagnóstico Genético Preimplantacional (DGP), otra técnica asociada a CRISPR que analiza genéticamente embriones *in vitro* de tres a cinco días de edad, permite determinar si sus genomas contienen genes defectuosos o mutaciones que predispongan o condenen al potencial recién nacido a ciertos síndromes o enfermedades. Actualmente la DGP permite identificar tempranamente 250 patologías, entre estas, el síndrome de Down, fibrosis quística, talasemia y predisposición a la enfermedad de alzhéimer, y destruye casi en su totalidad aquellos embriones cuyos genomas evidencien estas condiciones. En países como Islandia y como Dinamarca, donde el examen de embriones con DGP es casi rutinario, abortar seres humanos con Síndrome de Down es legal hasta antes de su nacimiento. Como consecuencia de estas políticas abiertamente eugenésicas, la población Down en estos países ha sido exterminada casi por completo[123]. Celebrar esta brutalidad como un acto de compasión significa mostrar

121. "Choose your baby's eye color", The Fertility Institutes, https://www.fertility-docs.com/programs-and-services/pgd-screening/choose-your-babys-eye-color/

122. En febrero de 2015, el parlamento británico aprobó una ley que permite inocular el núcleo de un óvulo de una mujer sana en el citoplasma de otro óvulo con problemas mitocondriales, para luego ser fertilizado por un espermatozoide. Se conoce como "ley triparental", ya que el bebé resultante provendrá de un gameto masculino y de dos gametos femeninos. Más detalles disponibles en "How it´s possible for a baby to have three parents", Wired https://www.wired.com/2015/02/baby-two-mommies-daddy-cool/

123. "The Last Children with Down Syndrome", *The Atlantic,* https://www.theatlantic.com/magazine/archive/2020/12/the-last-children-of-down-syndrome/616928/

profunda ingenuidad o descarado cinismo; hoy son los niños Down, pero mañana podrían ser seres humanos perfectamente sanos que no cumplan con nuevos y arbitrarios criterios de corte utilitarista.

Más allá de reflexiones personales, los intereses detrás de estos experimentos, procedimientos y tecnologías no son necesariamente científicos o altruistas sino, principalmente, políticos, económicos y demográficos. Quienes desarrollan, aplican, comercializan, regulan y/o controlan tecnologías reproductivas tan potentes como CRISPR, FIV y DGP están adquiriendo un poder cuasidivino al fijar unilateralmente los criterios que determinan quiénes viven y quiénes no. De continuar aumentando este poder, también aumentarán las brechas económicas, políticas y tecnológicas que ya los separan del resto de la población. A modo de ejemplo, en 2020 el tamaño de mercado global de CRISPR fue de US$1.6 mil millones, pero se estima que en 2029 llegará a US$7.24 mil millones, con un crecimiento compuesto anual de 18,2%[124]. Entre las principales empresas de este mercado se encuentran Intellia Therapeutics, Editas Medicine y CRISPR Therapeutics. Esta última fue fundada por Emmanuelle Charpentier, y su capitalización de mercado, a septiembre de 2022, fue de US$4.90 mil millones[125]. Es la misma empresa que en noviembre de 2020 recibió una donación de US$3 millones de la Fundación Bill & Melinda Gates[126]. Sin embargo, las contribuciones de Gates también beneficiaron a Editas Medicine en 2015 al participar como coinversionista de un paquete de inversión de US$120 millones[127]. Son solo un par de ejemplos de las decenas disponibles que muestran los desinteresados esfuerzos que este y otros "filántropos" despliegan para construir un mundo feliz.

---

124. "Global CRISPR & Cas Genes Market Size & Share Will Reach USD 7.24 Billion By 2029 | CAGR: 18.2%: Polaris Market Research", disponible en https://www.prnewswire.com/news-releases/global-crispr—cas-genes-market-size—share-will-reach-usd-7-24-billion-by-2029—cagr-18-2-polaris-market-research-301511582.html

125. Intellia Therapeutics Inc. Market Cap, Market Watch, https://www.marketwatch.com/investing/stock/ntla

126. Committed grants–Intellia Therapeutics Inc., Bill / Melinda Gates Foundation, https://www.gatesfoundation.org/about/committed-grants/2020/10/inv018826

127. A startup that wants to make it easier to tweak our genes just got $120 million from investors, including Bill Gates, Insider, https://www.businessinsider.com/editas-raises-120-million-from-investors-including-bill-gates-2015-8?r=US&IR=T

Capítulo IV

Un mundo feliz

La felicidad universal mantiene las ruedas girando constantemente; la belleza y la verdad no pueden.

Aldous Huxley, *Un mundo feliz* (1932)

Ahora se está construyendo una Cuarta Revolución Industrial […] caracterizada por la fusión de tecnologías que está borrando los límites entre las esferas física, digital y biológica.

Klaus Schwab, Foro Económico Mundial (2016)

Preséntame un problema, y recurriré a la tecnología para resolverlo.

William *Bill* Gates, *Cómo evitar un desastre climático* (2021)

Un *mundo feliz* es el título de la famosa novela de Aldous Huxley que, junto a *1984* (de su compatriota George Orwell), adquirió súbita popularidad desde el inicio de la pandemia del coronavirus. La novela presenta una sociedad futurista regida por la ciencia, en la que los sentimientos son suprimidos desde la infancia con el propósito de no afectar la eficiencia. Todos los seres humanos son gestados artificialmente en tubos de ensayo y en incubadoras, y clonados según las necesidades demográficas del Estado mundial, la entidad encargada de gobernar esta sociedad distópica. No obstante, no todos los ciudadanos son iguales; desde su estado embrionario son clasificados, de mayor a menor nivel, como "Alfa", "Beta", "Gamma", "Delta" y "Épsilon". Los de las clases más altas son mejorados con tratamientos hormonales y químicos para prepararlos para ejercer cargos de liderazgo. Por el contrario, los ciudadanos inferiores son deliberadamente disminuidos física y mentalmente para servir a las castas privilegiadas. La procreación natural está prohibida para todos, y las relaciones personales son desincentivadas. En este ambiente tecnocrático, impersonal y desigual, el consumo del ansiolítico "soma" mantiene a las masas amansadas, lo que facilita significativamente su control y su manipulación.

La novela de Huxley nació por su gran interés en la ciencia, interés forjado en el seno familiar, y en el tecno-optimismo reinante durante el *Interbellum*, período entre el fin de la Primera Guerra Mundial en 1918 y el inicio de la segunda en 1939. Su mundo feliz constituye una ácida crítica a las utopías alimentadas por el tecno-optimismo, el cual, en niveles exacerbados como el comunismo soviético y el nacional socialismo alemán, inevitablemente desencadena tragedias cuyas consecuencias persisten durante décadas. Debido a su tono lúgubre y descarnado, la recepción inicial del libro no fue particularmente favorable: fue censurado en varias librerías y bibliotecas. Hoy, después de casi un siglo de su publicación, la sociedad vuelve a venerar la tecnología mientras devalúa al ser humano, al que convierte gradualmente en un producto de esta. ¿Es este el costo que debemos asumir para construir un mundo feliz? ¿Imperfección humana a cambio de perfección inhumana?

Inspirado también por la ciencia ficción, en 2002, Nick Bostrom elaboró una lista de potenciales riesgos existenciales planteados por tecnologías como la IA, la biotecnología, la nanotecnología y las armas nucleares, los desastres físicos como las pandemias, el calentamiento global, el impacto de asteroides, desastres antropogénicos como el agotamiento de recursos naturales y el surgimiento de tiranías supresoras del progreso tecnológico[128]. Lo que llama la atención en el artículo de Bostrom es que al filósofo sueco poco o nada le preocupa la extinción del *Homo sapiens,* pero sí la posibilidad de no transitar hacia el posthumanismo. Si estos riesgos no se concretaran y la transición se materializara, Bostrom advierte que podrían surgir nuevos riesgos existenciales, como inteligencias artificiales defectuosas, élites manipuladoras de inteligencias artificiales e invasiones extraterrestres poco amigables.

Actualmente, una multitud de organismos internacionales, estados nacionales, fundaciones filantrópicas, medios de prensa, corporaciones privadas, universidades, escuelas, Organizaciones No Gubernamentales (ONG), e incluso algunas organizaciones religiosas, nos bombardean y nos intimidan diariamente con algunos de los riesgos listados por Bostrom. El más difundido es el riesgo planteado por el propio *Homo sapiens* a la sostenibilidad del planeta, y todo lo que este alberga. Según la narrativa dominante, el ser humano está destruyendo la Tierra con una herramienta llamada "capitalismo", que le permite deforestar bosques, contaminar océanos, extinguir especies y construir más fábricas que emitirán más dióxido de carbono —nutriente esencial para el desarrollo de plantas terrestres y acuáticas— y otros gases contaminantes como metano y óxido nitroso[129]. El exceso

128. Bostrom, N. (2002). "Existential Risks: Analyzing Human Extinction Scenarios and Related Hazards", *Journal of Evolution and Technology,* 9.

129. La lista de estudios académicos, los reportes de organismos supranacionales y gubernamentales, los documentos de políticas públicas, los programas televisivos y radiales, los artículos en redes sociales, entre otros, que identifican el capitalismo como herramienta de destrucción medioambiental es interminable, especialmente para fuentes disponibles en inglés, pero puede ser fácilmente corroborada mediante una rápida y sencilla búsqueda en internet. Para una pequeña muestra, ver: (I) "The fight against climate change is a fight against capitalism", *Open Democracy,* https://www.opendemocracy.net/en/oureconomy/fight-against-climate-change-fight-against-capitalism/; (II) "Capitalism is killing the planet–it's time to stop buying into our own destruction", *The Guardian,* https://www.theguardian.com/environment/2021/oct/30/capitalism-is-killing-the-planet-its-time-to-stop-buying-into-our-own-destruction; (III) "Capitalism Made This Mess, and This Mess Will Ruin Capitalism", *Wired,* https://www.wired.com/story/capitalocene/; (IV) 'The Myth of Green Capitalism", *Project Syndicate,* https://www.project-syndicate.org/commentary/green-capitalism-myth-no-market-solution-to-climate-change-by-katharina-pistor-2021-09; (V) "Scientists to U.N.: To stop climate change,

de estos gases aumentará el efecto invernadero, que impide que la radiación térmica solar escape de la atmósfera. Al quedar atrapada en esta, se producirá un aumento de la temperatura, proceso conocido como "calentamiento global" que, de no ser mitigado a tiempo, derivará en el dramático cambio climático. Según la narrativa oficial, estos procesos generarían daños potencialmente irreversibles al medioambiente incluyendo el deshielo de los polos y un aumento del nivel del mar, sequías, desertificación, incendios forestales, pérdida de calidad de los suelos y escasez de agua potable y de alimentos, que desencadenarían graves pandemias, problemas migratorios y conflictos violentos. Para el biólogo británico David Attenborough (1926), somos tan peligrosos y destructivos que calificamos como "plaga humana", por lo que recomienda enfáticamente reducir nuestra población[130]. La propuesta de Attenborough es secundada de manera casi unánime por líderes empresariales, burócratas de alto nivel, académicos galardonados, directores de organizaciones sociales, artistas y funcionarios de todos los organismos antes mencionados.

Todo cuestionamiento legítimo a las narrativas oficiales, hoy convertidas en infalible doctrina progresista, será etiquetado peyorativamente como "teoría conspirativa". Estas se definen como cualquier explicación de eventos políticos, económicos, sociales, culturales, históricos y/o religiosos altamente dañinos y/o trágicos para las sociedades que identifican, como única causa, las acciones premeditadas, concertadas e implementadas por un pequeño y poderoso grupo de individuos. En atención a esta definición, debido a su complejidad y envergadura, temas como el cambio climático no pueden ser reducidos a la monocausalidad. Por lo tanto, al asignar casi toda la carga de responsabilidad al ser humano apelando a falsos consensos científicos como el famoso 97% [131], mientras se minimizan factores mucho más

modern capitalism needs to die", *Big Think*, https://bigthink.com/politics-current-affairs/scientists-to-un-to-stop-climate-change-modern-capitalism-needs-to-die/

130. "David Attenborough Has An Important Warning About Human Population", *Science alert*, https://www.sciencealert.com/the-time-david-attenborough-said-humans-are-a-plague

131. En 1992, el ex vicepresidente de los EEUU, Al Gore, declaró públicamente que solo una fracción marginal de científicos negaba la crisis del calentamiento global y que el debate estaba zanjado porque la ciencia era concluyente al respecto. Veintiún años después, su colega demócrata, el expresidente Barack Obama, redactó un tuit afirmando que "el 97% de los científicos está de acuerdo en que el cambio climático es real, producido por el hombre y es muy

determinantes para el cambio del clima como los ciclos y radiación solares, el azufre volcánico, el movimiento planetario y el vapor de agua, los enemigos de las conspiraciones terminan creando la mayor de todas. El economista ambiental danés Bjørn Lomborg (1965) rechaza la tesis antropogénica y ha calificado estas generalizaciones como "metas narrativas" respaldadas por interpretaciones caricaturescas[132]. Otro incómodo disidente del consenso es el activista estadounidense Michael Shellenberger (1971), quien denuncia una deliberada campaña de adoctrinamiento mediático plagada de exageraciones para desinformar a la población[133]. Por su parte, el senador estadounidense por Oklahoma, el republicano James M. Inhofe (1934), argumenta que la agenda de calentamiento global, que considera un fiasco, solo es una excusa para aumentar impuestos y regulaciones que comprometen seriamente las libertades individuales y terminan generando dependencia del gobierno[134].

Ya en 1997, más de 31.000 científicos firmaron la Petición de Oregón[135], en que solicitan al gobierno de los EEUU rechazar el Protocolo de Kioto —tratado internacional para reducir la emisión de gases de efecto invernadero— debido a la cuestionable ciencia detrás

---

peligroso". Ver https://twitter.com/barackobama/status/335089477296988160?lang=es. Estas declaraciones exponen dos graves problemas y mentiras. Con respecto a Al Gore, la ciencia nunca es concluyente para fenómenos multicausales y aún poco entendidos como el cambio climático. Anular el debate es anular el mismo progreso científico porque se niega la posibilidad y el derecho a contrastar diferentes hipótesis y métodos para descubrir la verdad. Cuando el debate científico es censurado, la ciencia y la verdad agonizan en manos de la política. En cuanto al 97% citado por Obama, porcentaje citado compulsivamente durante la última década por los profetas de la religión verde en todo el mundo y propio de resultados electorales en Cuba y en Corea del Norte, esta cifra proviene de un estudio hecho en 2009 por la entonces estudiante de maestría de la Universidad de Illinois, Maggie Kendall Zimmermann, y su asesor de tesis, Peter Doran. El estudio incluyó una encuesta online de dos minutos de duración enviada a 10.257 científicos de diversas especialidades, no solo expertos en climatología, de los cuales un tercio no respondió. El 97% de marras se obtuvo de las respuestas subjetivas de un subgrupo de 97 académicos a la pregunta de si creían que la acción humana contribuía al cambio climático, de los cuales 95 respondieron afirmativamente. Ver Morano, M. (2018). *The Politically Incorrect Guide to Climate Change (The Politically Incorrect Guides)*, Regnery Publishing: New Jersey.

132. Lomborg, B. (2020). *False Alarm: How Climate Change Panic Costs Us Trillions, Hurts the Poor, and Fails to Fix the Planet*, Basic Books: New York.

133. Shellenberger, M. (2020). *Apocalypse Never: Why Environmental Alarmism Hurts Us All*, Harper Collins: New York.

134. Inhofe, J. (2012). *The Greatest Hoax: How the Global Warming Conspiracy Threatens Your Future*, WND Books: Washington DC.

135. La página web de la petición está disponible en el siguiente enlace: http://www.petitionproject.org/

de sus recomendaciones. Más aún, en 2013 un equipo de científicos del Heartland Institute publicó un reportaje elaborado por un equipo internacional de científicos que exponía las inconsistencias y medias verdades del Quinto Informe del Grupo Intergubernamenta de Expertos sobre e Cambio Climático (IPCC, sus siglas en inglés), cuya función es proteger el consenso y comunicar la verdad climática oficial[136]. Otras plataformas que mantienen una postura crítica y escéptica son el Heritage Foundation y Watts Up With That, la web sobre cambio climático más visitada del mundo[137]. En 2009, en un evento conocido como *Climategate*, miles de documentos y correos electrónicos de la Unidad de Investigación Climática de la Universidad de East Anglia fueron hackeados, con lo cual revelaron la censura de resultados discrepantes, procesos viciados de revisión de pares y manipulación de datos por expertos asalariados del IPCC. En palabras del físico de la Universidad de Princeton, Robert Austin, el *Climategate* fue "sencillamente, un fraude científico"[138]. Que los promotores del consenso satanicen la duda dice mucho del concepto de progreso científico que manejan.

¿Qué razones podrían darse para explicar un compromiso tan militante con la defensa del consenso y con la intocable agenda climática? Para quienes desconfían del progreso moral del ser humano (entre quienes me encuentro), mucho pasaría por el antiguo pero probado método de incentivos y desincentivos. Según la Iniciativa de Política Climática (CPI, por sus siglas en inglés), grupo de investigación privado con sede en San Francisco, el financiamiento total para la agenda ambiental a nivel mundial en 2013 fue de US$360.000

---

136. Según el informe publicado en 2014, la certeza sobre el impacto de la acción humana sobre el aumento de la temperatura pasó de 90% en 2007 a 95% en 2013. Esta conclusión no es científica, sino política.

137. La página web de *Watts Up With That* es https://wattsupwiththat.com/

138. La declaración de Austin y algunos detalles del escándalo *Climategate*, donde se filtraron más de 1000 correos electrónicos y 3000 documentos que evidenciaban malas prácticas científicas, pueden ser consultados en esta petición de reconsideración de la Agencia de Protección Ambiental (EPA) de los EEUU disponible en https://archive.epa.gov/epa/sites/production/files/2016-08/documents/petition_for_reconsideration_southeastern_legal_foundation.pdf. Cabe destacar que toda la maquinaria política y mediática promotora del alarmismo climático ha terminado calificando este evento como teoría de conspiración y que muchas páginas que reportaban este incidente han sido eliminadas de internet. El tratamiento del caso en Wikipedia también es sesgado y poco confiable.

millones, y aumentó a US$530.000 millones en 2017. Estos montos difieren de los proporcionados por la Convención Marco de las Naciones Unidas para el Cambio Climático (CMNUCC) que, para 2016, estimó el financiamiento total en US$681.000 millones[139]. Los fondos son aportados por agencias de gobierno de países donantes —o mejor dicho, por quienes pagan impuestos en sus países—, organismos multilaterales —o mejor dicho, indirectamente por quienes pagan impuestos en los países miembros de dichos organismos—, instrumentos financieros como bonos verdes, canjes de deuda, subsidios y garantías y donaciones de aportantes privados, especialmente de fundaciones filantrópicas.

Se desconoce qué porcentaje de estos montos es destinado a gastos administrativos, apartado que financia los salarios de los amantes del color verde. Por ejemplo, los sueldos pagados a funcionarios de las Naciones Unidas (ONU) van desde US$37.000 en la escala más baja —P1, graduados recientes con bachillerato y/o maestría y poca o nula experiencia laboral— hasta US$123.000 —la escala D2, profesionales con grado mínimo de maestría y con amplia experiencia laboral—, mientras que quienes ocupan altos cargos de dirección general, secretarías adjuntas y asesorías especializadas perciben rentas anuales superiores a US$240.000[140]. Es importante destacar que, a diferencia de los comunes mortales, los burócratas de la ONU generalmente no pagan impuestos, disfrutan de atractivos paquetes de vacaciones y jubilación, reciben jugosos gastos de representación y gozan de subsidios para alquilar cómodas y seguras residencias, entre otros. Estos beneficios son similares a los recibidos por burócratas de otras agencias supranacionales y multilaterales como la Unión Europea, el Banco Mundial y el Fondo Monetario Internacional, por mencionar algunas. Sin embargo, estos beneficios pueden palidecer en comparación con aquellos que reciben —premios Nobel incluidos—, superhéroes planetarios como Al Gore y la histriónica adolescente sueca Greta Thunberg.

---

139. "Where climate cash is flowing and why it's not enough", *Nature*, https://www.nature.com/articles/d41586-019-02712-3

140. United Nations Careers - Pay and Benefits, United Nations, https://careers.un.org/lbw/home.aspx?viewtype=sal&lang=en-US

La realidad de los disidentes es completamente distinta, como bien saben los académicos críticos de la religión darwinista. De llegar a adquirir cierta notoriedad pública, todos, sin excepción, serán sometidos a infames campañas de descrédito y a escarnio público y, de ser necesario, a la destrucción de sus vidas académicas, profesionales y/o personales. No faltarán en internet rankings de los disidentes más perniciosos para que toda la población pueda identificarlos, ridiculizarlos y estigmatizarlos como se lo merecen[141]. Los ciudadanos de a pie tampoco escapan de esta cacería ya que, mediante encuestas nacionales e internacionales, es posible identificar los países con mayor población de negacionistas[142]. Por suerte, renombrados expertos en climatología como la actriz Jane Fonda, la periodista graduada en estudios de árabe y francés, Merlyn Thomas, y Nikki, miembro de ese templo del saber llamado *Extinction Rebellion,* nos ofrecen sesudas recomendaciones para reencausar a los escépticos mediante una caritativa conversación[143]. Dudo mucho de que estos personajes se conozcan entre sí, pero llama la atención la similitud de sus técnicas y de sus contenidos terapéuticos.

El sistema de incentivos y desincentivos del consenso es muy poderoso y efectivo. Cuidar el medioambiente para evitar el cambio climático, nos dicen, es el primer paso para construir un mundo feliz. Siendo esta una tarea de interés común, ¿cómo podemos evitar una potencial catástrofe ambiental que nos lo impida? A nivel micro, el primer paso es recurrir a fuentes oficiales del consenso y asumir su incuestionable transparencia, compromiso y rigor científico. Las agencias verificadoras de la verdad oficial, o *fact checkers*, complementarán

141. Ver: (I) Top 10 Climate Deniers, Before The Flood https://www.beforetheflood.com/explore/the-deniers/top-10-climate-deniers/; (II) 8 Famous Climate Change Deniers, Ranker, https://www.ranker.com/list/famous-climate-change-deniers/celebrity-lists; y (III) Monbiot's Royal Flush: Top 10 Climate Change Deniers, The Guardian, https://www.theguardian.com/environment/georgemonbiot/2009/mar/06/climate-change-deniers-top-10

142. "Where Climate Change Deniers Live", *Statista*, https://www.statista.com/chart/19449/countries-with-biggest-share-of-climate-change-deniers/

143. Ver: (I) "Jane Fonda on how to talk about climate change with climate change deniers", Greenpeace, https://www.greenpeace.org/usa/jane-fonda-how-to-talk-about-climate-change-with-climate-deniers/; (II) "Climate Change: How to Talk to a Denier", BBC, https://www.bbc.co.uk/news/blogs-trending-61844299; y (III) "How to have a conversation with a climate change septic", Extinction Rebellion, https://rebellion.global/blog/2020/12/04/conversation-with-climate-sceptic/

la tarea identificando, desacreditando y censurando todas las noticias falsas o *fake news*, función que será encargada a grupos de "especialistas en desinformación"[144]. Que los especialistas que cumplen esta función generalmente no tengan la formación ni experiencia adecuadas para juzgar competente y desinteresadamente las fuentes en cuestión es irrelevante. Relevante es resocializar a los Delta y Épsilon contemporáneos mediante su reeducación o aislarlos mediante la estigmatización. A nivel macro, es imperativo reducir la emisión de gases contaminantes y lograr cero emisiones netas —resultado que se obtiene al remover la misma cantidad de dióxido de carbono que aquella emitida a la atmósfera—, para lo cual será fundamental recurrir a soluciones tecnológicas.

El uso de combustibles fósiles como el carbón, petróleo y gas natural es la causa principal de emisión de gases de efecto invernadero. Según la Agencia Internacional de Energía (IEA, por sus siglas en inglés) en 2020 se emitieron 31,5 gigatoneladas[145] de CO2 a nivel mun-

144. Según sus interesados proponentes, la verificación de noticias o *fact checking* es un proceso destinado a verificar los hechos y la veracidad y corrección de la información que se difunde públicamente, especialmente en medios digitales. Esta tarea es llevada a cabo por agencias internas o externas a la organización o plataforma que publica la información. Su propósito es validar datos e información, corregir malas interpretaciones, zanjar controversias y evitar la desinformación mediante teorías de conspiración, entre otros. La verificación de noticias es una tarea rutinaria realizada por agencias públicas y privadas autoproclamadas "independientes" en todo el mundo, entre las que se encuentran redes sociales como Facebook, Youtube y Twitter, medios de prensa como BBC *Reality Check*, DW *Fact Check*, AFP *Fact Check* y *Reuters* y verificadores independientes como *FactCheck*, *TruthOrFiction*, *RealClearPolitics*, *ChecaDatos* y *AfricaCheck*. Entre los temas más populares sometidos a esta cuestionable y peligrosa práctica, se encuentran el calentamiento global y el cambio climático, la pandemia del COVID y sus vacunas, la política y los procesos electorales a nivel mundial, el rol de organismos internacionales como la ONU, la Unión Europea y el Foro Económico Mundial (FEM) y las actividades de populares filántropos como Bill Gates, Elon Musk y George Soros. Actualmente existen más de 390 agencias verificadoras en más de 100 países (https://reporterslab.org/fact-checkers-extend-their-global-reach-with-391-outlets-but-growth-has-slowed/). Un hecho revelador es que el servicio de verificación de noticias no surge de la demanda, sino de iniciativas unilaterales e inconsultas de las agencias que realizan esta actividad. En septiembre de 2016, durante la contienda electoral entre Donald Trump y Hillary Clinton, la encuestadora estadounidense Rasmussen Reports publicó una encuesta en la que solo 29% de los electores confiaba en el trabajo de los verificadores de noticias. Es difícil encontrar más encuestas de este tipo en internet, pero esto es entendible. La verificación de noticias fue y sigue siendo una práctica estándar en regímenes liberticidas como la Unión Soviética, China, Cuba, Venezuela y Corea del Norte, y sus propósitos son siempre los mismos: adoctrinamiento, censura y establecimiento de una sola "verdad", con las terribles consecuencias que estas condenables acciones generan para sus sociedades.

145. Una gigatonelada equivale a 1000 millones de toneladas.

dial, y se proyectó un aumento de 4,8% para 2021[146]. Por lo tanto, para reducir su uso, será necesario explotar fuentes de energía limpias y renovables como la energía solar, eólica, geotérmica y los biocombustibles. Ante esta supuesta necesidad, surge Breakthrough Energy Ventures, iniciativa conjunta de varios inversionistas defensores del medio ambiente, que busca desarrollar tecnologías limpias aplicables a todos los sectores productivos —agricultura, energía, comercio, vivienda, transportes y comunicaciones, entre otros—, para lograr cero emisiones netas[147]. Entre los miembros de la Junta Directiva de esta coalición se encuentran Jeff Bezos y Bill Gates, multibillonarios de Big Finance como Ray Dalio, David Rubenstein y Michael Bloomberg, el fundador del grupo Virgin, Richard Branson, el príncipe saudí Al Waleed bin Talal y los magnates indios Aditya Mittal, Mukesh Ambani y Vinod Khosla. Todos participan activamente en la vida pública internacional, y sus decisiones impactan directamente a miles de millones de personas en el mundo. Quien exponga los groseros conflictos de interés entre sus billonarios negocios e intervenciones públicas merece ser calificado como "teórico de la conspiración" por los verificadores de noticias. (Solo aclaro que fue un sarcasmo).

El cambio climático es un hecho científico comprobable y constante. No solo cambia todos los días, sino que, a lo largo de la historia, ha mostrado ciclos de enfriamiento y de calentamiento como los registrados durante el Período Cálido Romano (250 a. C. - 400), el Período Frío de la Edad Oscura (400-800), el Período Cálido Medieval (800-1200) y la Pequeña Edad de Hielo (1300-1850)[148]. Durante los períodos Cálido Romano y Medieval, las temperaturas fueron superiores en 2 ºC a las actuales, y los cambios se debieron a factores naturales como variaciones en la radiación solar y el volumen

146. "Global Energy Review 2021–CO2 emissions", IEA, https://www.iea.org/reports/global-energy-review-2021/co2-emissions.Es importante resaltar que la cifra de la IEA para 2020 corresponde al año de confinamientos sanitarios y de limitada actividad económica debido a la pandemia de coronavirus.

147. La Breakthough Energy Ventures es una megaincubadora de empresas impulsada y fundada por Bill Gates en 2015 , que busca desarrollar tecnologías y soluciones energéticas sostenibles que permitan el logro de cero emisiones netas en 2050. En la actualidad, son 70 las empresas financiadas y promovidas por esta plataforma, cuya página web está disponible en https://www.breakthroughenergy.org/

148. Lieberman, B. y Gordon, E. (2018). *Climate Change in Human History: Prehistory to the Present*, Bloomsbury: London.

de vapor de agua en la atmósfera, como también ocurrió durante los períodos de enfriamiento. El problema es el revisionismo histórico, que afecta todos los temas de la agenda progresista, incluyendo la temática medioambiental. Con esto se busca consolidar, a toda costa, la cuestionable tesis antropogénica. En este sentido, en 2016, el investigador Kenneth Richard publicó un artículo en el portal disidente *NoTricksZone*, donde reveló que el consenso científico sobre la posibilidad de iniciar un ciclo de congelamiento global en la década del setenta era 83%[149]. Este porcentaje puede y debe ser cuestionado como el famoso 97% usado en la actualidad, pero resulta inverosímil que, en solo 50 años, los consensos hayan variado de manera tan radical, desde el respaldo a una hipótesis de extremo congelamiento hasta otra de extremo calentamiento. Para fenómenos de largo plazo como el cambio climático, esta discrepancia, que no es la única reportada[150], es científicamente indefendible.

---

149. El estudio de Richard —que puede ser consultado en el siguiente enlace https://notrickszone.com/2016/09/13/massive-cover-up-exposed-285-papers-from-1960s-80s-reveal-robust-global-cooling-scientific-consensus/— nació como respuesta a las acciones del ingeniero de software William Connolley quien, desde 2003, aprovechando su rol de administrador del portal Wikipedia, comenzó a remover sigilosamente todo contenido relacionado con la documentación de la era glaciar en los setenta de esa plataforma. Richard comenta que Connolley eliminó más de 500 artículos sobre el tema, participó en la edición de otras 5428 entradas y expulsó a más de 2000 articulistas no alineados con la narrativa dominante de calentamiento global. Peor aun, junto a Thomas Peterson, funcionario de la Oficina Nacional de Administración Oceánica y Atmosférica de EEUU (NOAA, por sus siglas en inglés) y el periodista John Fleck hoy convertido en académico de la Universidad de Nuevo México sin contar con las calificaciones para ello —Connolley coescribió el artículo "El mito del consenso sobre el congelamiento global en la década de los setenta"(https://journals.ametsoc.org/view/journals/bams/89/9/2008bams2370_1.xml), que fue publicado en 2008 en la influyente revista científica *Bulletin of the American Meteorological Society*. El daño que generan el revisionismo histórico y la censura de textos disidentes a la búsqueda de la verdad es incalculable. Más aún, cualquier búsqueda en Google solo arrojará resultados negando o ridiculizando la existencia del consenso de los setenta. A título personal, sospecho que esta ha sido una práctica común de la plataforma progresista para todos los temas de su interés, desde la biología hasta el feminismo, pasando por la historia del colonialismo europeo y por la educación sexual en menores de edad.
150. El exasesor científico de Barack Obama, John Holdren, advirtió en 1971 que la contaminación y las cenizas volcánicas podrían iniciar una nueva era glaciar. Hoy Holdren es un ferviente creyente del calentamiento global. Ver "Forty Years of Climate Insomnia", *Real Science* https://stevengoddard.wordpress.com/2014/04/26/forty-years-of-climate-insomnia/. Adicionalmente, publicaciones como *The New York Times* en 1974 y *Newsweek* en 1975 alertaron sobre esa misma posibilidad. Los detalles de estos hechos pueden ser consultados en Morano, M. (2018). *The Politically Incorrect Guide to Climate Change (The Politically Incorrect Guides)*, Regnery Publishing: New Jersey.

4.1. Cuarta Revolución Industrial

Solucionar los graves problemas y riesgos existenciales que hoy enfrenta la humanidad y capitalizar la oportunidad de construir un paraíso terrenal es la atractiva oferta que nos plantea el progresismo. Sin embargo, esta oferta no se detiene con la transformación de nuestro entorno; el mundo feliz demanda un nuevo hombre que solo será posible si sepulta para siempre todos sus vicios, limitaciones e imperfecciones con la asistencia de la tecnología. La propuesta formal de esta oferta se titula "Cuarta Revolución Industrial" (4RI) y fue presentada por primera vez en diciembre de 2015 por el economista alemán, y presidente ejecutivo del Foro Económico Mundial (FEM), Klaus Schwab, en un artículo publicado por la prestigiosa revista de relaciones internacionales *Foreign Affairs*[151]. La 4RI se convirtió en el tema central de la reunión anual del FEM de 2016, en Davos, Suiza[152], evento que sentó las bases programáticas del progresismo tecnocrático que hoy domina el discurso, instituciones y políticas públicas a nivel global.

El FEM fue fundado en 1971 por el propio Schwab. Es una organización internacional no gubernamental que actúa como enlace entre gobiernos nacionales y las mayores empresas privadas del mundo, pero que también articula la participación de representantes de organizaciones supranacionales como la Organización de las Naciones Unidas (ONU), la Organización Mundial de la Salud (OMS) y la Unión Europea (UE), organismos multilaterales como el Banco Mundial (BM) y el Fondo Monetario Internacional (FMI), grandes conglomerados mediáticos como Comcast, Walt Disney, la British Broadcasting Corporation (BBC) y Deutsche Welle (DW), fundaciones privadas como el Aspen Institute y el Council on Foreign Relations, Organizaciones No Gubernamentales (ONG) como Amnistía Internacional y Ashoka, universidades como Harvard, Stanford y Cambridge y del sector de entretenimiento masivo como Hollywood y como Bollywood. Es,

151. "The Fourth Industrial Revolution: What It Means and How to Respond", *Foreign Affairs*, https://www.foreignaffairs.com/world/fourth-industrial-revolution

152. "World Economic Forum Annual Meeting 2016: Mastering the Fourth Industrial Revolution", *World Economic Forum*, https://www.weforum.org/reports/world-economic-forum-annual-meeting-2016-mastering-the-fourth-industrial-revolution/

siguiendo las acertadas intuiciones del ciudadano de a pie, un punto de encuentro de la élite global. Estos representantes se reúnen en enero para discutir y acordar planes de alcance internacional conocidos como la "Agenda de Davos", en honor al pequeño y exclusivo resort de esquí suizo donde se lleva a cabo el evento. Los participantes suman aproximadamente 2500 y provienen de más de 100 países.

Entre los asistentes a Davos figuran personajes como los expresidentes estadounidenses Bill Clinton, Barack Obama, Donald Trump[153] y el actual mandatario, Joe Biden, el presidente chino Xi Jinping, la Canciller alemana Angela Merkel, el presidente francés Emmanuel Macron, los ex primeros ministros del Reino Unido Tony Blair, David Cameron y Theresa May, el mandatario ruso Valdimir Putin[154], la presidente de la UE, Ursula von der Leyen; Antonio Gutierrez, Secretario General de la ONU; el Director de la OMS, Tedros Adhanom; el Director del BM, David Malpass; Kristalina Georgieva, Directora del FMI; líderes de las *Big Tech* como Bill Gates y Satya Nadella (Microsoft), Mark Zuckerberg (Meta Platforms, ex Facebook), Sergey Brin y Sundar Pichai (Alphabet, Google), Tim Cook (Apple); inversionistas de *Big Finance* como Larry Fink (Blackrock), Steven Schwartzmann (Blackstone), Ray Dalio (Bridgewater Associates), James Dimon (J.P. Morgan Chase), Lloyd Blankfein (Goldman Sachs), George Soros; y varios directores de bancos centrales nacionales, medios de prensa y ONGs. También participan economistas galardonados con el Premio Nobel, como Joseph Stiglitz, Richard Thaler y Esther Duflo; artistas de Hollywood como Leonardo di Caprio, Matt Damon y Charlize Theron; y activistas sin mayor oficio ni beneficio, como la amargada jovencita sueca Greta Thunberg.

La abogada alemana Sandra Navidi califica al FEM y sus reuniones anuales como la estratósfera del poder y la órbita de la élite financiera. Habiendo asistido a algunas de ellas, Navidi comparte detalles

153. Cabe señalar que la presencia de Trump no fue bien recibida por los miembros del club de Davos. Ver "¿The rich and powerful won't let Trump ruin their Davos party", *The Brookings Institution,* https://www.brookings.edu/opinions/the-rich-and-powerful-wont-let-trump-ruin-their-davos-party/

154. Al igual que Donald Trump, la acogida a Putin tampoco fue muy cálida. Ver "Putin's Davos speech not aimed at confrontation with other countries", Agencia de Noticias Rusa TASS, https://tass.com/politics/1250871

reveladores en su libro *Super nodos*[155] (2017). A Davos solo se llega por invitación, generalmente en jets privados hasta Zurich. Luego sigue un viaje de 2:15 h en cómodos Mercedes Benz o media hora en helicóptero a un costo de US$10.000 por vuelo. Los cómodos buses acondicionados por el FEM transportarán a los asistentes de menor jerarquía como representantes de prensa, ONG y funcionarios de mando medio. Durante los cuatro días de duración del evento (que es custodiado por más de 5000 efectivos policiales), los asistentes se alojan en los lujosos hoteles locales, mientras que los más pudientes alquilarán chalés enteros por la módica suma de US$150.000. Navidi describe los días de las reuniones como eventos para ver y ser visto, donde sus 300 sesiones paralelas capturan menos interés que la oportunidad de llegar a acuerdos políticos y concretar negocios multimillonarios. Es el día a día del *Hombre de Davos*, término acuñado en 2014 por el politólogo estadounidense Samuel Huntington y que hoy hace referencia, según el periodista económico Peter Goodman, a "la clase global de billonarios que controla la mayor parte de la riqueza del mundo. Un peligroso y extraño depredador que ataca sin restricciones expandiendo su territorio y capturando los bienes de los demás —y que posa con falsa empatía y generosidad mientras somete a su presa—"[156]. De este ambiente surge la 4RI, lo cual ayuda a despejar toda duda sobre los grandes intereses políticos y económicos escondidos detrás de esta.

La presentación para el público es distinta. Según Schwab, la 4RI es una revolución que, debido a su escala, amplitud y complejidad, no tiene precedentes en la historia de la humanidad. La Primera Revolución Industrial ocurrida entre 1760 y 1840 fue la revolución de la mecanización impulsada por la tecnología de vapor de agua, que llevó al nacimiento de la gran industria textil en Manchester, cuna del capitalismo moderno. La Segunda Revolución Industrial correspondió a la revolución de la producción en masa impulsada por la electricidad, el proceso Bessemer y el telegrama, tecnologías que, como vimos en

155. Navidi, S. (2017). *Superhubs: How the Financial Elite and their Networks Rule our World*, Nicholas Brealey Publishing: Boston.

156. Goodman, S. (2022). *Davos Man: How the Billionaires Devoured the World*, Custom House: New York.

el segundo capítulo, fueron inescrupulosamente aprovechadas por los barones ladrones de los EEUU a fines del siglo XIX. La Tercera Revolución Industrial surge en la década de los setenta con el desarrollo de las computadoras, la telefonía móvil, el fax y la posterior irrupción y masificación de la internet. Es la revolución de la digitalización que ha transformado al mundo mediante procesos graduales de integración económica, política y sociocultural. Lo que diferencia estas revoluciones de la 4RI es que las primeras se limitaron a cambiar el entorno del ser humano mediante el desarrollo de infraestructura y la extracción de recursos naturales mientras que los cambios que promete la 4RI son mucho más profundos; la 4RI, nos advierte Schwab, cambiará al propio ser humano.

En una entrevista brindada a la Escuela de Políticas Públicas de la Universidad Nacional de Singapur en julio de 2016, Schwab afirmó que la 4RI "impactará nuestras vidas completamente. No solo cambiará cómo nos comunicamos, producimos y consumimos. De hecho, nos cambiará a nosotros, a nuestra propia identidad"[157]. Sin el conocimiento y comprensión adecuados de las tecnologías convergentes, su nivel de desarrollo actual y sus potenciales aplicaciones, usos y consecuencias, las palabras de Schwab pueden parecer inspiradoras. Sin embargo, al afirmar ambiguamente que la 4RI apunta a la transformación del ser humano, el parco economista alemán no dice explícitamente que la transformación será literal, no figurativa. En su libro *La Cuarta Revolución Industrial*[158] (2016), Schwab presenta todas las tecnologías convergentes como herramientas de construcción del mundo feliz. Es un mundo que la coalición progresista a la que pertenece ha diseñado, de manera unilateral e inconsulta, para toda la humanidad. A partir de este listado tecnológico, Schwab define la 4RI como la "fusión de tecnologías a través de los mundos físico, digital y biológico."[159] Son palabras —las suyas, no las mías— cargadas de eufemismos, pero que esconden el grave peligro que corremos los "deplorables" —Hillary

157. Un extracto de la entrevista a Schwab, en inglés, está disponible en la siguiente dirección de Youtube: https://www.youtube.com/watch?v=7xUk1F7dyvI

158. Schwab, K. (2016). *The Fourth Industrial Revolution*, World Economic Forum.

159. Ibíd. p.7

Clinton *dixit*[160]— en manos de una élite que ha decidido jugar a ser dios.

La Real Academia de la Lengua Española (RAE)[161] define la palabra "fusión", en su primera acepción, como "acción y efecto de fundir o fundirse", de la cual se desprende la palabra "fundir", cuya cuarta acepción es "reducir a una sola, dos o más cosas diferentes". Por otra parte, al hablar de mundos, Schwab recurre nuevamente a eufemismos. El mundo biológico hace referencia a todos los seres vivos del planeta, desde insectos y algas hasta hipopótamos y seres humanos. El mundo físico corresponde a los elementos minerales, incluyendo todos los instrumentos y herramientas que fabricamos con estos. Finalmente, el mundo digital engloba tecnologías como internet, redes de transmisión, computación en la nube y/o todas aquellas que permiten transmitir y almacenar datos e información. Con estas definiciones a mano, la de Schwab corresponde exactamente a la definición del transhumanismo y sus propósitos. La fusión de mundos no es otra cosa que la fusión de diferentes formas de vida con elementos físicos y tecnologías digitales cuyos productos finales podrían variar, desde seres genéticamente modificados hasta cyborgs, en línea con los sueños de algunos precursores del transhumanismo como Reade, Haldane, Bernal y Huxley.

Schwab conoce muy bien los tipos, características y potenciales impactos de las tecnologías que aborda en su libro. Con respecto a la edición genética, señala que "la habilidad para editar la biología puede ser aplicada prácticamente a cualquier tipo de célula, permitiendo la creación de plantas y animales genéticamente modificadas, así como la modificación de organismos adultos, incluyendo humanos"[162]. También muestra competencia en IA y es perfectamente consciente del impacto que esta tendrá en el empleo cuando escribe que "la simplificación del trabajo (gracias a la automatización tecnológica, mi agregado) significa que los algoritmos se encuentran en inmejorable posición para reemplazar a los humanos" para luego decir que "esto

160. "Read Hillary Clinton's 'Basket of Deplorables' Remarks About Donald Trump Supporters", *Time*, https://time.com/4486502/hillary-clinton-basket-of-deplorables-transcript/

161. *Diccionario de la lengua española*, RAE, https://dle.rae.es/

162. Schwab, K. (2016). *The Fourth Industrial Revolution, World Economic Forum*. p. 25.

no significa que nos enfrentamos a un dilema hombre *versus* máquina. De hecho, en la gran mayoría de casos, la fusión de tecnologías digitales, físicas y biológicas que impulsan los actuales cambios servirán para mejorar el trabajo y cognición humanos, lo que significa que los líderes necesitarán preparar a su fuerza laboral y desarrollar modelos educativos para trabajar con, y junto a, máquinas crecientemente capaces, conectadas e inteligentes"[163]. Esta afirmación expone escenarios muy preocupantes. En primer lugar, al señalar que no nos enfrentaremos a las máquinas, podemos inferir lógicamente que será así porque nos fusionaremos física y/o mentalmente con ellas. Schwab confirma esta inferencia al afirmar que la tecnología será aplicada a los seres humanos para mejorarlos laboral y cognitivamente. En segundo lugar, ¿quiénes son los líderes que dirigirán la fuerza laboral mejorada? Schwab no ofrece una respuesta, pero el lector la obtendrá mediante propia y lógica reflexión. Más aún, si buscamos entender mejor los devastadores cambios en los actuales sistemas escolares y universitarios en Occidente, cambios impuestos contra la voluntad popular y con la plantilla transversal de género, anticristianismo y culto a la tecnología —*Believe in Science* o '*Cree en la ciencia*'[164] —, las palabras de Schwab serán suficientes.

La convergencia tecnológica tampoco es un concepto ajeno para Schwab, quien menciona explícitamente el uso combinado de IA y edición genética para diseñar bebés, erradicar enfermedades genéticas y aumentar nuestras capacidades cognitivas. Las implicaciones antropológicas y éticas de estas propuestas son muy profundas porque demandarían nuevos marcos éticos y legales para acomodar su implementación y sus consecuencias. Según Schwab, "ingresamos a territorio desconocido, al amanecer de una transformación humana nunca antes experimentada" en el que "los avances de la ciencia nos están empujando a nuevas fronteras éticas"[165] mediante una revolución que

163. Ibíd. p. 43.

164. En un tuit publicado en la cuenta oficial de Joe Biden durante la campaña electoral contra Donald Trump, el desmejorado presidente estadounidense —entonces candidato— publicó lo siguiente: "Yo creo en la ciencia. Donald Trump, no. Es así de simple, amigos". Creerán en esta solo quienes la consideran una religión. Ver: https://twitter.com/joebiden/status/1321606423495823361?lang=es

165. Schwab, K. (2016). *The Fourth Industrial Revolution*, World Economic Forum. p. 94.

"tiene el potencial de robotizar a la humanidad, comprometiendo así sus fuentes de significado como el trabajo, la comunidad, la familia y la identidad"[166]. El nivel de arrogancia, ambición y desprecio por el ser humano expresado en estas palabras es descomunal: a pesar de reconocer los riesgos de manipular nuestra naturaleza y el absoluto desconocimiento sobre sus resultados y consecuencias, Schwab insiste en la necesidad de impulsar la 4RI. Si los empleos, comunidades y familias de millones de seres humanos, así como su identidad como especie, deben ser destruidas en nombre del progreso, que así sea. ¿Cuál es el problema, según diría Schwab? La 4RI "se enfoca en nutrir el impulso creativo y elevar a la humanidad a una nueva conciencia moral colectiva basada sobre un sentido compartido de nuestro destino"[167]. Por lo menos un par, empezando por un destino que nunca ha sido nuestro y mucho menos compartido, y también por las tragedias derivadas de todos los procesos de colectivización de la historia.

La concepción del ser humano adoptada por la 4RI se fundamenta claramente en el utilitarismo, positivismo, materialismo, cientificismo y progresismo posmoderno. Tampoco es una revolución motivada por el altruismo, sino por claras ambiciones políticas y miles de millones de dólares en retornos esperados de inversiones en tecnologías convergentes. Por estas razones, resulta ridículo que sujetos como Yuval Noah Harari, otro turista de Davos, denuncien los planes y propósitos de las élites desde sus propias plataformas. Más grave y lamentable aún es que los Estados nacionales impulsen la 4RI sin comprender sus contenidos, trasfondos y potenciales consecuencias. Al abrir la posibilidad de redefinir y reconfigurar al ser humano, se abre la posibilidad de redefinir y reconfigurar todos los conceptos relacionados con su naturaleza —las categorías hombre-mujer, joven-anciano, blanco-negro, entre otras—, así como todas las instituciones que derivan de esta naturaleza y condición, especialmente aquellas que se sostienen mediante fuertes vínculos afectivos y sexuales como la familia y el matrimonio. La 4RI es una revolución progresista, debido a su corte reformista, tecnocrático y globalista, que no recurre a lenguajes políticos

166. Ibíd. p.105.
167. Ibíd. p. 101.

de izquierda y derecha tradicionales porque busca posicionarse en el centro radical. No es otra cosa que, según confesión de la propia fuente, transhumanismo convertido en política pública global, el experimento tecnológico y antropológico más grande, mejor financiado y potencialmente devastador —para los excluidos por la élite— de la historia.

4.2 Marco teórico preliminar

Reducir la totalidad del movimiento progresista a la 4RI, Schwab y el FEM es caer en reduccionismos que merecidamente califican como teorías de conspiración. Mi proposición cualitativa, interpretativista y exploratoria es que el progresismo constituye una red internacional de alcance global —de la cual Schwab y el FEM son parte— que opera en todos los niveles, permea todos los sectores de la actividad humana y es impulsada por una exclusiva coalición de individuos y organizaciones que comparten intereses, objetivos y propósitos. Caracterizarla estructural y funcionalmente en su totalidad es una tarea que supera largamente las capacidades técnicas, financieras y cognitivas del autor, pero ello no es excusa para no intentar aportar una aproximación teórica sustentada, empíricamente respaldada y argumentativamente coherente. A pesar de su envergadura y complejidad, la red progresista puede ser estudiada indirectamente para conocer y comprender sus actores e interacciones esenciales. Esto nos permitirá identificar patrones, proyectar tendencias y ofrecer respuestas y conclusiones preliminares a preguntas descriptivas —qué, quién/es, cuándo, cuánto y dónde— y explicativas —cómo, por qué y para qué— que nos ayudarán a comprender mejor los procesos actuales de cambio.

Desde una perspectiva teórica, se pueden utilizar dos teorías para caracterizar y comprender parcialmente esta red. La primera es la Teoría de Redes Sociales[168] (TRS), que nos permite analizar su estructura y dinámica mientras que la segunda corresponde a la Teoría de Órdenes

168. El texto que he utilizado como referencia es Scott, J. (2017). *Social Network Analysis*, 4.th Edition, Sage: London.

Abiertos y Limitados (TOAL)[169]. La TRS define una red como una estructura compuesta por nodos —correspondientes a los individuos y organizaciones de la red—, así como los enlaces —los vínculos, las relaciones, las conexiones, los flujos y las interacciones— que los conectan entre sí. El tamaño de una red está determinado por el número de nodos que la componen; una diada —dos nodos enlazados— es la estructura más pequeña posible. Las redes pueden ser de dos tipos: dirigidas y no dirigidas. En las primeras, las relaciones entre dos o más nodos no son recíprocas —el vínculo entre algunos nodos es unidireccional—, mientras que en las segundas sí hay reciprocidad en la interacción. Para caracterizar la red con precisión, es necesario analizar los nodos y enlaces que la componen, análisis que se hace en dos niveles. A nivel global, se busca caracterizar la estructura de toda la red, lo que nos permitirá conocer propiedades generales de estas como su densidad —la proporción de enlaces directos entre nodos con respecto al número total de enlaces posibles—, los tipos de enlaces bajo criterios de reciprocidad, similitud y proximidad geográfica entre nodos y el grado de cohesión de la red en su conjunto. El segundo nivel es local y analiza nodos específicos para determinar su grado de centralidad —su importancia, influencia y prestigio en una red dirigida—, que a su vez será determinada por el número y fortaleza de los enlaces establecidos por esos nodos.

La segunda teoría, proveniente de la economía política, es la TOAL, que analiza los procesos de competencia entre facciones para asegurar el control y distribución de las rentas en un orden determinado. Por orden, TOAS se refiere a un Estado-nación o país, pero esta unidad de análisis no es rígida. La competencia se da a nivel político, mediante elecciones limpias y transparentes en órdenes o sistemas abiertos como los observados en los países más desarrollados, y procesos políticos menos ejemplares en ordenes limitados o de países en vías de desarrollo. A nivel económico, la competencia se da entre individuos y/o facciones que buscan capturar más rentas mediante

169. Ver: (I) North, D., Wallis, J. J. y Weingast, B. (2009). *Violence and Social Orders: A Conceptual Framework for Interpreting Recorded Human History*, Cambridge University Press: Cambridge, y (II) North, D., Wallis, J. J., Webb, S. y Weingast, B. (2013). *In the Shadow of Violence–Politics, Economics and the Problems of Development*, Cambridge University Press: Cambridge.

mejores precios, calidad e innovación. En los órdenes abiertos, debido a la existencia de un Estado de derecho[170], las oportunidades de participación en la economía son iguales para todos, mientras que, en los órdenes limitados, esta condición es disminuida por malas prácticas como monopolios, contrabando y asimetrías de información. Independientemente del tipo de orden —abierto o limitado—, mientras las facciones que compiten entre sí estén satisfechas con sus rentas, el orden se mantendrá estable. Sin embargo, si algunas facciones no están conformes con la distribución de la riqueza, y el orden limitado en el que habitan carece de marcos institucionales funcionales para resolver demandas civilizadamente, estas recurrirán a la violencia. La violencia corresponde a procesos de competencia política y economía exacerbadas en los que distintas facciones luchan entre sí para controlar las rentas. Para tener mayores posibilidades de éxito, las facciones pueden formar alianzas con otras para eliminar a sus competidores. Aquellas que prevalezcan consolidarán coaliciones dominantes cuya concentración de poder político y económico variará según el nivel de desarrollo institucional del orden en el que se desenvuelven. Los procesos de violencia no son condición necesaria para formar coaliciones dominantes; estas también pueden surgir en órdenes más estables.

La TOAS se complementa perfectamente con el modelo de instituciones políticas y económicas extractivas e inclusivas desarrollado por los economistas Darren Acemoglu y James Robinson[171]. Las instituciones políticas inclusivas permiten la pluralidad y convivencia política en un ambiente de paz y armonía mientras que las instituciones políticas extractivas se traducen en órdenes autoritarios y represores. Las instituciones políticas extractivas también permiten la implementación e imposición de instituciones económicas extractivas que son impuestas para transferir las rentas de subsectores o facciones en desventaja a los subsectores o coaliciones dominantes. De esta manera, se establece un círculo vicioso en el que mayor poder político se traduce

170. En términos muy didácticos, un Estado de derecho corresponde a un país donde todos sus habitantes son tratados igualmente ante la ley.

171. Acemoglu, D. y Robinson, J. A. (2012). *Why Nations Fail–The Origins of Power, Prosperity and Power*, Profile Books: London.

en mayor poder económico —y viceversa— mediante la extracción y control de las rentas o riqueza del resto de la población. Mi proposición recoge estas ideas para plantear que la red progresista utiliza su enorme poder económico y político para imponer instituciones políticas y económicas extractivas en todos los países dentro de su esfera de influencia.

La red progresista es una red de gran tamaño compuesta por nodos centrales que conforman la coalición dominante. Están representados, por gigantes corporativos privados, los gobiernos de los países del G7, organizaciones supranacionales e internacionales, fundaciones filantrópicas y los individuos que las encabezan. Por otra parte, los medios de prensa, las fundaciones privadas, las ONG, las universidades, las fundaciones privadas y las organizaciones deportivas poseen grados variables de centralidad determinados por sus niveles particulares de influencia y reputación. Los nodos centrales configuran una subred central no dirigida con altos niveles de similitud, reciprocidad, proximidad y cohesión. La centralidad de esta subred le permite dirigir un número desconocido o indeterminado de subredes conformadas por nodos de centralidad decreciente que, a su vez, dirigen subredes muy poco cohesionadas, conformadas por nodos periféricos. La subred central es una red de alta densidad, mientras que la densidad y cohesión en las subredes con centralidad decreciente disminuyen gradualmente.

Las interacciones dentro de la subred central, y entre esta y las demás subredes de la red, están determinadas por un sistema de incentivos y desincentivos. Los primeros corresponden a atractivos paquetes salariales, altos cargos, puestos de trabajo, exposición mediática favorable, programas de capacitación y/o pasantías en centros educativos de prestigio e invitaciones a eventos internacionales de alto nivel, por mencionar algunos beneficios. No son necesariamente ilegales, pero sí profundamente inmorales, ya que su asignación no obedece a criterios meritocráticos, sino al grado de militancia y funcionalidad a las agendas, programas y propósitos de la red. Estos son concebidos y conocidos solamente por los nodos centrales. Los desincentivos se aplican a todos los críticos y disidentes de la red, dentro y fuera de esta, e incluyen, entre otros, despidos y pérdida de oportunidades laborales, campañas de demolición mediática, juicios y medidas más extremas, dependiendo del nivel de protagonismo e influencia del disidente. Los atractivos incentivos y poderosos desincentivos garantizan la cohesión global y local de la red, facilitando su coordinación.

Basta una coordinación central articulada por el esquema de incentivos y desincentivos para que la red funcione. A modo de ejemplo, si miles de personas quedaran atrapadas y completamente a oscuras en un socavón, y un ojo de luz se abriera, estas no necesitarían coordinar conjuntamente todas las acciones para llegar a él y escapar. Solo les bastaría un alineamiento sencillo y espontáneo, ya que siempre se orientarán hacia el ojo de luz. Los incentivos proporcionan el ojo de luz de la red progresista, permitiendo a unos pocos nodos centrales coordinar la red, asegurando que las facciones de mayor centralidad estén satisfechas con sus rentas y beneficios, y cumplan sus funciones asignadas al nivel operativo correspondiente. Otro principio que ilustra la cohesión y coordinación de la red progresista es el concepto de *trickle down*, cuyo significado puede adaptarse de la economía para explicar que la riqueza de la parte alta de la red —los nodos centrales— "goteará" hacia los nodos periféricos. Si bien el mecanismo de incentivos y desincentivos es esencial para la adecuada operación de la red, esta necesita elementos complementarios para configurar su identidad y para fortalecer su cohesión. Es aquí donde se incorporan al análisis los símbolos, discurso, agendas y propósitos de la red progresista.

4.3. Símbolo, discursos y propósitos

Una simple caminata por Londres, Nueva York, Buenos Aires o cualquier otra ciudad del mundo occidental bastará para confirmar la omnipresencia de la bandera arcoíris. Flamea en casas de gobierno —al lado, debajo, o algunas veces, sobre las propias banderas nacionales, pero también en ministerios, hoteles, centros comerciales, hospitales, estadios, cines y teatros, restaurantes, estaciones de transporte y un sinnúmero de dependencias públicas y privadas—. También la encontrará en paneles de publicidad físicos y digitales, en paredes y postes de electricidad como grafiti y afiches y pintada en pistas y veredas.

Ingrese a una cafetería para refugiarse del incesante bombardeo, pero rápidamente confirmará que, desde los posavasos hasta la carta del menú, el arcoíris nunca lo abandona. Todos los medios de transporte público —sean marinos, fluviales, terrestres o aéreos— y la televisión, radio e internet magnificarán el ataque difundiendo incesantemente los mismos colores. No, no es una situación normal. Usted está siendo sometido a un deliberado, explícito y muy efectivo programa de adoctrinamiento mediante repetición, cuyo propósito es sentar las bases —recurriendo a las palabras de Schwab— de una moral colectiva, que nos encaminen hacia la diversidad, igualdad e inclusión.

La bandera arcoíris no es la bandera LGBT: la bandera arcoíris es la bandera del progresismo globalista. Es el secuestro de un símbolo universal al servicio de causas excluyentes y deshumanizantes. Globalismo no es sinónimo de globalización. La segunda se refiere a procesos de integración económica, política, cultural y/o social que derivan en el flujo e intercambio regulado de personas, productos, servicios, tecnología, inversión e información y que tienen un impacto generalmente positivo en los países participantes. Por el contrario, el globalismo es la imposición gradual, unilateral e inconsulta de un sistema político, económico, tecnológico, social y cultural único caracterizado por la verticalización y concentración de poder que necesita abolir el concepto de identidad —desde la individual a la nacional— para materializarse. Es principio y propósito rector de la red progresista ampliamente repudiada por las mayorías. Existen problemas mucho más graves, urgentes y sistémicos, como la desnutrición infantil, el analfabetismo, la inseguridad ciudadana y la corrupción pública, entre otros, que requieren atención prioritaria, pero no la reciben. Por estas razones y por otras, la obsesión por impulsar la causa LGBT no tiene justificación racional y moral alguna. Ninguna, punto. Es una causa comprometida de manera militante y enfermiza con la relativización del sexo y con la reproducción humana, que desvía y desperdicia recursos escasos y excluye las necesidades del 93% o más de la población[172].

---

172. Se toma como referencia para los demás países el estudio de orientación sexual del gobierno del Reino Unido en 2020. Es uno de los estados nacionales más afectados por el lobby y adoctrinamiento LGBT a nivel mundial. Ver https://www.ons.gov.uk/peoplepopulationandcommunity/culturalidentity/sexuality/bulletins/sexualidentityuk/2020

Los símbolos deben ir acompañados por un discurso construido a partir de conceptos y principios básicos que declaren las motivaciones, intenciones y postulados rectores de este. Los principios básicos del discurso progresista son "diversidad", "igualdad" e "inclusión", cuya matriz utilitarista, materialista, secular y revolucionaria es la misma que dio origen al eslogan tripartito "*Liberté, egalité, fraternité*" —'Libertad, igualdad y fraternidad'—, que hoy define a las repúblicas de Francia y de Haití. Cada país tiene su propia trayectoria histórica, moldeada por diferentes culturas, tradiciones, geografías, climas, intereses, contingencias, necesidades y propósitos. Los eslóganes sintetizan la identidad única de cada país: el "Orden y Progreso" de Brasil, el *Plus Ultra* de España, "Dios, Patria, Libertad" de República Dominicana, "Firme y feliz por la unión" de Perú y "Paz y Justicia" de Paraguay son todos ejemplos de verdadera diversidad.

El significado progresista de diversidad es un antónimo del significado original de la palabra. Es un concepto que ha sido reducido a lo estético y sexual. Por ejemplo, diverso es quien se pinta el pelo color verde o se coloca un arete en la nariz, pero también quien se autopercibe y se declara "mujer trans", "género fluido" o "alien asexuado"[173] y exige, mediante legislación y vigilancia estatal, que todos los demás reconozcan su nueva condición y/o autopercepción, aunque esta sea refutada completamente por la ciencia —aquella comprometida con la verdad, y no con incentivos que responden a intereses externos ni la política— y por la realidad empírica. Casarte con un árbol también te hará diverso, especialmente si —gracias al relativismo imperante— tu autopercepción implica la ridiculización, reinterpretación y/o destrucción de instituciones fundamentales como el matrimonio[174], algo que Schwab adelantó en su manifiesto tecno-revolucionario utilizando la robotización del ser humano como ejemplo. Y es que, por sí misma, ninguna ornamentación externa y/o autopercepción modificará la

173. Es el caso del británico Jareth Nebula, quien, aburrido de su identidad hombre transgénero, decidió, por arte de magia y por puro voluntarismo, transformarse en un alien asexuado. Ver "Ex-transgender man now wants to live as sexless ALIEN and has had nipples removed", *The Mirror*, https://www.mirror.co.uk/news/us-news/ex-transgender-man-now-wants-14071689

174. En 2019, la británica Kate Cunningham se casó con un árbol. Desde entonces se hace llamar "Kate Rose Elder" y sostiene que su "relación" sigue tan fuerte y firme como el objeto de su amor. Ver "Married to a Tree?", Liverpool TV, https://www.youtube.com/watch?v=pAPloIOuXxo

naturaleza genética, biológica y fisiológica del ser humano... a menos que intervenga la tecnología. Mientras tanto, la diversidad más importante y relevante de todas, la diversidad del pensamiento, está siendo completamente aplastada en nombre de la "igualdad".

La teoría y práctica de la igualdad progresista también son antagónicas. Lo que el progresismo realmente busca es igualar o estandarizar al ser humano en dos aspectos esenciales: (I) a nivel de pensamiento para domesticar y controlar a las masas, tarea que ya se implementa a nivel internacional mediante una serie de desincentivos como la estigmatización, censura, e incluso penas carcelarias para quienes cuestionamos la "verdad oficial"; y (II) a nivel de comportamiento sexual y reproductivo. En cuanto al segundo aspecto, mi proposición principal ya puede ser adelantada y reseñada brevemente. El riesgo existencial planteado por el cambio climático, tema cubierto al inicio de este capítulo, es de tal magnitud que cualquier intervención que impida su concreción estará moralmente justificada. Esta justificación se facilita enormemente si es que, como señala David Attenborough, nos comportamos como una plaga. Las plagas se combaten exterminándolas o controlándolas y, si la causa del riesgo existencial es el ser humano, la conclusión lógica pasa por reducir su número: menos seres humanos, menos plaga, menos capitalismo, menos consumo, menos contaminación y menos riesgo existencial. Es la síntesis de la lógica maltusiana, primera justificación del control demográfico.

La vía reproductiva es mucho más fácil de justificar moralmente que la vía del exterminio. El control demográfico no es ninguna teoría de conspiración, sino un hecho verificable y comprobable por la evidencia histórica y por la realidad actual. En el pasado se expresó, por ejemplo, mediante la política del hijo único en China y por diversos programas de planificación familiar, especialmente en países del Sudeste Asiático, Hispanoamérica y el África Subsahariana, intervenciones activamente promovidas durante las décadas del sesenta y setenta por la Agencia de EEUU para el Desarrollo Internacional (USAID) y el Departamento de Estado, el Departamento de Desarrollo Internacional del Reino Unido (DFID), el Fondo de Población de las Naciones Unidas (UNFPA-ONU), el Fondo de las Naciones Unidas para la Infancia (UNICEF-ONU), la Organización de las

Naciones Unidas para la Agricultura y la Alimentación (FAO-ONU), la OMS, el BM y FMI y diversas ONG y fundaciones privadas como la Federación Internacional de Planificación Familiar (*International Planned Parenthood Federation, (IPPF)*), la Fundación Rockefeller y el Instituto Guttmacher, entre otras. Debido a la importancia gravitante de este tema, para entender los cambios actuales, he decidido no confinar los siguientes textos, lamentablemente, solo disponibles en inglés, en las notas de pie de página o la sección de referencias: (I) *The War Against Population*[175], de Jacqueline Kasun, y (II) *Fatal Misconception,* de Matthew Connelly[176]. Son libros que los interesados progresistas desacreditan porque les incomoda la verdad, pero que merecen mucha mayor difusión por la calidad de la evidencia y por los argumentos aportados.

En la actualidad, las políticas de control demográfico se diseñan y se implementan con mayor sofisticación, especialmente a nivel de discurso y de propósitos. A partir del riesgo existencial medioambiental, la agenda madre del progresismo globalista, se justifican las siguientes subagendas de la red: (I) aborto; (II) Ideología de Género (IG) y derechos LGBT; (III) feminismo; (IV) especismo; y (V) eutanasia. Todas, sin excepción, comparten el propósito de reducir o controlar la población; es imposible ignorar los fundamentos utilitaristas y pragmáticos de este razonamiento. Todas sirven, también, para entender la obsesión del progresismo con el sexo, lo sexual y lo reproductivo. Hoy su promoción no es con fines procreativos, sino exclusivamente recreativos, muy en línea con algunas perspectivas filosóficas predominantes como el individualismo, el hedonismo y el especismo[177]. Al eliminar la variable procreativa de la ecuación sexual, el resultado es el estancamiento y posterior declive de la población, fenómeno conocido como "invierno demográfico"[178]. El aborto es parte de esta estrategia. Todos

175. Kasun, J. (1999). *The War Against Population: The Economics and Ideology of World Population Control,* Second Edition, Ignatius Press: San Francisco.

176. Connelly, M. (2008). *Fatal Misconception: The Struggle to Control World Population,* The Belknap Press: Cambridge.

177. En febrero de 2013 se llevó a cabo una de las primeras marchas conocidas del orgullo zoofílico en Berlín, Alemania. Ver "Zoophiles protest against German bestiality ban", *The Local,* https://www.thelocal.de/20130201/47711/

178. El invierno demográfico es un concepto que alude a la tasa decreciente de nacimientos a nivel mundial. Si el número de personas que nace no compensa el número de personas que muere

los eufemismos asociados a su perversa promoción y práctica, como "derechos reproductivos de la mujer", "salud de la mujer" e "interrupción voluntaria del embarazo", solo sirven para justificar moralmente lo moralmente injustificable, especialmente a quienes lucran con este criminal negocio mediante la ejecución del procedimiento mismo y la venta de tejidos y órganos de *especímenes* humanos.

La IG y la agenda LGBT van de la mano, ya que la primera es tributaria de la segunda, y ambas se retroalimentan. A diferencia del aborto (cuyo impacto demográfico es de corto plazo), el impacto demográfico de la IG es de largo plazo, representado por el tiempo que le toma a un ser humano iniciar su vida sexual. La tesis de que el sexo no es biológico, sino que masculinidad y feminidad se construyen culturalmente es una tesis ideológica fundamentada en el dualismo cartesiano que niega la verdad autoevidente y empíricamente respaldada del dualismo sexual natural: los niños tienen pene y las niñas tienen vulva[179]. Los niños son muy receptivos y vulnerables a los estímulos y fenómenos externos. No es necesario tener un doctorado en estudios LGBT o de género —aún intento entender para qué sirven— para saber que los comportamientos de los padres impactan directamente sobre el futuro comportamiento de los niños en todo ámbito. Un niño

en una proporción o tasa de reemplazo que garantice su sostenibilidad en el tiempo, el resultado será el decrecimiento de la población. Ver "Demographic Winter: the decline of the human family" (en inglés), disponible en https://www.youtube.com/watch?v=lZeyYIsGdAA. Este fenómeno ya afecta a países como España, Alemania, Reino Unido, Japón y Hungría; este último fue el único en implementar, a nivel gubernamental, políticas públicas e incentivos para revertir esta peligrosa situación. Ver: (I) "Demographic Winter and Modernization", *The Hungarian Conservative*, https://www.hungarianconservative.com/articles/current/demographic—winter—and—modernization/ y (II) "Hungarian government based its family policy on five pillars", Cabinet Office of the Prime Minister, https://miniszterelnok.hu/hungarian-government-based-its-family-policy-on-five-pillars/

179. Esta es la famosa frase de la combativa plataforma española Hazte Oír que, en 2017, fue difundida en calles y plazas de algunas ciudades españolas para reafirmar la verdad autoevidente del dualismo sexual. Personajes importantes de Hazte Oír, como su fundador y presidente, Ignacio Arsuaga, fueron agredidos públicamente por varios desadaptados debido a esta ejemplar iniciativa. Ver: (I) "Un autobús de Hazte Oír recorre Madrid con el mensaje tránsfobo 'los niños tienen pene y las niñas tienen vulva'" *El Diario*, https://www.eldiario.es/sociedad/autobus-hazte-oir-mensaje-enganen_1_3554182.html; (II) https://www.elperiodico.com/es/sociedad/20170228/autobus-hazte-oir-transfobia-ninos-pene-ninas-vulva-pp-psoe-5865645; y (III) "Lanzan huevos y salsa de tomate a Ignacio Arsuaga después de que el autobús de Hazte Oír fue retenido por los Mossos en Martorell", *La Sexta*, https://www.lasexta.com/noticias/sociedad/los-mossos-desquadra-retienen-al-autobus-de-hazte-oir-en-un-peaje-de-barcelona-para-comprobar-su-documentacion_2017031758cbc4a80cf2453280c3225f.html. La página web de Hazte Oír está disponible en https://citizengo.org/hazteoir

expuesto a la crianza por dos padres o por dos madres buscará imitar el comportamiento de estos. Si estos comportamientos son reforzados conceptual y prácticamente a nivel escolar, la probabilidad de que estos niños expresen los comportamientos sexuales de sus padres en la adultez será bastante mayor que en niños criados por un padre y por una madre, y que no están expuestos a carga ideológica. Esta conclusión se sustenta en miles de años de experiencia y observación humana, a lo largo de decenas de generaciones que concluyeron que la familia nuclear conformada por un padre, una madre y sus hijos constituye el mejor método de crianza y educación de personas socialmente responsables.

Un reciente estudio de la empresa francesa Ipsos mostró resultados sorprendentes sobre un marcado aumento de la población LGBT en 27 países. El porcentaje de encuestados que se identificaba como transgénero, no binario, no conforme, género fluido y/o cualquier otra cosa que no sea hombre o mujer, fue 4% en la Generación Z (nacidos después de 1997), 2% en la Generación Milenial (1981-1996), 1% en la Generación X (1965-1980) y menor de 1% en la Generación Baby Boomers (1946-1964)[180]. Otra reciente encuesta de Gallup mostró que la población LGBT en EEUU aumentó de 5,6% en 2020 a 7,1% en 2022. Para poner estos porcentajes en contexto, en solo dos años, 4,5 millones más de estadounidenses pasaron a identificarse como no heterosexuales, y la población LGBT aumentó en 11,9 millones de personas desde 2012. A nivel generacional, las tendencias son reveladoras. Mientras solo el 0,8% de encuestados nacidos antes de 1946 se identificó como LGBT, el porcentaje aumentó a 10,5% en la Generación Milenial y a un descomunal 20,8% en la Generación Z[181]. Es muy probable que entre las razones de este incremento estén quienes *salieron del closet* al vivir en tiempos más receptivos a su estilo de vida, pero también es muy probable, tengo casi la certeza, que el hecho que uno de cada cinco jóvenes estadounidenses se identifique hoy como LGBT se debe al intenso adoctrinamiento de la IG, especialmente en

180. Ver "LGBT+ Pride 2021 Global Survey", *Ipsos*, https://www.ipsos.com/sites/default/files/ct/news/documents/2021-06/LGBT%20Pride%202021%20Global%20Survey%20Report_1.pdf
181. Ver "LGBT Identification in U.S. Ticks Up to 7.1%", *Gallup*, https://news.gallup.com/poll/389792/lgbt-identification-ticks-up.aspx

las escuelas. La IG sí envenena las mentes de niños y adolescentes y destruye su identidad al punto de anularlos reproductivamente. La diversidad esconde la activa promoción de comportamientos sexuales no heterosexuales no conducentes a la procreación natural y explica la intencional invisibilización de la heterosexualidad, el único género que puede procrear naturalmente. Lógica pura y hechos, no opinión.

Un tercer punto de la agenda es la activa promoción del feminismo, movimiento ideológico cuya historia, principales exponentes y variantes no abordaré por no ser relevantes para los argumentos de este libro[182]. No obstante, eslóganes como "Nos están matando", "Abajo el patriarcado", "Mi cuerpo, mi decisión", "Ni una menos", "No se nace mujer: se llega a serlo" y "La sangre menstrual mata" son parte del repertorio ideológico inflamatorio y científicamente cuestionable del movimiento. En términos generales, el supuesto propósito del feminismo es acabar con las desigualdades sistémicas que afectan a las mujeres debido a la existencia del patriarcado[183]. Para lograr este objetivo, será necesario empoderarlas mediante una activa, constante y militante lucha política, económica y sociocultural contra el *macho opresor* para acabar con los privilegios del sistema patriarcal que gobierna. El problema principal con esta causa igualitarista no es su aspiración —la inmensa mayoría de personas, independientemente de su edad, sexo, creencias, etnia y condición socioeconómica, respalda sinceramente la idea de igualar oportunidades para todos—, sino sus conceptos, sus métodos y las consecuencias de estos.

Muchos movimientos feministas como Femen, Incite y RadFem Collective[184], entre tantos otros a nivel mundial, han devenido en

182. Para quienes estén interesados en una cobertura introductoria sobre la historia del feminismo en Occidente, ver LeGates, M. (2001). *In Their Time: A History of Feminism in Western Society, Routlegde: New York.*

183. El patriarcado se define como "una sociedad en la que el hombre de mayor edad es el líder de la familia o una sociedad controlada por los hombres que utilizan su poder para su propia ventaja". *Cambridge Dictionary*, https://dictionary.cambridge.org/dictionary/english/patriarchy

184. El movimiento Femen fue fundado en 2008 en Ucrania por las activistas Anna Hutsol, Yana Zhdanov, Sasha Shevchenko y Oksana Shachko, quien en 2018 se quitó la vida ahorcándose. La ideología de Femen se resume en sextremismo, ateísmo y feminismo, y sus protestas se caracterizan por la exhibición de senos y por la denigración de símbolos cristianos. Incite es un movimiento feminista radical fundado en el año 2000 en EEUU, que combate la violencia contra las mujeres de color. Finalmente, RadFem Collectivo es un grupo radical fundado en el Reino Unido en 2014 que busca la liberación de la mujer, la socialización de la femineidad y la creación de espacios exclusivos para mujeres mediante la violencia.

sectas radicales que buscan imponer sus términos y condiciones mediante la violencia y propia discriminación que dicen combatir. Otro problema que deriva de su creciente radicalización es que, involuntaria pero torpemente, el feminismo radical termina diluyendo las cualidades biológicas, anatómicas, fisiológicas y psicológicas que hacen de la mujer el ser único y especial que es. Esta dilución deriva en un igualitarismo extremo que reniega de la complementariedad sexual natural y reduce a la mujer a una caricatura del sexo que tanto odia. Pero, más allá de los objetivos y propósitos declarados del feminismo, sus acciones apuntan a criminalizar el sexo masculino, con la silenciosa pero efectiva ayuda de sistemas judiciales ideológicamente permeados y sistemas educativos y propagandísticos que hacen uso de eslóganes adoctrinadores como "nuevas masculinidades", cuyo impacto en las mentes de niños y de adolescentes es devastador.

Uno de los más graves problemas es la contaminación ideológica de muchos sistemas judiciales que, cada vez con mayor frecuencia, terminan castigando injustamente a personas inocentes. Casos como el de un joven español que purgó dos meses de prisión por una falsa acusación de violación[185], el del joven británico Liam Allan, acusado falsamente con 12 cargos por violación y el del un hombre que durante cinco años tuvo que soportar nueve denuncias falsas por supuesta violación a la hija de su pareja[186] ya no son aislados. Otro hecho que revela la fuerte carga ideológica feminista en el ámbito penal es el de la joven argentina Nahir Galarza, condenada a cadena perpetua en 2018 por el asesinato de Fernando Pastorizzo, su presunta pareja sentimental. Sucede que la joven cambió recientemente de versión alegando que fue su padre el asesino y que de niña había sido violada por su tío. ¿No será esto un nuevo ejemplo de victimización? El lenguaje usado por su abogada, quien se refiere a su cliente como una joven empoderada y utiliza conceptos como el patriarcado en su defensa legal, da

185. Ver "Un joven de Lugo queda libre sin cargos tras dos meses en prisión por una denuncia de violación que el juez descarta", *La Voz de Galicia*, https://www.lavozdegalicia.es/noticia/lugo/lugo/2022/05/23/joven-lugo-paso-dos-meses-prision-violacion-nunca-existio/00031653308473209229106.htm

186. "Condena récord de 5 años a una madre por denunciar 9 veces abusos sexuales falsos de su ex sobre la hija común: 'Es como matarte en vida'", *El Mundo*, https://www.elmundo.es/papel/historias/2022/05/18/628418cbe4d4d8673b8b4588.html

cuenta de la severa ideologización de las actuales prácticas jurídicas[187]. Las injusticias se vuelven comunes —como lo probará una rápida búsqueda en internet[188]— y crean un sistema perverso en el que el falso testimonio de una mujer puede ser suficiente para destruir la vida de otra persona.

El especismo, otra puya de la agenda arcoíris, es la filosofía y práctica que justifica moralmente un tratamiento diferenciado y ventajoso a los miembros de una misma especie en detrimento de otras. El término fue acuñado en la década de los setenta por el filósofo inglés Richard Ryder (1940) y posteriormente desarrollado por el filósofo utilitarista-hedonista australiano Peter Singer (1946) en su libro *Liberación animal* (1975), libro que dio origen al movimiento animalista. Desde entonces, Singer y otros proponentes del especismo han buscado aplicar los mismos principios y conceptos de su filosofía animalista al racismo y sexismo para homologar sus luchas políticas y legales. El punto de partida de la filosofía de Singer es el dolor que pueden sentir los seres humanos, pero también los animales. Su principio de "Igual Consideración de Intereses" (PEC, por sus siglas en inglés) señala que toda decisión moral debe velar por los intereses de todos los seres sintientes[189], sean humanos o animales, ya que ninguna especie posee un estatus moral superior a las demás. Evitar sentir dolor es un interés común de todos los seres sintientes, por lo que causarlo a un ser de otra especie es moralmente reprochable y equivale, según los animalistas, a prácticas discriminatorias como el racismo y el sexismo. El principal problema de este argumento es el concepto de moralidad, porque este es solo aplicable al ser humano, ya que solo el ser humano es racionalmente consciente de la posible

187. "Nahir Galarza declaró ante la Justicia y reiteró su versión del crimen de Pastorizzo: 'Mi papá lo mató'", *Perfil*, https://www.perfil.com/noticias/actualidad/nahir-galarza-declaro-ante-la-justicia-y-reitero-su-version-del-crimen-de-pastorizzo-mi-papa-lo-mato.phtml; https://www.perfil.com/noticias/actualidad/nahir-galarza-declaro-ante-la-justicia-y-reitero-su-version-del-crimen-de-pastorizzo-mi-papa-lo-mato.phtml

188. Ver: (I) "Once meses en prisión por la denuncia falsa de violación de una inquilina morosa", *Levante*,
https://www.levante-emv.com/sucesos/2020/02/14/once-meses-prision-denuncia-falsa-11647503.html y (II) "Un inocente pasa ocho años en la cárcel tras una acusación falsa de violación", *El País*, https://elpais.com/ccaa/2013/04/23/andalucia/1366713784_148736.html.

189. Un ser sintiente es todo aquel capaz de experimentar y/o expresar y/o percibir sensaciones y/o sentimientos y/o emociones de manera consciente.

bondad y/o maldad de sus actos. Una hiena que despedaza a una gacela viva para alimentarse no está cometiendo un acto inmoral. Podrá configurar una escena grotesca, pero su instinto y sus necesidades naturales le impiden hacer valoraciones que son exclusivas de los seres humanos.

La principal amenaza del especismo es que equipara moralmente al hombre con cualquier ser vivo (desde sapos hasta avestruces), lo que abre la puerta a potenciales atrocidades. La animalización del ser humano y la humanización de los animales, pero también de personajes de videojuegos, inteligencias artificiales y robots, contribuye a consolidar este peligroso precedente. A partir del igualitarismo, lo que hacemos a los animales también podríamos hacerlo a los seres humanos, ya que ninguna especie es moralmente superior a otra. Mediante "espontáneas" estrategias de adoctrinamiento (como, por ejemplo, la difusión de videos de animales que nos "enseñan" a ser tan virtuosos como ellos), se busca exacerbar los sentimientos. El lechón Timoteo que está jugando con el pollito Pepe o el perrito Mix que está durmiendo plácidamente junto al feroz tigre Max son ejemplos que ilustran los medios de hipersensibilización de una niñez, adolescencia y juventud cada vez más alejadas e ignorantes de las duras condiciones de la vida natural. Acertó David Hume cuando afirmó que la razón es esclava de las pasiones. Es imposible razonar correctamente cuando los sentimientos nos desbordan. Y es que el progresismo apela a la creciente debilidad y fragilidad de las generaciones más nuevas para, mediante falsas promesas y utopías, arrastrarlas hacia un mundo cada vez menos humano, virtuoso, moral y libre.

La eutanasia, especialmente la promoción del suicidio asistido, es la última subagenda que esconde la matriz ecologista. Al igual que el aborto, el uso de eufemismos sirve al progresismo para ocultar su real desprecio por el ser humano. Cuestionables definiciones bioéticas del progresismo utilitarista y el uso de conceptos como compasión y como autonomía establecen el contexto para normalizar su eliminación. Jamás mencionan que la caridad se pone a prueba dedicando tiempo, esfuerzo y afecto al caído para ayudarlo a aliviar y superar sus dificultades, especialmente a adolescentes y jóvenes cuyas vidas carecen cada vez más de identidad, significado y propósito, y que hoy son alentados, en nombre de una falsa compasión y libertad, a suicidarse[190]. Pero, fieles a sus malas costumbres y prácticas, los progresistas recurrirán siempre a los casos más extremos y emocionalmente impactantes para normalizar las excepciones y penalizar la normalidad. La eutanasia ya es una práctica legal en países infestados de progresismo como Australia (excepto el Territorio del Norte), Austria, Bélgica, Canadá, España, Holanda, Luxemburgo y Nueva Zelanda, así como en 11 estados de los EEUU, entre los que se encuentran California, Colorado, Hawái, Nueva Jersey, Oregón y Washington. En Hispanoamérica, Colombia ya permite el suicidio asistido con fallo judicial de por medio, pero no es descabellado pronosticar que pronto será legalizado sin restricciones. La eutanasia tendrá un impacto muy marginal sobre el control demográfico, pero ese no es su principal propósito. Aquello a lo que apunta, al igual que el aborto, es cosificar e instrumentalizar al ser humano, de la mano con el especismo que lo iguala hacia abajo con los animales. Al cosificarlo bajo criterios utilitaristas, es mucho más fácil destruirlo y justificar esto moralmente.

Lo que pocos alertan de las políticas "humanitarias" del progresismo es la creciente intromisión del Estado en nuestras vidas y en nuestras decisiones privadas. La erosión de la patria potestad y la destrucción planificada y sistemática del núcleo familiar, institución clave para la defensa de la libertad y bienestar de las personas y sus sociedades, contribuyen a esta amenaza. A ningún parásito progresista de la burocracia supranacional, multilateral o estatal le importan la vida y felicidad de nuestros hijos, padres, abuelos y amigos. A nosotros, sí. Sumado a su amor incondicional, la madre tiene un rostro, forma y calor corporal que su hijo identifica naturalmente mientras que el Estado solo es una abstracción impersonal, fría y distante que poco o nada aporta a su bienestar. Los tristes casos de Alphie Evans[191]

190. En junio de 2019, la adolescente holandesa de 17 años Noah Pothoven se suicidó mediante ayuno extremo en su casa, decisión que contó con el consentimiento de sus padres y de los médicos. Lo grotesco del caso fue que la prensa progresista celebró que el suicidio de Noah no hubiera sido asistido por el Estado holandés, y que quienes utilizaron su caso para criticar la ley de suicidio asistido en ese país recurrieron a la desinformación. La Muerte de Noah fue solo un hecho secundario. Ver "Media misreport Dutch teen Noa Pothoven's death as euthanasia", *DW*, https://www.dw.com/en/media-misreport-dutch-teen-noa-pothovens-death-as-euthanasia/a-49064448

191. En 2018, Alphie Evans, quien sufría de un desorden neurodegenerativo, fue desconectado del respirador artificial que lo mantenía con vida. Ante la negativa del Servicio Nacional de Salud

(un niño de dos años que fue desconectado de un respirador artificial por mandato judicial) y el más reciente de Archie Battersbee[192] (un niño de 12 años que sufrió el mismo fatal destino —también contra la voluntad de sus padres—) sirven para ilustrar el peligroso grado de intromisión estatal y las devastadoras consecuencias que algunas familias ya están sufriendo. Ayer fueron Alfie y Archie, pero mañana podrían ser nuestros hijos o nuestros parientes. Además, si los criterios impuestos para determinar quién vive y quién no cambian con el tiempo, en un mundo donde la moralidad se rige cada vez menos por criterios de bondad y maldad, y cada vez más por utilidad o inutilidad, el futuro no es muy prometedor para quienes mañana, arbitrariamente, podrían ser considerados inútiles.

La inclusión, último concepto del eslogan progresista, es solo aplicable a los alineados al movimiento. Las condiciones para ser incluido en el círculo central de la red progresista son una cuenta bancaria descomunal, enorme influencia política y un compromiso total con la bandera arcoíris, y todo lo que representa. Poniendo en práctica su inclusión, ningún común mortal tendrá acceso a ella, nunca. Sin embargo, en niveles de poder e influencia decrecientes, aparte de la adhesión militante a todas las agendas madre y discursos asociados a estas, se valorarán muchas cualidades progresistas como la obediencia, el anticristianismo, el cientificismo, la falta de escrúpulos, ambiciones domesticadas, disposición para la zalamería y un absoluto compromiso con la negación y/o abolición de la verdad. Estas cualidades

---

Británico (NHS) de continuar el tratamiento, sus padres consiguieron la autorización del hospital Bambino Gesú para trasladarlo a Italia. Sin embargo, después de una serie de apelaciones denegadas a los padres, incluyendo una en la Corte Suprema del Reino Unido, un juez ordenó acabar con su vida. El 23 de abril se procedió a la desconexión, pero Alphie continuó respirando por cuenta propia cinco días más. Lamentablemente, agotado y desahuciado, Alphie no pudo resistir más, y murió el 28 de abril de 2018. Más detalles sobre este perturbador caso pueden ser consultados en "ALFIE HEARTBREAK: When did Alfie Evans die, when was his life support switched off at Alder Hey hospital and what have his parents said?", *The Sun*, https://www.thesun.co.uk/news/6042056/alfie-evans-when-die-life-support-alder-hey-hospital-timeline-parents/

192. En agosto de 2022, después de una disputa legal similar al caso de Alphie Evans, los padres del niño de 12 años, Archie Battersbee, vieron a su hijo morir luego de haber sido desconectado del respirador artificial por orden judicial. En la rueda de prensa posterior a la muerte de su hijo, la madre de Archie, Hollie Dance, expresó las siguientes palabras: "No hay ninguna dignidad en ver a un miembro de tu familia o a tu hijo morir por sofocamiento [...]. Esperamos que ninguna familia tenga que pasar por lo que nosotros hemos pasado. Es barbárico". Ver "Archie Battersbee, 12, dies after life support is turned off", *Sky News*, https://news.sky.com/story/archie-battersbee-12-dies-after-life-support-is-turned-off-12633585

permitirán la convivencia con potenciales pedófilos y zoófilos, criminales, disfóricos, mediocres y un ejército de tontos útiles sin compás moral empoderados por sus posiciones. Como retribución a los servicios prestados a la causa, los operadores del progresismo podrán acceder al variado esquema de incentivos y beneficios de la red progresista. Quienes no compartan sus postulados y propósitos, pero sean parte de esta, deberán mantener prudente silencio, agachar la cabeza y seguir actuando contra su voluntad, o bien, denunciar sus delitos y excesos asumiendo valientemente las consecuencias.

El último principio rector es la inclusión, siempre bajo la contradictoria interpretación del progresismo. Esta se manifiesta a través de políticas inclusivas implementadas y supervisadas por todas las organizaciones de la red, como servicios higiénicos inclusivos[193], moda inclusiva[194] y lenguaje inclusivo[195]. Son iniciativas orientadas a poner en práctica la tolerancia a la diversidad, que no es otra cosa que una estrategia para someter y destruir la verdad. Protestar porque un hombre que se siente mujer ocupa el mismo baño junto a niñas, adolescentes y/o jóvenes[196] o criticar la vulgar estética sexual de paneles publicitarios con grotescos personajes[197] porque son probadamente nocivos para los más pequeños se calificará como discurso de odio. Peor aun: si nos negamos a utilizar ridículos pronombres como "elle" y "nosotres" de personas desesperadas por llamar la atención o que padecen diversas disforias[198] o si intentamos evitar que nuestros hijos se sometan a

193. "Baños inclusivos en la Facultad de Ciencias Políticas y Relaciones Internacionales", Universidad Autónoma de Nuevo León, http://www.facpoliticas.uanl.mx/banos-inclusivos-en-la-facultad-de-ciencias-politicas-y-relaciones-internacionales/

194. "Moda inclusiva. Las enseñanzas que deja el fracaso de Old Navy", *La Nación*, https://www.lanacion.com.ar/economia/negocios/moda-inclusiva-las-ensenanzas-que-deja-el-fracaso-de-old-navy-nid18062022/

195. "Investigadoras de la UGR defienden la importancia del lenguaje inclusivo en la lucha contra la desigualdad de género", Universidad de Granada, https://unidadigualdad.ugr.es/pages/lenguaje-inclusivo

196. "Baños mixtos para la ENES Mérida, riesgosos para las alumnas", *Haz Ruido*, https://www.hazruido.mx/reportes/banos-mixtos-de-la-enes-merida-riesgosos-para-las-alumnas/

197. "Today a fat black trans woman looks over New York", *Mail Online*, https://www.dailymail.co.uk/femail/article-8471491/Calvin-Klein-model-Jari-Jones-celebrates-fat-black-trans-woman-NYC-billboard.html

198. "Prisión para profesor por negarse a usar los pronombres elegidos por alumno", *Swiss Info*, https://www.swissinfo.ch/spa/irlanda-transg%C3%A9nero_prisi%C3%B3n-para-profesor-por-negarse-a-usar-los-pronombres-elegidos-por-alumno/47877512

devastadores terapias hormonales para completar su transición[199], estaremos incurriendo en crímenes de odio. La lista de discursos y de crímenes de odio es cada vez más larga y los casos de abusos contra quienes deciden enfrentar la mentira abundan. La inclusión progresista solo incluirá a los cínicos que saben que su inmerecido bienestar solo es posible a expensas del sufrimiento ajeno, pero también a los cobardes que, conscientes del daño causado, callan. A ellos se les suma un ejército de tontos útiles convencidos de su inexistente superioridad moral e intelectual, pero que ignoran las terribles consecuencias de sus acciones. Para los demás, incluyendo "fanáticos religiosos", "medievales", "conservadores", "fascistas", "nazis", "misóginos", "homofóbicos", "racistas", "sexistas", "machos patriarcales" e "intolerantes", solo quedan las burlas, la estigmatización, las agresiones verbales y físicas, la demolición de su imagen pública, la pérdida de sus trabajos, e incluso, la cárcel. Inclusión no es otra cosa que conformidad con la mentira, la obediencia a la estandarización y el gradual sometimiento de nuestras libertades.

A la evidencia empírica que aportan las calles de nuestras ciudades, los medios de prensa y entretenimiento, los portales de internet y las redes sociales sobre la omnipresencia del símbolo, discursos y agendas arcoíris, se le suma la interesada promoción del eslogan tripartito desde las plataformas oficiales de todos los nodos progresistas, empezando por los centrales. Fundaciones "filantrópicas" como la Bill & Melinda Gates Foundation[200] y la Novo Nordisk[201], agencias de gobierno como la Casa Blanca[202], Gobierno de Canadá[203], Gobierno de

199. "B.C. father arrested, held in jail for repeatedly violating court orders over child's gender transition therapy", *National Post*, https://nationalpost.com/news/b-c-father-arrested-held-in-jail-for-repeatedly-violating-court-orders-over-childs-gender-transition-therapy

200. "Diversity, Equity and Inclusion", Microsoft, https://www.gatesfoundation.org/about/diversity-equity-inclusion

201. "Our Diversity and Inclusion Policy", *Novo Nordisk*, https://www.novonordisk.com/sustainable-business/esg-portal/principles-positions-and-policies/diversity-inclusion-policy.html

202. "Executive Order on Diversity, Equity, Inclusion, and Accessibility in the Federa Workforce", *The White House*, https://www.whitehouse.gov/briefing-room/presidential-actions/2021/06/25/executive-order-on-diversity-equity-inclusion-and-accessibility-in-the-federal-workforce/

203. "Diversité, équité et inclusión", Gouvernement de Canada, https://www.canada.ca/fr/office-national-film/organisation/publications/plans-rapports/diversite-equite-inclusion.html

México[204], organismos supranacionales como la Comisión Europea[205], Programa de Naciones Unidas para el Desarrollo (PNUD)[206], OMS[207] y la Organización Económica para la Cooperación y Desarrollo (OECD)[208], empresas de Big Tech como Google (Alphabet)[209], Microsoft[210], Meta Platforms (ex Facebook)[211], Amazon[212] y Apple[213], grandes empresas como Coca Cola[214], Tesla[215] y Nike[216], ONG como BRAC International[217], Amnistía Internacional[218] y Ashoka[219], grandes firmas de consultoría como PwC[220] y McKinsey and Company[221], uni-

204. Dirección de Igualdad de Género e Inclusión, https://www.gob.mx/semar/acciones-y-programas/igualdad-de-genero-149361
205. "Diversity and inclusion initiatives", European Commission, https://ec.europa.eu/info/policies/justice-and-fundamental-rights/combatting-discrimination/tackling-discrimination/diversity-and-inclusion-initiatives_en
206. "Gender and Diversity", UNDP, https://www.undp.org/careers/gender-and-diversity
207. "Gender, Equity and Human Rights", OMS, https://www.who.int/teams/gender-equity-and-human-rights/about
208. "Diversity and Inclusion", OECD, https://www.oecd.org/gov/pem/diversity-and-inclusion.htm
209. 2022 Diversity Annual Report, Google,https://about.google/belonging/diversity-annual-report/2022/
210. "Diversity and Inclusion", Microsoft, https://www.microsoft.com/en-us/diversity/default.aspx
211. "2022 Diversity Report", Meta, https://about.fb.com/wp-content/uploads/2022/07/Meta_Embracing-Change-Through-Inclusion_2022-Diversity-Report.pdf
212. "Diversity, Equality and Inclusion", Amazon, https://sustainability.aboutamazon.com/society/diversity-equity-and-inclusion
213. "Inclusion & Diversity", Apple, https://www.apple.com/diversity/
214. "Diversity and Inclusion", The Coca-Cola Company, https://www.coca-colacompany.com/social-impact/diversity-and-inclusion
215. "U.S. Diversity", Equity and Inclusion Report 2020 https://www.tesla.com/blog/us-diversity-equity-and-inclusion-report
216. "Diversity, Equity & Inclusion", Nike, https://about.nike.com/en/impact/focus-areas/diversity-equity-inclusion
217. "Lead-Gender Equality and Social Inclusion", BRAC International, https://bracinternational.org/jobs/may2022/Lead-Gender-Equality-and-Social-Inclusion.pdf
218. "Racial equality, equal opportunities, diversity and inclusion policy", https://www.amnesty.org/en/documents/org20/4907/2021/en/
219. "Diversity and Inclusion", Ashoka, https://www.ashoka.org/en-us/collection/diversity-and-inclusion
220. "Building on a Culture of Belonging: Diversity, Equity & Inclusion at PwC", https://www.pwc.com/us/en/about-us/diversity.html
221. https://www.mckinsey.com/featured-insights/diversity-and-inclusion/diversity-wins-how-inclusion-matters

versidades como Harvard[222], Stanford[223] y Oxford[224], plataformas de entretenimiento como Netflix[225] y Hulu[226] y organizaciones deportivas como la FIFA[227] y el Comité Olímpico Internacional (COI)[228], todas revuelven patológicamente sobre lo mismo: "Diversidad, inclusión, igualdad". Este nivel de endogamia y de estandarización ideológica no es normal y refuta totalmente la mentira de la "diversidad" progresista. También prueba con contundencia que uno de los principales objetivos escondidos en los conceptos que los obsesionan es uniformizar pensamientos y alinear intervenciones para materializar su excluyente ideal de progreso.

---

222. "Office for Equity, Diversity, Inclusion and Belonging", Harvard University https://edib.harvard.edu/
223. "Statement on Diversity and Inclusion", Office of the Provost–Stanford University, https://provost.stanford.edu/statement-on-diversity-and-inclusion/
224. "Equality & Diversity Unit", University of Oxford, https://edu.admin.ox.ac.uk/home
225. "Inclusion Takes Root at Netflix: Our First Report", Netflix, https://about.netflix.com/en/news/netflix-inclusion-report-2021
226. "Diversity and Inclusion", *Hulu*, https://medium.com/life-at-hulu/tagged/diversity-and-inclusion
227. "Diversity and Inclusion", FIFA, https://www.fifa.com/about-fifa/careers/diversity-and-inclusion
228. "Inclusion, diversity, gender equality and sustainability", COI, https://olympics.com/ioc/careers/diversity

Capítulo V

Un mundo real

[...] siento que el aborto es el gran destructor de la paz, porque es una guerra directa, una matanza directa, asesinato directo por parte de la propia madre.

Madre Teresa de Calcuta, Premio Nobel de la Paz (1979)

No nací niño; fui asignado como tal al nacer. Comprender esta diferencia es crucial para que nuestra sociedad avance en la manera como tratamos a —y hablamos sobre— los individuos transgénero.

Geena Rocero, CNN (2015)

Yo no digo que soy un pez, o que me siento un pez y por eso me he implantado aletas. Es una identidad en exploración fuera de los límites humanos.

Manel de Aguas, Antena 3 (2020)

El presente capítulo ofrece evidencia para respaldar y fundamentar empíricamente los conceptos y proposiciones presentados en los capítulos anteriores. Los casos reseñados muestran una realidad cruda y diametralmente opuesta al mundo feliz que el progresismo pretende construir bajo el mantra de la 4RI.

5.1. De sujetos de derecho a objetos

El aborto es el asesinato premeditado de un ser humano con derecho a vivir... punto. Según el Instituto Guttmacher, organización privada dedicada a exterminar seres humanos en gestación, entre 2015 y 2019 ocurrieron 121 millones de embarazos no deseados, de los cuales el 61% terminó en aborto. Esto significa que cada año, durante ese período, 73 millones de inocentes perdieron la vida en el vientre materno[229]. De su derecho a vivir, el derecho fundamental y universal del cual surgen todos los demás derechos, ningún progresista se acordó. A la fecha, de los 194 países miembros de la ONU, solo El Salvador, Filipinas, Guatemala, Honduras, República Dominicana y Madagascar prohíben el aborto sin excepciones, mientras que, en los estados de Alaska, Colorado, Nueva York, Nuevo México, Oregón y Vermont en los EEUU, ya es legal asesinar bebés, incluso antes del momento del parto. No tengo la menor duda de que, si esta barbarie fuera difundida gráfica y públicamente, el aborto no volvería a tener cabida en este mundo. Los amorales progresistas lo saben bien, y por eso invierten millones de dólares para impedirlo.

Al inicio de este libro reseñé la publicación de dos filósofos utilitaristas italianos que argumentaron en favor del aborto posparto. Entre los autores citados en su trabajo, se encuentra otro filósofo utilitarista, el estadounidense Michael Tooley (1941), quien, ya en 1972, argumentó que los fetos e infantes no pueden ser considerados personas porque carecen del desarrollo mental suficiente para tomar decisiones conscientes y funcionales a sus intereses[230]. Por lo tanto, no existe ninguna objeción moral para asesinarlos. En respuesta a Tooley y a la

229. "Unintended Pregnancy and Abortion Worldwide", Guttmacher Institute, https://www.guttmacher.org/fact-sheet/induced-abortion-worldwide

230. Tooley, M. (1972). "Abortion and Infanticide", *Philosophy & Public Affairs*, Vo. 2, N.° 1: 37-65.

creciente corriente de proabortistas de fines de los ochenta, el experto en bioética Don Marquis (1935-2022), elaboró el argumento de la privación *—deprivation argument—*, que establece que el hecho de que un ser humano sea incapaz de proyectar su futuro no constituye condición suficiente para no considerarlo persona. Agrega que matar es un acto intrínsecamente malo, por lo que no puede ser justificado de ninguna manera[231]. La élite apostó por la repudiable interpretación de Tooley, pero la mayoría silenciosa respalda a Marquis.

El aborto es la conversión *de facto* del ser humano de sujeto de derechos a objeto. Al aprobar legal y/o moralmente el aborto, lo instrumentalizamos y lo cosificamos bajo criterios netamente utilitaristas. Mediante esta perspectiva, una acción será moralmente útil, por lo tanto, buena, si percibimos o valoramos que sus consecuencias serán provechosas, placenteras y/o menos dolorosas para nosotros mientras que, al evaluar lo contrario, la descartaremos por inútil. Esta valoración moral pone en práctica el cálculo utilitarista de Bentham y calza a la perfección con el imperativo hedonista de Pearce y la cultura de descarte predominante. La cosificación del ser humano abre la puerta a un sinnúmero de atrocidades. Al hacerlo, todo lo que hacemos con los objetos podemos hacerlo con él. Podemos desecharlo o eliminarlo mediante el aborto o mediante la eutanasia, así como botamos desperdicios a un tacho de basura. También lo podemos romper y pegar, formar y deformar, armar y desarmar y/o combinar o fusionar con otros objetos según nuestros ánimos, preferencias o deseos, del mismo modo que armamos un LEGO, pegamos una taza rota o fusionamos a un ser humano con microchips, cables y discos duros para que adquiera superinteligencia. También podemos fabricarlo y asignarle un precio según sus características técnicas, tal como compramos productos en un mercado. Por ejemplo, al comprar un celular, evaluaremos su diseño y características —sistema operativo, tipo de procesador, memoria RAM, cámaras, etcétera—, y pagaremos más por el que ofrezca mayores y mejores prestaciones. Habrá mejores y peores celulares, y las "virtudes" de cada uno de estos serán irrelevantes porque no las tienen: son solo objetos.

---

231. Marquis, D. (1989). "Why Abortion is Immoral", *Journal of Philosophy*, 86 (4): 183-202.

La mejor manera de ilustrar y sustentar el argumento de la cosificación es tomar ejemplos del mundo real. En cuanto al desecho o eliminación, los 121 millones de seres humanos abortados que consigna el Instituto Guttmacher —sospecho que esa cifra es mayor— aportan la terrible evidencia. Si una mujer evalúa que dar a luz afectará negativamente su bienestar físico, emocional y/o su condición económica y social, el utilitarismo le aportará la justificación moral para abortar. El mismo criterio se aplicará para un anciano abandonado que es empujado hacia el abismo del suicidio, especialmente en una cultura de consumo y descarte en la que se venera lo nuevo y se desprecia lo viejo. El derecho menos importante en estas deliberaciones será el derecho a la vida de quienes se vean afectados directamente por estas terribles decisiones. Al descarte se le suman la modificación y la experimentación. La evidencia la aportan los experimentos con embriones humanos vivos, los procedimientos técnicos de la Ley Triparental en el Reino Unido y los tejidos y órganos de fetos abortados. Hoy es legal fragmentar, inyectar, partir, fusionar y destruir seres humanos vivos con absoluta impunidad y con abundantes beneficios para todas las partes involucradas. Recibir dinero manchado con sangre de inocentes nunca será un inconveniente para el progresista "inclusivo".

En mayo de 2021, la Sociedad Internacional de Investigación de Células Madre (ISSCR, por sus siglas en inglés) aprobó una reglamentación para extender, caso por caso, el límite de edad de embriones humanos vivos con fines experimentales, que actualmente es de 14 días[232]. La demanda la generan empresas intermediarias como la ya mencionada *Precision for Medicine* y otras como *ProteoGenex, iSpecimen y BioIVT* que luego venden sus subproductos a grandes empresas farmacéuticas o *Big Pharma*, universidades, laboratorios privados y otros centros de investigación. La oferta proviene, principalmente, de clínicas de reproducción asistida. Esta se compone de embriones congelados que son descartados por tener características incompatibles con las preferencias de los clientes. La mercantilización también se expresa mediante la lucrativa venta de tejidos y órganos fetales cuyo precio de mercado es mayor por ser ejemplares más maduros. Un estudio revela

232. "Limit on lab-grown human embryos dropped by stem-cell body", *Nature*, https://www.nature.com/articles/d41586-021-01423-y

que *Planned Parenthood* induce la demanda mediante una sobreoferta de "especímenes" que, entre 1995 y 2014, correspondió a más de 3.000.000 de abortos inducidos[233]. También se incluye la extracción de células de fetos abortados que aún se mantienen con vida[234]. El número de "especímenes" provenientes de abortos durante el segundo y tercer trimestre de gestación es aproximadamente 100.000 y los precios pagados por sus corazones, hígados y cerebros fluctúa entre US$30 y US$100 por unidad[235]. Adicionalmente, los centros de investigación que utilizan subproductos humanos reciben fuertes subsidios gubernamentales en EEUU, Canadá y varios países europeos, lo cual configura un lucrativo negocio financiado principalmente por dinero de los contribuyentes.

Los dramas de la mercantilización del ser humano son plenamente expuestos por el negocio de fabricación de hijos mediante vientres de alquiler. El hijo o, mejor dicho, el producto, tendrá diferentes precios según las características demandadas, incluyendo sexo, color de ojos y piel, contextura física, etcétera. Estas serán aportadas por los donantes de gametos, y mucho dependerá del lugar de producción. Un niño proveniente de una informal granja humana en Nigeria tendrá un costo promedio de US$7500[236] mientras que, en la India, el precio fluctuará entre US$15.000 y US$20.000 por ejemplar[237]. Sin embargo, si la billetera permite adquirir un mejor producto, los futuros dueños tendrán que desembolsar entre US$50.000 y US$200.000

233. Studnicki, J. and Fisher, J.W. (2018). "Planned Parenthood: Supply Induced Demand for Abortion in the US", *Open Journal of Preventive Medicine*, 8: 142-45.

234. "Babies born alive in abortion to harvest cells- shocking testimony from undercover investigator", Life Institute, https://thelifeinstitute.net/news/2021/watch-babies-born-alive-in-abortion-to-harvest-cells-shocking-testimony-from-undercover-investigator https://thelifeinstitute.net/news/2021/watch-babies-born-alive-in-abortion-to-harvest-cells-shocking-testimony-from-undercover-investigator

235. Ver: (i) "El millonario mercado de fetos en EEUU", *Alfa y Omega*, https://alfayomega.es/el-millonario-mercado-de-fetos-en-ee-uu/; (ii) "La venta de órganos de fetos aviva el debate sobre el aborto en EEUU", *EL Mundo*, https://www.elmundo.es/internacional/2015/08/05/55c1946c22601d4e5e8b456c.html; (iii) "Caso *Planned Parenthood*: Documentos revelan precios de partes de bebés abortados", *ACI Prensa*, https://www.aciprensa.com/noticias/caso-planned-parenthood-documentos-revelan-precios-de-partes-de-bebes-abortados-90113

236. "Surrogacy Treatment Cost in Lagos-Find the Best Surgeons, Reviews and Book Appointment", *Africa Online*, https://africainfoline.com/listing/hospital-list/lagos/surrogacy-treatment-cost-in-lagos-find-the-best-surgeons-reviews-and-book-appointment/

237. "How much does surrogacy cost in India (in 2022)", *IVF Conceptions*, https://www.ivfconceptions.com/surrogacy-cost-in-india/

por unidad[238] (podrán ser más caros en Suiza y en EEUU). Al drama de los niños fabricados se le suma la trata y explotación —jamás "empoderamiento"— de mujeres vulnerables en sus inclusivos, igualitarios y diversos centros laborales, especialmente en países en vías de desarrollo[239]. Así también lo entienden las feministas, quienes han denunciado y condenado este degradante y turbio negocio[240].

La fabricación de humanos también genera ramificaciones perturbadoras, como lo muestra el caso de Mitsutoki Shigeta, un japonés de 28 años e hijo de un multibillonario, quien, en 2014, mandó fabricar 16 niños a una clínica de FIV —mejor dicho, una planta de producción— tailandesa. La fiscalía de ese país inició un proceso legal contra Shigeta quien, debido probablemente a la imparcial justicia tailandesa y no a los millones de su padre, terminó adquiriendo la tutoría legal de 13 niños. Al término del proceso en 2018, Shigeta anunció que mandaría fabricar 1000 niños más para cumplir su sueño de tener una familia numerosa[241]. Dos casos más, también en Tailandia, muestran el lado sórdido de la producción y tráfico de niños. El primero, ocurrido en 2014, en el que una pareja de australianos compró mellizos, pero decidió no recibir a una, Gammy, una hermosa niña con Síndrome de Down, por defectos de origen. Unas semanas después, la prensa australiana descubrió que el padre que había efectuado la compra había sido sentenciado por pedofilia en los noventa[242]. Otro caso es el de un australiano acusado de abusar

238. "¿Cuál es el precio de una gestación subrogada?", *Gestlife*, https://www.gestlifesurrogacy.com/precio-gestaci%C3%B3n-subrogada-en-espa%C3%B1a.php#:~:text=El%20coste%20de%20una%20maternidad,subrogada%20es%20un%20proceso%20costoso.

239. Ver: (I) "Vientres de alquiler: una boyante y turbia industria que aprovecha las rendijas legales para enriquecerse", https://elpais.com/economia/negocios/2022-06-19/vientres-de-alquiler-una-boyante-y-turbia-industria-que-aprovecha-las-rendijas-legales-para-enriquecerse.html; (II) "Vientres de alquiler: cosificación y trata de personas", Infobae, https://www.infobae.com/america/mexico/2022/06/30/vientres-de-alquiler-cosificacion-y-trata-de-personas/

240. "Los vientres de alquiler son explotación reproductiva de las mujeres", Levante–*El Mercantil Valenciano,* https://www.levante-emv.com/costera/2022/05/27/vientres-alquiler-son-explotacion-reproductiva-66586327.html

241. Ver: (I) "Mitsutoki Shigeta: 'Baby factory' dad wins paternity rights", BBC, https://www.bbc.co.uk/news/world-asia-43123658; (II) "Billionaire's son wanted 1000 babies", *The Times*, https://www.thetimes.co.uk/article/billionaires-son-wanted-1000-babies-sczxscgcf2p

242. "Thai surrogate baby Gammy: Australian parents contacted", BBC, https://www.bbc.co.uk/news/world-asia-28686114

sexualmente de sus dos hijas, también compradas en Tailandia[243]. Los casos presentados, solo tres entre decenas existentes, muestran el claro vínculo entre este negocio y la pedofilia, pero también la completa cosificación que se manifiesta cuando un "producto" como Gammy no satisface las necesidades del cliente. El contraste entre el mundo feliz y el mundo real no puede ser mayor. Finalmente, quien condene moralmente estas tragedias, pero apoye los inexistentes derechos a tener hijos comprados y/o una familia, entrará en una contradicción fundamental. Esos "derechos" no son fundamentales ni universales; solo se satisfacen vía artificial y constituyen el origen de la perversa demanda que mantiene viva la compraventa de niños.

5.2. Los niños y las hienas

Comprados o no comprados, nuestros niños viven bajo el constante acecho de las hienas del progresismo. El miasma arcoíris empaquetado con Ideología de Género (IG) es el más nocivo de todos porque busca deconstruir sus mentes siguiendo el manual derridiano. De esta manera, cuando inicien su vida sexual, ya estarán suficientemente programados para inhabilitar voluntariamente su función reproductiva, sea mentalmente mediante su nueva identidad de género, o peor aun, físicamente mediante devastadoras cirugías de afirmación de género. El adoctrinamiento, que también está dirigido a adolescentes y a jóvenes, los domesticará para convivir cotidianamente con la ignorancia, mediocridad e intrascendencia. No tendrán nada y tampoco serán felices.

La IG se fundamenta filosóficamente sobre el dualismo cartesiano en el que mente y cuerpo son considerados elementos distintos y separables. Aun si la dimensión física objetiva y fáctica de la realidad natural contrasta radicalmente con los pensamientos, percepciones, sentimientos y deseos, esto no será impedimento para, mediante el uso de la tecnología, modificarla a voluntad. Un niño puede ser una niña (o viceversa) si se siente como tal y así lo desea. Legalmente,

243. "Australian charged with sexually abusing twins he fathered with Thai surrogate", *News*, https://www.abc.net.au/news/2014-09-01/australian-who-fathered-surrogate-twins-facing-abuse-charges/5710796

no puede consumir alcohol, fumar y votar en elecciones, pero sí podrá definir su sexualidad. Quien contradiga esto es un innombrable fascista de extrema derecha que debe ser silenciado y/o encarcelado. Se trata de deconstruir la sexualidad genética, biológica, anatómica, fisiológica y psicológica del menor a quien, según los enemigos de la ciencia y la verdad, la sociedad le ha asignado arbitrariamente un sexo biológico al nacer. "Género" es una palabra que define todo y nada a la vez. Esta ambigüedad le permite encapsular la diversidad para explicar lo inexplicable. No es un concepto científico, sino puramente ideológico.

En marzo de 2022, durante una videoconferencia filtrada a la prensa, la ejecutiva de Disney Karey Burke señaló que el 50% de los personajes de su empresa serían representativos de minorías raciales y de LGBT. Burke añadió: "Estoy aquí como madre de dos niños *queer* (no heterosexuales, mi agregado), de hecho, un niño transgénero y otro niño, pansexual, pero también como lideresa"[244]. No sorprende que, con esa clase de líderes, Disney sea crecientemente repudiada por familias del mundo entero, repudio que, afortunadamente, ha visto caer el precio de sus acciones casi un 40% durante los últimos 12 meses[245]. Tomando como fuente un comentario anónimo en Twitter, decir: "Mi hijo es trans" equivale a balbucear: "Mi gato es vegetariano". Ni los niños son trans ni los gatos son vegetarianos por decisión propia. Simplemente, son víctimas reales de la ignorancia, aspiraciones, preferencias y/o perturbaciones de los desadaptados que los crían, individuos carentes de juicio y criterio que muchas veces exhiben un falso virtuosismo a cambio de palmaditas aprobatorias, pero al costo de arruinarle la vida a sus hijos (y mascotas). La comunidad científica alquilada al progresismo es una de las principales responsables de esta pandemia de imbecilidad y crueldad. En 2021, "expertos" de la Asociación Americana de Medicina (AMA, por sus siglas en inglés) propusieron eliminar la categoría "sexo" de los certificados de

244. "Disney executive who is the mother of a transgender and a pansexual child says she wants at least half of ALL future characters to be LGBTQIA or racial minorities: Theme parks are now banned from saying: 'hello boys and girls'", *Mail Online*, https://www.dailymail.co.uk/news/article-10666065/Disney-prez-says-mom-transgender-pansexual-children-wants-diverse-characters.html

245. Walt Disney Co., MarketWatch, https://www.marketwatch.com/investing/stock/dis

nacimiento[246]. La execrable propuesta complementa otras que recomiendan acabar con la asignación del sexo biológico al nacimiento[247]. Dime quién te financia —o de quién te beneficias—, y te diré qué clase de "ciencia" practicas.

En un artículo publicado por el *National Post*, el psicólogo canadiense Jordan B. Peterson, a quien tuve el placer de entrevistar[248] y conocer personalmente en Budapest, responde duramente a la AMA señalando que su propuesta "constituye un asalto total a la masculinidad" y que "el axioma primario de los ideólogos que generan este tipo de discurso propagandístico es que la cultura occidental sea considerada un patriarcado opresor".[249]" El análisis del Dr. Peterson es correcto, pero incompleto. ¿Asalto a la masculinidad, ideología, propaganda y Occidente igual a patriarcado? Sí, pero todas estas propuestas van mucho más allá. Lo que buscan es vaciar el concepto de sexo de todo contenido ontológico, esto es, destruir su significado para dinamitar el dualismo sexual natural. De lograrse, la reproducción natural también deja de tener significado y sentido porque solo un hombre y una mujer procrean hijos naturalmente. La diversidad de géneros relativiza todo lo sexual y reproductivo y, si este relativismo lo empoderamos con biotecnología y con transhumanismo en clave 4RI, ni el cielo será el límite para los *Homo deus* de la élite global.

La familia también está siendo atacada. Por familia entendemos un núcleo formado por un padre y una madre, generalmente unidos en matrimonio, y sus hijos. Es, sin duda alguna, la institución más antigua y exitosa de la humanidad cuyas funciones trascienden lo material. También es fuente de seguridad psicológica y emocional para todos sus miembros y un espacio donde cada uno cumple determinadas funciones para el beneficio común. De familias sanas surgen

---

246. Remove Sex From Public Birth Certificates, AMA Says, WebMD, https://www.webmd.com/a-to-z-guides/news/20210616/remove-sex-from-public-birth-certificates-ama-says

247. Ver: (I) "Sex assigned at birth", *SSRN Papers*, https://papers.ssrn.com/sol3/papers.cfm?abstract_id=4032865; (II) "Rethinking sex-assigned-at-birth questions", BMJ, https://www.bmj.com/content/373/bmj.n1261'; y (III) "Assigned sex at birth", Boston Medical Center, https://www.bmc.org/glossary-culture-transformation/assigned-sex-birth

248. "La identidad humana", Jordan B. Peterson y Miklos Lukacs, canal personal, Youtube, https://www.youtube.com/watch?v=1zK1LpOhRBI&t=848s

249. "*It´s Ideology vs Science in Psychology´s War on Boys and Men*", *National Post*, https://nationalpost.com/opinion/jordan-peterson-its-ideology-vs-science-in-psychologys-war-on-boys-and-men

individuos sanos que fortalecen el tejido social. Sin embargo, al igual que el sexo, la familia está siendo atacada por el relativismo imperante para privarla de significado y valor. El ataque no solo es político, legal y cultural, sino también lingüístico.

A partir de la deconstrucción del concepto de familia, podemos crear nuevos tipos de familias. En un artículo publicado en 2021, el diario argentino *La Nación* inicia su bizarra nota de la siguiente manera: "Julieta Demarco está convencida de que el amor toma distintas formas. Es vecina de Saavedra, tiene 44 años y una familia compuesta por dos hijos adolescentes, cuatro gatos, un perro y dos chanchas". Sí, leyó bien: Julieta también es mamá de dos chanchas, cuatro "gathijos" y dos "perrhijos"[250] porque su "familia" es "multiespecie"[251]. La "familia" de Julieta no es la única de ese tipo —abundan los ejemplos en internet—, pero sirve para ilustrar la potente combinación entre la agenda animalista que humaniza a los animales y la IG que devalúa los conceptos de familia, mamá e hijos, para crear un nuevo engendro. Cuatro pájaros de un tiro que le dan a la interseccionalidad su verdadero significado[252]. También existen familias multiparentales o poliamorosas, donde los pobres niños tienen que convivir con dos padres y una madre[253] o con dos madres y dos padres[254]. Sin embargo, las más disolventes, en términos conceptuales, son las familias trans. Aquí encontraremos a familias con un papá, que es una mujer biológica, y una mamá que, en realidad, es un hombre biológico cuyo semen fue

250. "El fenómeno de los 'perrhijos' o 'gathijos' se afianza como modelo de familia en España", *El Confidencial*, https://www.elconfidencial.com/alma-corazon-vida/2022-05-31/perrhijos-gathijos-afianza-modelo-familia-espana_3433830/

251. Ver: (I) "Familias multiespecie: de qué se trata esta nueva concepción del vínculo entre humanos y animales", *La Nación*, https://www.lanacion.com.ar/sociedad/familias-multiespecie-de-que-se-trata-esta-nueva-concepcion-del-vinculo-entre-humanos-y-animales-nid31052021/; (II) Irvine, L. y Cilia, L. (2017). "More-than-human families: Pets, people, and practices in multispecies households", *Sociology Compass*, 11(2); y (III) Gillespie, K. y Lawson, V. (2017). "'My Dog is My Home': multispecies care and poverty politics in Los Angeles, California and Austin, Texas", *Gender, Place & Culture*, Vol. 17(6): 774-793.

252. La interseccionalidad es un marco analítico de las ciencias sociales con enfoque fuertemente progresista que se utiliza para identificar las desigualdades sistémicas que surgen de la superposición e interacción de categorías sociales como el género, la etnia y la clase social.

253. "Two Dads; One Mom: What Could Possibly Go Wrong?", *Forbes*, https://www.forbes.com/sites/patriciafersch/2020/07/13/two-dads-one-mom-what-could-possibly-go-wrong/

254. "The child with two mothers and two fathers who went to court over her", *The Guardian*, https://www.theguardian.com/law/2011/oct/11/two-mothers-two-fathers-court

utilizado para embarazar a su pareja, el papá[255]. También tenemos una familia trans (des)compuesta por una mamá cisgénero, un papá, que es un hombre trans, y dos hijos[256]. Por último, esta una familia en la cual el papá es una mujer trans, la mamá uno es un hombre trans —la pareja del papá— y la mamá dos es la mamá del hombre trans, pero también la abuela del niño, ya que fue ella quien llevó el embarazo[257]. Meteorito, ven a mí.

Quien crea que estos conceptos nacen del imaginario popular se equivoca rotundamente. Todos son cuidadosamente diseñados y empaquetados en universidades y centros de investigación para validarlos apelando a la falacia de autoridad[258]. Lamentablemente, las áreas de humanidades, ciencias sociales y estudios clásicos de la academia global —incluyendo universidades que alguna vez fueron consideradas las mejores— están infestadas de posmodernismo. El principal problema de esta verdadera plaga de la mentira es expuesto por el brillante filósofo inglés Roger Scruton, quien explica que, si un posmodernista afirma algo, nuestro deber es no creerle. Scruton tiene toda la razón; si el relativismo es el fundamento filosófico del posmodernismo, este no puede contener verdades absolutas porque todo puede ser sometido a interpretaciones subjetivas, incluyendo los hechos científicos y los axiomas matemáticos. Por lo tanto, el posmodernismo enfrenta una contradicción fundamental porque constituye en sí mismo una verdad absoluta —lo que precisamente niega—, ya que todo (absolutamente todo) lo que aborda es subjetivo. La crítica filosófica de Scruton ha sido validada contundentemente por académicos de calidad como los

255. "Un varón trans embarazado de cinco meses tendrá un bebé de su pareja, una mujer trans", Télam Digital, https://www.telam.com.ar/notas/202012/537590-personas-gestantes-historia-franco-di-pietro-y-hannah-palacios.html

256. "I'm a Cis Woman. My Husband's a Trans Man. This Is How We Made 2 Babies", *Time*, https://time.com/4259940/transgender-family/

257. "This 61-Year-Old Woman Just Gave Birth To Her Own Granddaughter", *BuzzFeed News*, https://www.buzzfeednews.com/article/shannonkeating/gay-parents-surrogacy-pregnancy-omaha-nebraska-ivf

258. La falacia de autoridad o falacia *ad verecundiam* es aquella en la que la verdad de un argumento se basa en la autoridad o prestigio de la persona que lo postula. Es una falacia lógica porque la verdad no depende de quién realiza la afirmación, sino de las evidencias y razonamientos que acompañan un argumento. Generalmente se apela a esta falacia para eludir la carga de la evidencia o prueba.

físicos Alan Sokal y Jean Bricmont[259] y por el filósofo estadounidense Peter Boghossian[260].

Volviendo a la "academia" del progresismo posmodernista, a sabiendas de la toxicidad y falsedad de sus contenidos ideológicos, diversas plataformas de internet y medios de prensa se encargarán de difundirlos para el adoctrinamiento de los no pensantes. Por ejemplo, el *Washington Post* —propiedad del multibillonario Jeff Bezos— ya adelanta que las familias multiparentales pronto serán reconocidas por los Estados, como parte de la nueva normalidad[261]. Por lo tanto, los ataques a la familia (*ergo*, a los niños) no se detendrán y seguirán produciéndose dentro (y fuera) de sus centros de adoctrinamiento o "escuelas". Estos ataques son complementados por nuevos frentes de intervención. Por ejemplo, algunos paneles publicitarios en Alemania exhiben a una madre y sus dos hijos con la frase "*Zukunft oder Klimakiller?*" —'¿Futuro o asesina del clima?'[262]— para desincentivar la maternidad recurriendo al terrorismo climático. El entretenimiento para niños es otro mecanismo perverso pero muy efectivo. A la plasta de Disney se le suman canales como Discovery Kids, Nickelodeon y

259. En *Imposturas intelectuales* (1998), el estadounidense Alan Sokal y su colega francés Jean Bricmont critican la superficialidad e incompetencia académica de los grandes representantes del posmodernismo que gozaban de inmerecido reconocimiento público. Entre las malas prácticas de los charlatanes expuestos por Sokal y por Bricmont, se encuentran el uso de términos seudocientíficos, la erudición superficial, la argumentación circular y el uso de palabras desprovistas de significado. Como no podía ser de otra manera, entre los mayores críticos de este libro, figura Jacques Derrida, el padre del deconstruccionismo. Ver: Sokal, A. and Bricmont, J. (1998). *Fashionable Nonsense: Postmodern Intellectuals' Abuse of Science*, Picador: New York.

260. Con el apoyo de algunos colegas de la Universidad Estatal de Portland (institución a la que renunció por el permanente acoso de sus autoridades por no someterse a la dictadura de género), Boghossian elaboró 20 artículos "científicos" que envió a las más reputadas revistas "académicas". Tratan sobre estudios de género, teoría crítica y estudios de identidad. De ese total, siete fueron publicados y solo seis fueron rechazados, mientras que los restantes siete fueron sometidos a revisión, aunque con potencial para publicación. Entre los artículos más absurdos que fueron publicados, hay uno que propone entrenar a los hombres como se entrena a los perros para evitar la "cultura de la violación". Un segundo artículo elabora el argumento de que la "astronomía feminista y gay" debería ser considerada parte de las ciencias astronómicas, mientras que un tercero recomienda el "fisicoculturismo obeso". Lo que los trabajos de Boghossian y sus colegas expusieron es la profunda corrupción, ignorancia e irrelevancia de quienes hoy, desde sus inmerecidos puestos, insultan a la ciencia, las humanidades y la verdad. Ver: "A Philosopher's Hoax Embarrassed Several Academic Journals. Was it Satire or Fraud?", *Pacific Standard*, https://psmag.com/education/a-philosophers-hoax-embarrassed-several-academic-journals-was-it-satire-or-fraud

261. "The next normal: States will recognize multiparent families", *The Washington Post*, https://www.washingtonpost.com/outlook/2022/01/28/next-normal-family-law/

262. Ver https://twitter.com/sachinettiyil/status/1494489676446461953

Cartoon Network, plataformas de internet como Youtube y videojuegos que difunden el símbolo y los discursos de la agenda arcoíris en casi la totalidad de sus contenidos[263]. En combinación con el feminismo, la agenda LGBT también apuntará a ridiculizar y criminalizar la masculinidad —y, por extensión, la paternidad— mediante la teoría y práctica de las nuevas masculinidades, una burda herramienta de deconstrucción utilizada para degradar y socavar la masculinidad[264]. El lenguaje también será utilizado para acomodar la diversidad mediante la redefinición legal de padre y/o madre como pariente 1 y como pariente 2[265]—, conceptos convenientemente de género neutro— o recomendaciones para descontinuar su uso y encajar la inclusión, como proponen investigadores de género de la Universidad Nacional Australiana[266].

Como consecuencia de estas medidas y de otras, la familia nuclear está siendo destruida. En un artículo titulado “La familia nuclear fue un error” publicado en 2020, el periodista conservador David Brooks comparte los siguientes datos para explicar el rápido proceso de fragmentación y descomposición familiar en los EEUU[267]:

- Entre 1970 y 2021, el número de hogares compuestos por matrimonios con hijos cayó un 50%.
- En 1960, solo el 13% de hogares estaba compuesto por una sola persona. En 2018, esta cifra aumentó a un 28%.

---

263. “Kids’ networks roll out Pride Month content: ‘With imagination, I can be anything I want’”, *Fox News*, https://www.foxnews.com/entertainment/cartoon-network-nickelodeon-pride-month

264. Las escuelas, colegios, universidades, ONG feministas y LGBT, gobiernos nacionales y organismos internacionales promueven activamente cursos de deconstrucción de la masculinidad como el veneno de las nuevas masculinidades. Ver: (i) “Masculinidades: modelos para transformar”, Gobierno de México, http://puntogenero.inmujeres.gob.mx/mmpt.html; (ii) “Targeting Men, Transforming Masculinities” (TMx2), PNUD-ONU, https://www.sparkblue.org/tmx2#:~:text=Introduction%20to%20TMx2,based%2C%20equitable%20and%20sustainable%20recovery; y (iii) “Masculinidades y cambio social”, Universidad de Buenos Aires, http://www.sociales.uba.ar/masculinidades-cambio-soc

265. “‘Mother’ and ‘Father’ Replaced With ‘Parent 1’ and ‘Parent 2’ in French Schools Under Same-Sex Amendment”, *Newsweek*, https://www.newsweek.com/mother-and-father-replaced-parent-1-and-parent-2-french-schools-under-same-1332748

266. “ANU gender researchers suggest changing terms ‘mother’, ‘father’ to be more gender-inclusive”, *ANU*, https://7news.com.au/lifestyle/anu-researchers-suggest-changing-terms-mother-father-to-be-more-gender-inclusive-c-2174442

267. “The Nuclear Family was a Mistake”, *The Atlantic*, https://www.theatlantic.com/magazine/archive/2020/03/the-nuclear-family-was-a-mistake/605536/

- En 1850, el 75% de los estadounidenses mayores de 65 vivía con sus parientes. En 1990, solo el 18%.
- En 1950, el 27% de los matrimonios terminaba en divorcio. Hoy, es el 45%.
- En 1960, el 72% de adultos en Estados Unidos estaba casado. En 2017, cerca de la mitad son solteros.
- En 2004, el 33% de estadounidenses entre 18 y 34 años vivía sin pareja. En 2018, el 51%.
- La tasa de natalidad actual en los EEUU es la mitad de lo que era en 1960.
- En 2012, más de la mitad de los hogares estadounidenses no tenía hijos. Hoy hay más hogares con mascotas que con niños.
- En 1970, cerca del 20% de los hogares en EEUU estaba compuesta de cinco o más personas. En 2012, menos del 10%.
- En 1960, menos del 5% de los niños nacía de madres solteras. Hoy la cifra llega a un 40%.
- En 1960, el 11% de niños crecía sin su padre biológico. Hoy es el 27%.

Si bien no se pueden extrapolar las consecuencias del intervencionismo progresista de un país a otro, al tener alcance global, las estadísticas mostradas siguen siendo relevantes. Brooks acierta al afirmar que el núcleo familiar está sufriendo los cambios más radicales en la historia por motivos económicos, culturales —creciente individualismo y materialismo— e institucionales, pero convenientemente omite que estos son producto de las narrativas, políticas y regulaciones que el progresismo globalista, al que adhiere, viene implementando durante las últimas dos décadas. Los seres humanos necesitamos la estabilidad, afecto, seguridad e identidad que nos aporta la familia nuclear. No es una institución perfecta —nada que surja del ser humano lo es—, pero destruirla para acomodar cualquier asociación entre seres sintientes exacerba las consecuencias. Sin embargo, este es solo un pequeño daño colateral en el gran esquema de las cosas. El principal propósito, al cual la destrucción de la familia contribuye, es crear nuevas instituciones a partir de una naturaleza humana física, mental, cognitiva y moralmente modificada, tarea en la que la tecnología juega, y seguirá jugando, un rol protagónico.

A las cifras del artículo de Brooks se les suman las mostradas por Ipsos y por Gallup en el capítulo anterior. Estas sugieren que las mentes de millones de jóvenes en EEUU —y el mundo— fueron deconstruidas de manera muy efectiva. Como resultado del intenso adoctrinamiento, cientos de niños de las generaciones Millenial y GenZ —los adolescentes y jóvenes de hoy, algunos menores de 14 años— decidieron reafirmar su género sometiéndose a brutales mastectomías, histerectomías, amputaciones de genitales, implantes de senos, faloplastías, vaginoplastías y tratamientos hormonales permanentes para perpetuar las disforias que los aquejan. Particularmente grotescas son las faloplastías, en las que trozos de músculo tomados del antebrazo, pantorrillas y/o abdomen —que llegan a exponer huesos como el cúbito, radio y peroné[268]— son utilizados para construir penes falsos. La cirugía incluye la instalación de un catéter dentro del nuevo "pene" para orinar y un implante con un sistema de bombeo externo para parodiar la erección. Sin embargo, también surgen severos problemas posoperatorios como incontinencia urinaria, infecciones recurrentes y problemas circulatorios en las extremidades mutiladas[269]. Las complicaciones de las vaginoplastías —procedimiento mediante el cual el pene y los testículos son removidos y se procede a crear una vagina artificial— no son muy diferentes, aunque la preservación de la próstata, en algún momento, le recordará al nuevo hombre trans cuál es su verdadero sexo. Lo que es común para ambas cirugías es que terminan anulando (o limitando) la sensibilidad. Además, también generan graves problemas psicológicos expresados, de 10 a 15 años después de la operación, en tasas de suicidio 20 veces mayores que las de la población normal[270].

---

268. Los siguientes enlaces llevan a fotografías donde se puede apreciar la realidad detrás del discurso edulcorado de estas cirugías. Son imágenes con contenido explícito, por lo que se recomienda discreción al verlas. (i) https://parjournal.net/article/view/3679; (ii) https://www.researchgate.net/figure/Radial-forearm-free-flap-phalloplasty-design-and-outcomes-a-preoperative-flap-markings_fig2_318771165

269. El canal del transexual estadounidense Cody Talks ofrece una serie de reveladores confesiones sobre los problemas posoperatorios. https://www.youtube.com/watch?v=gjSqNVZqb3Q

270. "Sex Reassignment Doesn't Work. Here Is the Evidence", The Heritage Foundation, https://www.heritage.org/gender/commentary/sex-reassignment-doesnt-work-here-the-evidence

La reconfiguración sexual mediante estas salvajes carnicerías está aportando la nueva camada de parientes, medres, pxdres —o cualquier otro término que le venga a la mente— que conformarán los nuevos tipos de familia del futuro. Sin embargo, el impacto combinado que estas aberraciones está teniendo sobre los niños no puede (ni debe) ser ignorada. Un riguroso estudio publicado por el sociólogo estadounidense Paul Sullins en 2016 mostró que el 92% de los niños criados por parejas homosexuales sufre abuso; el 51%, depresión; y el 72% es obeso[271]. Como era de esperar, no faltaron los infundados ataques de la rentada comunidad LGBT a Sullins, a quien le enrostraron su catolicismo y lo calificaron como homofóbico y como pseudocientífico[272]. En *El fin del género* (2021), la psicóloga Debra Soh respalda empíricamente conclusiones como las de Sullins y afirma que la comunidad científico-académica está contribuyendo a redefinir la ciencia para acomodar las diversas ideologías progresistas. Agrega que los investigadores con integridad están siendo sistemáticamente silenciados y/o despedidos por defender la verdad[273]. Soh habla con la voz de la experiencia, ya que ella misma —expromotora de la diversidad— fue "inclusivamente" expectorada de las subredes progresistas a las que pertenecía.

Como se podrá comprobar, los ataques a la niñez son directos vía IG, pero también indirectos mediante la demolición de la familia nuclear. Son ataques incesantes y complementados por otras agendas arcoíris que abarcan lo ideológico, lo psicológico, lo cultural, lo lingüístico y lo medioambiental, cuyo propósito es redefinir y reconfigurar al ser humano mediante la redefinición y reconfiguración de sus instituciones. Se trata de deconstruir, deconstruir y deconstruir para programar mentes, hábitos y costumbres que, a largo plazo, limiten o destruyan la capacidad reproductiva de millones de niños, adolescentes y jóvenes en todo el planeta.

271. Sullins, P. (2016) "Invisible Victims: Delayed Onset Depression among Adults with Same-Sex Parents", *Depression Research and Treatment,* 2016; 2016:2410392.

272. "Anti-LGBT researcher who pushes harmful pseudoscience joins anti-LGBT hate group", *SPLC,* https://www.splcenter.org/hatewatch/2018/05/15/anti-lgbt-researcher-who-pushes-harmful-pseudoscience-joins-anti-lgbt-hate-group

273. Soh, D. (2021). *The End of Gender*, Threshold Editions: New York.

5.3. Prototranshumanismos

A la disforia de género se le suma la disforia de especie. Manel de Aguas es un joven catalán conocido como el "joven pez", aunque él se define como transhumano. Se instaló dos aletas en la cabeza para "medir la presión atmosférica, el clima y la temperatura"[274]. Manel es uno de los primeros transhumanos, un ser "mejorado" que, gracias a la tecnología, ha adquirido nuevas —aunque cuestionables— "supercapacidades". Ya vimos que los *biohackers* también se comportan como conejillos de indias en busca de los tres "super". Junto a Manel, son los pioneros del transhumanismo práctico, pero también su versión más rudimentaria. Seguramente, Manel creció utilizando aplicaciones en redes sociales, pero estas no se comparan con las que existen hoy. Por ejemplo, redes como Instagram y como Snapchat ofrecen aplicaciones y filtros en Instagram que deforman, afeminan, envejecen y/o animalizan los rostros, que los convierte en neandertal, perro, mujer, trans y/o Hulk[275]. Se subestima gravemente el poder de estas aplicaciones que van acostumbrando las mentes de los más pequeños a la diversidad morfológica. Son el segmento de la población que, gracias a su ingenuidad y a su sutil adoctrinamiento, se muestra más tolerante a individuos con una severa crisis de identidad y necesidad de atención como Manel.

El prefijo "trans" no es aleatorio. Las categorías de transgénero, transexual, transedad, transraza, transespecie, transcapaz, e incluso transbotánico son versiones toscas, pero preliminares del transhumanismo concebido por David Pearce, Bostrom y Max More, entre otros. Son prefijos que muestran, una vez más, el uso del lenguaje como instrumento de poder cultural. Aquí también se manifiesta en todo su esplendor el dualismo cartesiano, pero agregando el relativismo que permite someter los hechos científicos a antojadizas reinterpretaciones del ser humano, desde la "ciencia" posmodernista, que afirma que la vida ya no se inicia desde la concepción, hasta absurdas críticas a las

274. "Manel es transespecie, cyborg y tiene dos aletas implantadas en la cabeza: 'No soy 100% humano'", *El Español*, https://www.elespanol.com/reportajes/20220904/manel-transespecie-ciborg-aletas-implantadas-cabeza-no/700180365_0.html

275. "9 Best Animal Face Changer Apps That Will Make Your Look Animal", *USBCell Drive*, https://usbcelldrive.com/best-animal-face-changer-apps/

matemáticas por ser "sexistas"[276]. Con estos antecedentes, procederé a explorar las diferentes categorías trans que nos regala la decadente civilización occidental.

Transgénero y transexual

La diferencia principal entre un transgénero y un transexual es que el segundo modifica su cuerpo mediante cirugías de reasignación o afirmación de género; pasa a convertirse en una subcategoría del primero. Un transgénero mantiene sus órganos sexuales de nacimiento mientras que el transexual se somete a faloplastías, vaginoplastías, y otras cirugías para convertirse en algo que biológicamente no es. El sexo de un ser humano se determina genéticamente al momento de la concepción siendo los gonosomas o cromosomas sexuales de las niñas XX y de los niños XY. Existen casos médicos excepcionales como la androginia, en la cual los rasgos externos o fenotipo de un individuo no se corresponden definidamente con los de su genotipo[277] o sexo determinado en la concepción[278]. La androginia es una condición que afecta a entre un 0,02 y un 0,05% de la población[279]. No obstante, esta cifra también demuestra cómo se intentan normalizar las excepciones que derivan en legislación y políticas perjudiciales para más del 90% de la población. A partir del relativismo imperante también se ha llegado al extremo de afirmar que las mujeres trans menstrúan[280] y pueden quedar embarazadas. De hecho, instituciones oficiales de gobierno ya utilizan el concepto de "persona embarazada" para, desde

276. "Is Mathematics Sexist Now?" *News Talk WBCK*, https://wbckfm.com/is-mathematics-sexist-now/

277. El genotipo corresponde a la secuencia específica de nucleótidos que configuran el ADN de cada persona, mientras que el fenotipo corresponde a las expresiones observables de dicha configuración como, por ejemplo, las características físicas observables de esa persona.

278. En el lenguaje progresista, se recurre al conveniente término "intersexualidad".

279. Feldman, S. (2018). "Disorders of Sex Development", *Best Practica & Clinical Research Obstetrics & Gynaecology*, Vol. 98, 40-102. https://www.sciencedirect.com/science/article/abs/pii/S1521693417301955?via%3Dihub

280. Los niños no son ajenos a esta barbaridad anticientífica. La nueva serie Baymax en Disney+ muestra a un personaje trans aconsejando a una niña sobre qué toalla higiénica debe comprar. Ver: (I) https://www.dailymail.co.uk/news/article-10975901/Disneys-new-kids-animated-series-Baymax-shows-transgender-man-buying-tampons-supermarket.html; y (II) "Yes, some men bleed: Why JK Rowling is wrong that only women", *The Times of India*, http://timesofindia.indiatimes.com/articleshow/76363810.cms?utm_source=contentofinterest&utm_medium=text&utm_campaign=cppst

el Estado, y reforzando la falacia de autoridad, imponer una mentira que reinterpreta y erosiona intencionalmente el dualismo sexual[281].

Transedad

Los individuos que sienten que su edad legal es incompatible con la edad que creen tener se denominan "individuos transedad". Son personas "edad fluido", concepto fundamentado en el mismo relativismo que sustenta el "género fluido". Por ejemplo, una mujer de 75 años que siente tener 18 y actúa como tal es calificada como "transedad". Pero no hay que recurrir a la ficción para encontrar casos reales. Algunos pueden parecer inofensivos, como el de Betheny Frankel, una madre de cuatro niños que usa su ropa porque se identifica con la edad de sus hijos, o el de la británica de 28 años Lucy Anne, quien comparte la misma autopercepción de Frankel[282]. Inicialmente, toda nueva normalidad es presentada como inofensiva, pero sus peligros y sus consecuencias no tardan en manifestarse. Tal es el caso del canadiense Paul Wolscht, un hombre de 54 años, casado y padre de siete hijos, que decidió convertirse en Stefonkee, una dulce niña de seis años debido a que la vida adulta lo abrumaba[283]. ¿Alguien dijo "pedófilo en potencia"? Intuyó correctamente. En 2020, durante una audiencia judicial por tráfico y pornografía infantil, el pedófilo convicto Joseph Gobbnick utilizó como argumento de defensa legal sentirse como una niña de 8 años[284].

---

281. Algunos ejemplos los aportan: (I) el Centro para el Control de Enfermedades de los EEUU (CDC, por sus siglas en inglés) https://www.cdc.gov/coronavirus/2019-ncov/need-extra-precautions/pregnant-people.html; (II) Ciudad de Buenos Aires https://www.buenosaires.gob.ar/salud/programasdesalud/salud-materno-infantil/derechos-de-las-personas-gestantes-durante-el-embarazo; y (III) "Vaccination and pregnancy: COVID-19", Government of Canada, https://www.canada.ca/en/public-health/services/immunization-vaccines/vaccination-pregnancy-covid-19.html

282. Ver: (I) "Horrified by Bethenny Frankel? Plenty of adults wear children's clothes", *Today*, https://www.today.com/health/bethenny-frankel-not-alone-some-adults-wear-kids-clothes-save-1D79928359; y (II) "Woman, 28, dresses up like adult baby, uses dummies and even wears nappies", *Mirror*, https://www.mirror.co.uk/news/world-news/woman-28-dresses-up-like-26057248

283. "Transgender father Stefonknee Wolscht who left family to be a six-year-old girl 'uses child's play to escape adult life'", *Independent*, https://www.independent.co.uk/news/world/americas/transgender-father-stefonknee-wolscht-who-left-family-to-be-a-sixyearold-girl-uses-child-s-play-to-escape-adult-life-a6775051.html

284. "Convicted sex offender offers bizarre defense in kiddie porn case", *New York Post*, https://nypost.com/2020/01/14/convicted-sex-offender-offers-bizarre-defense-in-kiddie-porn-case/

Transraza

Al transgénero y a la transedad se les suman los transraza, personas que se identifican con una raza distinta a la determinada por su genética. Entre los transraza más representativos, se encuentran la exsenadora demócrata Elizabeth Warren, la modelo mil oficios alemana Martina Big y el *influencer* británico, Oli London. La primera es una exsenadora demócrata que en 2018 fue blanco de burlas debido al apodo "Pocahontas" que le endilgó el expresidente de EEUU, Donald Trump. Sucede que, especialmente durante su época universitaria, Warren se promocionó públicamente como indígena americana a pesar de sus evidentes rasgos noreuropeos. Obligada por la intensa presión generada por Trump, Warren se sometió a una prueba de ADN que determinó solo cinco segmentos genéticos de la etnia en cuestión, entre los miles de millones posibles[285]. En cuanto a Martina Big, en 2012 aumentó el tamaño de sus senos, característica que dio origen a Big, y en 2017 se sometió a diversos tratamientos de pigmentación y coloración de piel. Para reafirmar su flamante nueva identidad, Martina viajó a Kenia, donde fue bautizada como "Malaika Kubwa" por una tribu local[286].

Los casos de Warren y de la modelo alemana revelan la total impunidad para quienes abusan de algo tan importante como la identidad personal. Lo hacen porque es rentable y/o beneficioso gracias al relativismo imperante. También destaca la obsesión patológica por atención de quienes recurren a esta condenable práctica. El caso del *influencer* británico Oli London ilustra ambos aspectos. Este hombre biológico de 32 años se sometió a 18 cirugías plásticas para parecerse a su ídolo, la estrella de K-Pop coreano Park Ji-min, y autoidentificarse como coreano[287]. Lo que London jamás imaginó fue que sus decisiones le generarían fuertes críticas de la comunidad trans, que calificó sus acciones y palabras como apropiación cultural producto de su

---

285. "Trump resumes 'Pocahontas' moniker after Warren DNA test", CNN, https://edition.cnn.com/2018/10/16/politics/trump-warren-tweet-dna-test/index.html

286. "White woman who turned herself 'black' now adopts Kenyan name", *Nairobi News*, https://nairobinews.nation.africa/white-woman-turned-black-kenyan-name/

287. "British influencer 'identifies as Korean' after 18 surgeries", *NZ Herald*, https://www.nzherald.co.nz/lifestyle/british-influencer-identifies-as-korean-after-18-surgeries/ZLPAHQDT5LGWPMEY5AQTAI6S7I/

racismo, transfobia y posición de privilegio[288]. ¿Cuál fue el verdadero crimen de London?, ser blanco. Queda claro que, entre los múltiples colectivos trans, en los que todos son iguales, algunos son más iguales que otros.

Transcapaz

La transcapacidad o Trastorno de Identidad de Integridad Corporal (BIID, por sus siglas en inglés) es una enfermedad caracterizada por el deseo intenso de poseer una discapacidad. Los transcapaces se sienten impostores en sus cuerpos completamente sanos[289]. Entre los casos más notables se encuentran los de Chloe Jennings-White, una estadounidense de 67 años, quien decidió postrarse voluntaria y permanentemente en una silla de ruedas porque no toleraba sus piernas. Ya en 2013, esta mujer graduada de la Universidad de Cambridge solicitó formalmente una cirugía de cercenamiento de su médula espinal para quedar parapléjica, pero el costo de la intervención le impidió convertir su deseo en realidad[290]. Un caso más impactante aún es el de Jewel Shupin, una joven quien, en 2006, con la ayuda de su psicóloga, se aplicó detergente industrial en los ojos para quedar permanentemente ciega.[291] En internet circulan otros casos como el de *One Hand Jason* ('Jason una mano'), quien se amputó el brazo derecho o el de David, que se amputó la pierna derecha mediante cirugía. Pero la información disponible es poco confiable.

Cualquier persona que atente contra su integridad física con tal grado de salvajismo debería ser internada en un nosocomio y tratada por psiquiatras para recuperarse y reintegrarse a la sociedad. Sin

288. "No, you can't identify as 'transracial'. But you can affirm your gender", *The Conversation*, https://theconversation.com/no-you-cant-identify-as-transracial-but-you-can-affirm-your-gender-163729

289. "Becoming disabled by choice, not chance: 'Transabled' people feel like impostors in their fully working bodies", *National Post*, https://nationalpost.com/news/canada/becoming-disabled-by-choice-not-chance-transabled-people-feel-like-impostors-in-their-fully-working-bodies

290. "I live like a disabled person even though I'm physically healthy... and now want a surgeon to cut my spinal cord: Rare condition has made woman, 58, disown her leg", *Daily Mail*, https://www.dailymail.co.uk/news/article-2366260/Body-Integrity-Identity-Disorder-Chloe-Jennings-White-58-disown-legs.html

291. "Woman who dreamed about being blind had DRAIN CLEANER poured in her eyes by a sympathetic psychologist to fulfil her lifelong wish and now she's never been happier", *National Post*, https://www.dailymail.co.uk/health/article-3256029/Woman-dreamed-blind-DRAIN-CLEANER-poured-eyes-fulfil-lifelong-wish-says-happier-ever.html

embargo, a pesar de la crudeza de sus acciones, estos enfermos siguen siendo adultos que toman malas decisiones libres de coerción. En 2002, una pareja de lesbianas ordenó fabricar un hijo, pero solicitó que su producto fuera sordo como ellos[292]. Para tal fin convocaron a un donante cuya familia había producido cinco generaciones de sordos. De sus egoístas y perversas decisiones nació un niño con sordera casi completa, discapacidad que comparte con su hermana de cinco años. Que ambas mujeres sean especialistas en salud mental dice mucho de la calidad de los servicios educativos y profesionales actuales. ¿Cuál es la diferencia entre seleccionar un embrión con genes de sordera y dejar sordo a un niño perfectamente sano?[293], ninguna. ¿Hasta qué punto las consecuencias de los deseos de adultos deben ser asumidos por menores? En ninguno, sin importar el caso y su contexto. ¿En qué se diferencia la amputación voluntaria de un brazo a la de un pene? En nada, pero, hasta el momento, uno califica como patología y el otro como valentía virtuosa.

Transespecie

Los transespecie son otra insólita variante de la comunidad pre- o prototranshumanista. Según la psicóloga estadounidense y activista por los derechos de los animales Gay Bradshaw, "el prefijo *trans* reincorpora a los humanos dentro de la gran matriz del reino animal mediante la eliminación del 'y' entre los humanos y los animales, que ha sido utilizado para demarcar y reforzar la falsa noción de que los humanos son sustantivamente diferentes cognitiva y emocionalmente de otras especies"[294]. De la abstracta definición de Bradshaw podemos definir a un transespecie como aquel individuo cuya mente y cuerpo entran en conflicto para determinar su identidad, en este caso entre la de un animal, o cualquier otra criatura imaginaria, y un ser humano. Para el investigador de la Universidad de Cambridge, Pedro Feijó, los

292. "Lesbian couple have deaf baby by choice", *The Guardian*, https://www.theguardian.com/world/2002/apr/08/davidteather

293. La dimensión ética del caso del menor condenado a ser sordo es abordada en profundidad por el filósofo finlandés Matti Häyry. Ver: M. (2004). "There is a Difference Between Selecting a Deaf Embryo and Deafening a Hearing Child", *Journal of Medical Ethics*, 30: 510-12.

294. "Trans-species Living: An Interview with Gay Bradshaw", *Animal Visions*, https://animalvisions.wordpress.com/2010/09/17/trans-species-living-an-interview-with-gay-bradshaw/

transespecie son expresión de "otroridad" —en alusión a la sororidad feminista—, pero también de neurodiversidad. Feijó añade que autocalificarse como ser humano podría configurar un caso de disforia especista a la inversa debido a que el concepto identidad no es exclusivo de nuestra especie[295]. La gimnasia conceptual de Feijó no es otra cosa que la reinterpretación del dualismo cartesiano desde el movimiento animalista que apunta, como ya he sostenido anteriormente, a la humanización de los animales y la animalización del ser humano.

Entre los más reconocidos transespecie del momento se encuentran Erik, el hombre lagarto[296]; Nano, la mujer gato[297]; y Larry, el hombre leopardo[298]. Pero, si nos adentramos más en el mundo de la fantasía, no sería posible excluir al dragón sin género[299] y al extraterrestre sin género[300]. A los casos mencionados se les suman el Alien negro y Diablo Pradd. El primero, Anthony Loffredo, un francés de 33 años físicamente sano, se tatuó todo el cuerpo con tinta negra, incluyendo los ojos, se implantó prótesis metálicas en la cabeza, partió su lengua en dos y decidió amputarse la nariz, las orejas y los dedos anular y meñique de ambas manos —una muestra de su complementaria transcapacidad— para afirmar su identidad[301]. El otro, Michel Prado, es un brasileño que siguió el camino de Loffredo, con el propósito de quitarle la corona como el transespecie más extremo del planeta[302].

295. "Why be human when you can be otherkin?", University of Cambridge, https://www.cam.ac.uk/research/features/why-be-human-when-you-can-be-otherkin

296. "Erik Sprague on Becoming the Lizard Man", *AOL*, Youtube, https://www.youtube.com/watch?v=7tj4zScXrAY

297. "20-Year-Old Woman Claims She Is A Cat Born In The Wrong Body", *Inside Edition*, Youtube https://www.youtube.com/watch?v=rLmwLcLikXQ

298. "Tattoos From Head To Toe: Larry The Leopard Man", *Truly*, Youtube https://www.youtube.com/watch?v=RTuPzXiAEOg&t=21s

299. "I Went From Hotshot Banker To Genderless Reptile", *Truly*, Youtube https://www.youtube.com/watch?v=e9HxE4ROUvM

300. "El sujeto en cuestión, un hombre biológico de 23 años llamado *Vinny Ohh*, se sometió a 110 procedimientos médicos y tres cirugías con un costo total de US$60.000 para cumplir su sueño identitario". Ver "Remove My Genitals To Make Me A Genderless 'Alien'", *Truly*, Youtube, https://www.youtube.com/watch?v=2lkybOCvLTA

301. "The Black Alien Project Now Regrets His Transformation?", *Pk Chronicles*, Youtube, https://www.youtube.com/watch?v=FOwNWRL5q6k Butt Baby https://www.alertadigital.com/2022/09/14/occidente-camino-al-infierno-ponen-a-la-venta-bebes-de-silicona-para-que-los-hombres-trans-puedan-introducirselo-por-el-ano-y-simular-un-parto/

302. "Running with the Devil Brazilian tattoo artist modifies body into Satan lookalike", *CGTN America*, Youtube https://www.youtube.com/watch?v=0bst6RL6Isw

Las nuevas identidades de Loffredo, Prado y compañía fueron posibles gracias a la modificación corporal o *body morphing*, que incluye otras prácticas como la escarificación —la realización de tatuajes mediante cicatrices que quedan al extraerse trozos de piel— y el *corcet piercing*, en el que las personas se insertan anzuelos y agujas en la piel para insertar aros, que luego unirán con cintas o con cadenas simulando un corsé. Resulta inevitable preguntar cuándo se convirtió en discurso de odio afirmar que estas personas están mentalmente alteradas sin correr el riesgo de la cancelación. Normalizar anormalidades como estas y no denunciarlas es una de las principales causas de la debacle moral y cultural de nuestra civilización.

Los innumerables casos presentados, todos debidamente reseñados y sustentados, despejan toda duda sobre la íntima relación entre naturaleza humana, tecnología, modificación e inhabilitación para la reproducción natural que planteo en este libro. Esta relación fue, es y seguirá siendo activamente promovida e impulsada por la red del progresismo globalista, con el propósito de reducir la población bajo criterios maltusianos. Seguirán aplicando su mecanismo de incentivos y desincentivos, en todo nivel y a través de todos los sectores de la sociedad, para —en nombre de la protección de la Madre Tierra— contener su destrucción mediante la contención de la reproducción humana. El mayor costo de sus intervenciones —representadas por las múltiples agendas que surgen del alarmismo climático— lo absorberán las víctimas adoctrinadas que voluntariamente recurrirán a la tecnología para acabar con su integridad, dignidad e identidad física, mental, moral y espiritual. Para los ingenieros sociales, este costo tiene está moralmente justificado porque intentan evitar la materialización de un riesgo existencial. Sin embargo, con el surgimiento de las nuevas tecnologías, se suman el discurso y los programas de la 4RI que expanden las ambiciones y justificaciones del progresismo. A la justificación maltusiana para el control demográfico se le suma la justificación posdarwiniana, que no solo derivará en menos seres sintientes, sino también en mejores.

Capítulo VI

Neo entes

La sobrepoblación es la causa de tiroteos callejeros y otros males sociales, pero la raíz del problema es el cristianismo, que postula que la gente es más importante que las nutrias y los elefantes.

Ted Turner, *National Review* (1992)

No hay duda de que un mundo completamente femenino sería un drástico intento para solucionar todos nuestros problemas. Pero quizás se requieren soluciones drásticas.

John Harris, *El valor de la vida* (1985)

O nos autodestruimos mediante una catástrofe nuclear o ecológica o nos mejoramos y nos transformamos en algo muy diferente al Homo sapiens.

Yuval Noah Harari, *VPRO* (2017)

Para los transhumanistas, el proceso de evolución darwiniana presenta tres grandes problemas. Primero, es un proceso demasiado lento. Según esta teoría científica, las características físicas y los primeros comportamientos asociados a nuestra especie provienen de ancestros simiescos que evolucionaron durante aproximadamente seis millones de años, mientras que caminar erguidos nos tomó cuatro millones de años[303]. Segundo, los transhumanistas consideran que la evolución natural es un proceso cruel que inflige el dolor y sufrimiento innecesarios a las especies más débiles. Esta realidad ataca frontalmente su principio de maximización de placer. Finalmente, la evolución biológica no tiene una teleología, es decir, una dirección y propósito claros, lo cual es incompatible con la materialización de los tres "super". Por lo tanto, sostienen, ha llegado la hora de volvernos dueños de nuestro destino tomando el control absoluto de nuestra propia evolución, emprendimiento que será posible gracias a las tecnologías convergentes. Este es el razonamiento del posdarwinismo; no solo seremos menos, sino también mejores.

Cumplir el sueño de ejercer dominio absoluto sobre nuestra existencia necesariamente pasa por controlar todos los procesos de creación, "mejoramiento" y destrucción de vida. Y es aquí donde empiezan a articularse e integrarse los métodos y propósitos de la agenda arcoíris. La mejor forma de empezar este ejercicio integrador es con *El valor de la vida* (1985), libro escrito por el profesor emérito de la Universidad de Manchester, John Harris (1947)[304]. El experto en bioética juega con la posibilidad de crear una sociedad compuesta únicamente por mujeres, en la que la reproducción humana se realice, entre otras alternativas, mediante partenogénesis[305]. Según Harris, esta propuesta

303. "Introduction to Human Evolution", Smithsonian Institute, https://humanorigins.si.edu/education/introduction-human-evolution#:~:text=Scientific%20evidence%20shows%20that%20the,over%204%20million%20years%20ago.

304. Cabe destacar que Harris ha prestado servicios de consultoría profesional en temas bioéticos a la Organización Mundial de la Salud, Comisión Europea, Parlamento Europeo, Programa Conjunto de las Naciones Unidas para el VIH/sida, Departamento de Salud del Reino Unido, Consejo de Salud de los Países Bajos y el Consejo de Investigación de Noruega entre otras organizaciones.

305. La partenogénesis es un mecanismo de reproducción que consiste en el desarrollo de gametos femeninos no fecundados —óvulos—, que se segmentan a sí mismos hasta formar un embrión completo y dotado del mismo material genético de su progenitora. Es una forma de reproducción asexual —no requiere coito ni fecundación de óvulo por un espermatozoide— que no

se justifica porque las mujeres son menos agresivas y competitivas que los hombres. Siendo criaturas más armónicas y pacíficas, estas cualidades también las expresan mediante relaciones emocionales y físicas mucho más estables. El problema con este distópico escenario es que Harris deja de plantear esto como una posibilidad para argumentar en favor de su implementación:

> A medida que los hombres mueran y el milenio feminista se acerque, las mujeres gradualmente tomarán control de todas las posiciones anteriormente ocupadas por hombres. La familia tradicional cambiará. Podría desaparecer completamente y ser reemplazada por familias extendidas o de crianza colectiva. Algunas mujeres, definitivamente, entablarán relaciones homosexuales y criarán infantes bajo el tradicional modelo biparental. Otras considerarán la posibilidad de tener hijos sin tener relaciones sexuales como algo positivo. Como es de esperar, para otras, la pérdida de relaciones heterosexuales será una gran fuente de infelicidad. Sin embargo, todas estarán de acuerdo en que este prospecto, a pesar de ser tan desolador, es preferible al modelo alternativo de una sociedad dominada por hombres y más sensible a desastres, y estarán de acuerdo en que las potenciales ganancias superan largamente las pérdidas proyectadas[306].

A su propuesta, Harris le agrega que los hombres "racionales" también estarían de acuerdo con esa posibilidad y que la manipulación biotecnológica sería el camino correcto para lograr este objetivo. Incluso, ante la inevitable pérdida de variedad genética, el académico británico confía en que las féminas podrían compensarlo. Se pregunta si existen suficientes razones morales para prevenir la realización de un mundo totalmente femenino. Más aún, ¿qué sucedería si todas las mujeres deciden lograr este objetivo? ¿Sería correcto que los hombres intentaran detenerlas? Con el hitleriano subtítulo "La solución final",

---

aporta variedad genética a la especie, sino que crea copias genéticas —clones— de la madre. Únicamente las hembras de ciertas especies —pulgones, tiburón martillo, Dragón de Komodo— son capaces de este tipo de reproducción.

306. Harris, J. (1985). *The Value of Life: An Introduction to Medical Ethics*, Routledge: London. p. 169.

Harris reconoce que ese escenario sería un desastre para los hombres, pero no necesariamente para la humanidad. Es más: no sería desastre alguno si los hombres adhieren a un acuerdo de transición en el cual solo tendrían que esperar su completa desaparición pacíficamente, siempre y cuando renuncien a ser padres. Su única alternativa sería violar a las mujeres pero, según Harris, tener hijos mediante violación no es un derecho de los hombres. Harris cierra su distópico escenario reafirmando que una sociedad completamente femenina, aunque improbable, no es mala idea, ya que "nuevas técnicas incrementarán las posibilidades de cambiar nuestra naturaleza, y consecuentemente, el destino de la humanidad"[307]. Piense en "masculinidad tóxica", "nuevas masculinidades", "El violador eres tú", "Mi cuerpo, mi decisión", "libertad procreativa", "cuotas de género" y "familias diversas", y notará que las respuestas comienzan a articularse espontáneamente. No asigno monocausalidad a la teoría de Harris... eso sería absurdo. Afirmo que el conjunto de conceptos, teorías, ideologías, discursos, políticas y leyes progresistas, al que Harris aporta una porción, son la causa que explica las barbaridades que hoy observamos.

La propuesta de Harris es la de un académico con rango de profesor emérito, y no la de un novelista de ficción como Orwell o como Huxley, y su contenido es abiertamente eugenésico. "Eugenesia" proviene del prefijo griego "eu" —bien, normal— y la palabra "gene" —generación, origen—, lo cual nos da su significado. Inspirado por la genética mendeliana, la teoría evolutiva de su famoso medio primo, Charles Darwin, y las contribuciones de Auguste Comte y de Herbert Spencer al racismo científico en la segunda mitad del siglo XIX, Francis Galton fue el primero en acuñar el término en 1883 y crear esta nueva rama "científica" con la idea de controlar la evolución y desarrollo de la humanidad. Con el paso de las décadas, la eugenesia adquirió el rango de ciencia; se desarrollaron conferencias con "científicos" y con "expertos". Cabe destacar las tres Conferencias Internacionales de Eugenesia en Londres (1912) y en Nueva York (1921 y 1932). Durante su intervención en la segunda edición, el decorado profesor de

307. Ibíd. , p.172.

biología de la Universidad Johns Hopkins, Raymond Pearl, mostró el verdadero rostro de esta disciplina declarando lo siguiente:

> No solo es deseable para el interés eugenésico de la raza, recortar, de hecho, extinguir completamente, las altas tasas de nacimiento de las porciones no aptas y defectuosas de la humanidad, pero también es igualmente deseable, debido a la amenazante presión de la población mundial, reducir la tasa de natalidad de los pobres, aun cuando esa desafortunada y menos valiosa porción de la humanidad sea biológicamente sana y fuerte[308].

Es inevitable no establecer paralelos entre el rigor científico de la ciencia eugenésica y los estudios de género; la primera concluyó con el genocidio de millones de seres humanos en cámaras de gas mientras que la segunda aún nos depara lo peor. El país que con mayor entusiasmo abrazó la eugenesia fue EEUU, donde más de la mitad de sus estados implementaron políticas de control de natalidad sobre "poblaciones indeseables" —enfermos mentales, discapacitados, pobres, negros e inmigrantes—, financiadas por el gobierno federal. En este ambiente surge Planned Parenthood, la internacional abortista fundada en 1916 por la feminista radical, pionera del control de la natalidad y una de las más entusiastas promotoras del movimiento eugenésico, Margaret Sanger[309]. La experiencia eugenésica estadounidense fue tomada como modelo por los alemanes, especialmente desde la consolidación del nacionalsocialismo en 1933 para, posteriormente, desarrollar sus políticas de superioridad racial[310]. Resulta imposible separar la historia de la eugenesia de la historia del control

---

308. Connelly, M. (2008). *Fatal Misconception: The Struggle to Control World Population*, Harvard University Press: Cambridge, p.59., citando a Megaw, J. *Population and Health in India*, 161-164, 167-168.

309. William Gates Sr., padre de Bill Gates, fue miembro de la junta directiva de la nefasta International Planned Parenthood Federation. Afirmar que las ideas y comportamientos de los padres no influyen sobre la mentalidad de sus hijos es como sostener que los animales y los seres humanos comparten una moral. Este antecedente explica parcialmente la obsesión de Gates con la reproducción humana, expresada mediante los fondos millonarios que destina a este tema mediante su fundación "filantrópica", The Bill & Melinda Gates Foundation, la segunda fundación caritativa más grande del mundo con una dotación de US$70,000 millones.

310. Kühl, S. (1994). *The Nazi Connection: Eugenics, American Racism, and German National Socialism*, Oxford University Press: Oxford.

demográfico, ya que la primera sirvió como justificación para el surgimiento e implementación de la segunda.

No fue sino hasta el fin de la Segunda Guerra Mundial cuando la agenda demográfica adquirió real importancia en las esferas del poder político, especialmente en EEUU, Reino Unido y la recientemente creada ONU[311]. Otras organizaciones que la adoptaron fueron Fundación Rockefeller, Fundación Ford y Planned Parenthood, especialmente durante la década de los sesenta, cuando empezaron a implementarse programas de planificación familiar en los países más poblados y pobres del mundo, países que experimentaron un acelerado crecimiento demográfico desde la segunda mitad del siglo xx[312]. La publicación de *La bomba demográfica* en 1968, libro escrito por el biólogo de la Universidad de Stanford Paul Ehrlich, apeló al alarmismo maltusiano advirtiendo que cientos de millones de personas morirían de hambre durante la década siguiente, a pesar de las medidas de mitigación y control demográfico implementadas. Ehrlich vendió más de dos millones de copias y alcanzó el estrellato académico; contribuyó, con su impune falta de rigor científico, a causar olas de pánico a nivel mundial.

La agenda medioambiental también comenzó a tomar fuerza en EEUU y en Europa a inicios de los sesenta y fue fusionándose gradualmente con las políticas de control demográfico. Las intervenciones de agencias de cooperación internacional como USAID y DFID en los países en vías de desarrollo comenzaron a incorporar la contaminación industrial y el uso de pesticidas como justificación para reducir la natalidad[313]. La llegada al poder de Deng Xiaoping en China, y el relajamiento de las relaciones diplomáticas con EEUU a fines de los setenta crearon las condiciones necesarias para que el gigante asiático también se incorporara a la agenda demográfica en 1980, mediante la Política de hijo único[314]. De esta manera, impulsada por gobiernos nacionales, organismos supranacionales, fundaciones filantrópicas,

311. Kasun, J. (1999). *The War Against Population: The Economics and Ideology of World Population Control*, Second Edition, Ignatius Press: San Francisco.

312. Ibíd.

313. Connelly, M. (2008). *Fatal Misconception: The Struggle to Control World Population*, Harvard University Press: Cambridge.

314. Ibíd.

ONG, universidades y medios de prensa, diversas intervenciones de control poblacional terminaron siendo impuestas en todo el mundo. La estructura de la red progresista, cuyo tamaño y estructura aún no conocemos totalmente, se ha construido sobre las bases de esta red primigenia.

La dimensión global alcanzada por ambas agendas —medioambiental y demográfica— y la creciente ambición de la ONU para entrometerse en asuntos nacionales proporcionaron la justificación para organizar la Cumbre de la Tierra en Río en 1992 y la Conferencia Internacional sobre Población y Desarrollo en El Cairo en 1994, caracterizadas ambas por el despilfarro, frivolidad e inoperancia[315]. La Cumbre de Río parió el alarmismo climático mientras que la conferencia en Egipto fracasó en imponer el control de la población como meta global debido al rechazo de los países en vías de desarrollo —especialmente los países islámicos y del África Subsahariana— a sus políticas de educación sexual, salud reproductiva y planificación familiar. A pesar de este revés, la "Declaración Oficial de El Cairo" constituye uno de los documentos rectores de la UNFPA, y sus políticas demográficas continúan implementándose con total impunidad.

Pocos años después, un evento que pasó relativamente desapercibido fue la reunión que los miembros del informal Good Club ('Club Bueno') —compuesto, entre otros, por los filántropos David Rockefeller, Warren Buffett, George Soros, Michael Bloomberg, Ted Turner y Bill Gates[316]— sostuvieron, en mayo de 2009, a puertas cerradas,

315. Kasun, J. (1999) *The War Against Population: The Economics and Ideology of World Population Control*, Second Edition, Ignatius Press: San Francisco.

316. Según mi proposición, los multibillonarios mencionados representan algunos de los nodos centrales de la red progresista planteada teóricamente en el subcapítulo 4.2. Según el ranking de Forbes 2022, Elon Musk es la persona más rica del planeta con un patrimonio total de US$219.000 millones. Le siguen, en orden descendente, Jeff Bezos con US$171.000; Bernard Arnault, propietario del grupo de artículos de lujo LVMH, con US$158.000 millones; el propio Bill Gates con US$129.000 millones; y Warren Buffet, íntimo amigo de Gates, con US$118.000 millones. El hispanoamericano mejor posicionado es el mexicano Carlos Slim, propietario del poderoso Grupo CARSO S.A., en la decimotercera posición, con US$81.200 millones, mientras que el predatorio George Soros ocupa la posición 246 con "solo" US$6700 millones. Para poner en perspectiva estas cifras, la fortuna de Musk es equivalente al Producto Interno Bruto (PIB) nominal de los 60 países más pobres del mundo, similar al de Grecia y aproximadamente 1,1% del PIB de los EEUU. Más aún, Musk, Bezos, Gates y compañía son parte del 1,1% de la población mundial que concentra el 45,8% de la riqueza total, mientras que el 55% más pobre solo posee 1,3%. Son las abismales e insalvables diferencias entre la élite y la "población inútil" de Harari. Ver: (I) "World´s Billionaires List 2022", *Forbes*, https://www.

en la Universidad Rockefeller. Gracias a información fidedigna filtrada a la prensa, se pudo confirmar que el principal tema tratado fue la reducción de la población para evitar un desastre ambiental[317]. El compromiso de estos personajes con la agenda demográfica se ha reforzado con el paso del tiempo, a pesar de las atrocidades cometidas para cumplir sus objetivos (China es uno de los casos más extremos). Desde 2015, el Partido Comunista relajó la política del hijo único y hoy permite dos por pareja. Sin embargo, cualquier hijo sobre este número se traducirá en el pago de una prohibitiva multa de US$9750. Adicionalmente, cada tres meses, los gobiernos locales en todo el país realizan controles obligatorios de embarazo para asegurar el cumplimiento de la ley. Muchas mujeres embarazadas con un tercer niño deciden escapar a zonas rurales, donde el control es más laxo. Sin embargo, si son descubiertas, serán obligadas a abortar, independientemente del período de gestación[318].

Las agendas ambientales y demográficas del progresismo han sido complementadas con las 17 metas de la Agenda 2030 para el Desarrollo Sostenible. Cada meta de desarrollo sostenible cuenta con un número específico de submetas e indicadores para su cumplimiento en 2030[319]. Encontramos metas tan ambiguas como erradicar la pobreza (meta 1), salud y bienestar (meta 3), igualdad de género (meta 5), energía limpia y asequible (meta 7) y acción climática (meta 13), que expresan el buenismo de los tecnócratas de la ONU[320]. Sin embargo, sometidas a detallada inspección, descubrimos que todas incorporan submetas e indicadores climáticos y/o de género para su cumplimiento, y develan así los grandes propósitos detrás: clima y métodos indirectos de control poblacional. Esta conexión es explícitamente

---

forbes.com/billionaires/ y (II) "This Simple Chart Reveals the Distribution Of Global Wealth", *Visual Capitalist*, https://www.visualcapitalist.com/distribution-of-global-wealth-chart/

317. Ver: (I) "They're called the Good Club and they want to save the world", *The Guardian*, https://www.theguardian.com/world/2009/may/31/new-york-billionaire-philanthropists, y (II) "Billionaire club in bid to curb overpopulation", *The Times*, https://www.thetimes.co.uk/article/billionaire-club-in-bid-to-curb-overpopulation-d2fl22qhl02

318. "Politicians' Support for Population Control Is Dangerous", CATO Institute, https://www.cato.org/commentary/politicians-support-population-control-dangerous

319. "Transformar nuestro mundo: la Agenda 2030 para el Desarrollo Sostenible", ONU, https://sdgs.un.org/es/2030agenda

320. "Do you know all 17 SDGs?", UN, https://sdgs.un.org/goals

señalada por el investigador del Heritage Institute, Jay Richards, quien denuncia a la ONU por su uso recurrente de eufemismos como "derechos reproductivos y sexuales", que incluyen prácticas como planificación familiar, educación sexual integral, aborto seguro, métodos anticonceptivos y salud maternal en nombre del cambio climático y del control demográfico[321].

El desarrollo de nuevas tecnologías, como la edición genética en combinación con el alarmismo climático, el maltusianismo y las ambiciones transhumanistas, ha reabierto el apetito a los entusiastas de la eugenesia. En este sentido, nadie mejor que el "profeta" Yuval Noah Harari para anunciar las falsas promesas: "Los nuevos poderes que estamos adquiriendo, especialmente biotecnología e inteligencia artificial, realmente nos van a transformar en dioses. No lo digo como metáfora literaria, lo afirmo en sentido literal"[322]. La sobreexposición de Harari no ha sido espontánea ni gratuita. Doctor en historia por la Universidad de Oxford —para apelar a la falacia de autoridad —, homosexual —para representar los principios del eslogan tripartito—, judío —para blindarlo de críticas bajo cargos de antisemitismo— y militante del anticristianismo —para demoler los fundamentos civilizatorios de Occidente, y posicionar el cientificismo—, parece haber sido cuidadosamente seleccionado para interpretar el rol que interpreta.

Harari encandila a los ilusos recurriendo a desarrollos científicos y tecnologías que dejaron de ser ciencia ficción. En 2014, la revista *Nature* publicó un artículo donde informa sobre la obtención de gametos rudimentarios en laboratorio —óvulos y espermatozoides— derivados de células madre[323]. Esto significa que, a medida que se perfeccione esta técnica, los espermatozoides podrán ser obtenidos de células madre de mujeres, lo que significaría la potencial jubilación de los hombres de la reproducción natural. Pocos celebrarán esta noticia como Harris, tanto como Shulamith Firestone debido a la irrupción

321. "U.N. Exploits Climate Change Concerns to Push Contraception, Population Control", The Heritage Foundation, https://www.heritage.org/life/commentary/un-exploits-climate-change-concerns-push-contraception-population-control

322. "Humans, Gods and Technology" (2017), VPRO, https://www.youtube.com/watch?v=tQd_5as_cMY

323. "Rudimentary egg and sperm cells made from stem cells", *Nature*, https://www.nature.com/articles/nature.2014.16636

de tecnologías reproductivas como los úteros artificiales. En 2017, otro artículo en *Nature* confirmó la exitosa aplicación de un sistema extrauterino de soporte en corderos prematuros, que fueron mantenidos en perfectas condiciones durante un mes —hasta el término del experimento— fuera del útero materno[324]. Adicionalmente, en marzo de 2021, científicos del Instituto Weizmann de Ciencias de Israel lograron desarrollar 250 embriones de ratón en botellas adaptadas para la tarea, con lo cual probaron que el útero materno dejó de ser la única matriz dadora de vida. Estas técnicas se suman al trasplante de úteros, cuya primera práctica exitosa ocurrió en 2014, lo cual permitió a la paciente gestar a su propio hijo. Los científicos ya consideran la posibilidad de replicar la práctica en mujeres trans[325]. Más aún, bajo la media verdad de su uso con fines terapéuticos, investigadores de las universidades de Twente y de Eindhoven en Holanda están desarrollando un útero artificial exclusivo para seres humanos, lo que prueba, una vez más, el uso reproductivo que se les pretende dar a estas tecnologías[326]. ¿Hombre embarazado? ¿Personas gestantes? ¿Las mujeres trans también menstrúan? ¿Familias multiparentales? El rompecabezas se sigue armando.

La introducción de la píldora anticonceptiva en la década de los sesenta generó cambios sísmicos a nivel reproductivo, económico, cultural, social, religioso y legal, pero el impacto de los úteros artificiales sería, con absoluta certeza, órdenes de magnitud superior. En un reciente artículo para el panfleto progresista *The Guardian*, la investigadora Aarathi Prasad[327] adelantó que "los úteros artificiales cambiarán nuestras ideas sobre género, familia e igualdad" y les "brindará a los hombres una herramienta esencial para tener hijos sin la necesidad de una mujer, en caso de que así lo decidan". Agrega que

324. Ver: (I) "An extra-uterine system to physiologically support the extreme premature lamb", *Nature*, https://www.nature.com/articles/ncomms15112, y (II) "Scientists Grow Lamb Fetus Inside Artificial Womb", *Tech Insider*, https://www.youtube.com/watch?v=dt7twXzNEsQ&t=18s

325. "How a Transgender Woman Could Get Pregnant", *Scientific American*, https://www.scientificamerican.com/article/how-a-transgender-woman-could-get-pregnant/

326. "Prenatal Artificial Support System–Artificial Womb", *TU/e*, https://www.tue.nl/en/research/research-groups/cardiovascular-biomechanics/artificial-womb/

327. "How artificial wombs will change our ideas of gender, family and equality", *The Guardian*, https://www.theguardian.com/commentisfree/2017/may/01/artificial-womb-gender-family-equality-lamb

los úteros artificiales serían útiles para las mujeres, las mujeres trans y los homosexuales, lo que vaciaría biológica y ontológicamente de contenido y de significado los conceptos de dimorfismo y dualismo sexual, masculinidad y feminidad, menstruación, inseminación, concepción, reproducción natural, procreación, gestación, paternidad y maternidad, así como todas las instituciones asociadas a estas, principalmente, matrimonio y familia nuclear. Más piezas se suman al rompecabezas.

En *El fin del sexo y el futuro de la reproducción humana* (2016), el profesor de ética, leyes y biociencias de la Universidad de Harvard, Henry T. Greely, no tiene la menor duda de que las tecnologías y técnicas de reproducción artificial gradualmente irán desplazando al ser humano de su función reproductiva natural, excepto la gestación de bebés, debido a sus dudas sobre la viabilidad técnica de los úteros artificiales. Al respecto, Greely pronostica lo siguiente:

> "[...] en los próximos 20 a 40 años, en humanos con buena cobertura médica, el sexo, en un sentido, desaparecerá, o por lo menos, decrecerá significativamente. La mayoría de las personas ya no tendrá relaciones para concebir a sus hijos. En vez de ser concebidos en una cama o el asiento posterior de un automóvil [...] los niños serán concebidos en clínicas. Los óvulos y espermatozoides serán unidos mediante fertilización in vitro (FIV). El ADN de los embriones resultantes será secuenciado y cuidadosamente analizado antc de decidir qué embrión o embriones serán transferidos a un útero para el desarrollo de uno más bebés [328].

El desolador pronóstico de Greely se remite exclusivamente a la temporalidad, y no a la posibilidad de que este escenario se normalice. Para él, la reproducción artificial es inevitable. La pregunta es cuánto tiempo tardará en ser rutinaria. La ciencia ya cuenta con la poderosa técnica de Diagnóstico de Preimplantación Genética (DPG) en embriones que Greely describe su aplicación de esta forma:

---

328. Greely, H.T. (2016). *The End of Sex and the Future of Human Reproduction*, Harvard University Press: Cambridge. pp.1-2.

> Podemos tomar unas cuantas células de un embrión en un tubo de ensayo, evaluarlos para uno o dos tipos de características genéticas y usar esa información para decidir a qué embrión se le dará la oportunidad de convertirse en un bebé[329].

A partir de la normalización pronosticada por Greely, serán terceros, no la naturaleza, quienes decidirán quién vive y quién no. El sórdido componente eugenésico relacionado con esta técnica ya fue advertido en 1999, en un artículo publicado por el *Journal of Medical Ethics*[330]. El autor explicó que la potencial masificación de la DPG podría crear un mercado libre eugenésico orientado a eliminar todos los embriones con desórdenes genéticos y con ausencia total de coerción estatal. También señaló que, al ser una técnica de descarte mucho más sofisticada que el aborto, los criterios para elegir embriones podrían incluir la selección de características no relacionadas con patologías congénitas. En otras palabras, un embrión con un genoma perfectamente viable podría ser descartado, simplemente, por no tener el color de ojos, piel o sexo deseados por el comprador, algo que, como ya hemos visto, ocurre actualmente.

Los defensores de la DPG y otras técnicas de "salud reproductiva" sostienen que, a diferencia de la eugenesia practicada por el nazismo, la suya es una eugenesia positiva porque selecciona características deseables y es voluntaria, mientras que la eugenesia negativa es coercitiva y se orienta a reducir características no deseadas[331]. Este argumento es insostenible y no libera a sus proponentes de la carga de culpa por sus prácticas discriminatorias. ¿Cuáles son las características positivas? ¿Quién/es las determina/an? ¿Por qué la ausencia de algunas características positivas condena a muerte a un ser humano vivo y viable? Reitero: este argumento es indefendible, y su puesta en práctica deriva

329. Greely, H.T. (2016). *The End of Sex and the Future of Human Reproduction*, Harvard University Press: Cambridge. p.2.

330. King, D.S: (1999). "Preimplantation Genetic Diagnosis and the 'New' Eugenics", *Journal of Medical Ethics*, 25 (2): 176-82.

331. Una síntesis de los argumentos a favor y en contra de la eugenesia pueden ser consultados en la web Eugenics: positive vs negative, https://eugenicsarchive.ca/discover/tree/5233c3ac5c2ec5 0000000086#:~:text=The%20distinction%20between%20positive%20and,aimed%20at%20 decreasing%20undesirable%20traits

en la comercialización de millones de "especímenes" —embriones, fetos y sus órganos y tejidos— producidos y vendidos como celulares en un mercado.

Los debates bioéticos están a la orden del día, y su importancia y su frecuencia aumentarán considerablemente a medida que más "avances" sean de conocimiento público. A pesar de la cultura de la censura y cancelación predominantes que apuntan hacia la estandarización ideológica e intelectual, algunos autores como Leon Kass (1939)[332] y como Michael Sandel han planteado argumentos interesantes contra la manipulación genética en seres humanos. Para el primero, el rechazo o asco instintivo que sentimos ante un objeto o situación desagradable engloba y transmite miles de años de sabiduría natural como, por ejemplo, el rechazo natural a la práctica del aborto[333]. Los críticos del planteamiento de Kass sostienen que apela a la emoción y que su argumento carece de lógica y de sustento filosófico. Son los mismos a quienes haría bien comer un plato con heces o un brazo humano para saber si después seguirán pensando lo mismo. A la defensa de la integridad del ser humano de Kass se le suma Michael Sandel —a quien presenté en el primer capítulo— y su crítica al consecuencialismo, que respalda filosóficamente a la eugenesia "positiva". En *Contra la perfección* (2007), Sandel sostiene que el problema con la edición genética no es que afecte la autonomía del niño mejorado, sino la vanidad de aspirar a una perfección que nunca será suficiente[334]. El filósofo estadounidense agrega que las técnicas de mejoramiento cosifican al niño con un genoma editado y condicionan el amor de sus padres: un niño debe ser amado por lo que es, por sus cualidades intrínsecas, y no por su diseño. Para evitar la disolución de nuestra naturaleza, Sandel apela al rescate de la humildad, la responsabilidad y la solidaridad para evitar aplicaciones que lo instrumentalicen.

---

332. Leon Kass es un experto en bioética estadounidense que, entre 2002 y 2005, presidió el Consejo Presidencial sobre Bioética (CPB) establecido durante el gobierno del presidente Bush. El CPB se dedicó a evaluar las implicaciones éticas en la aplicación de tecnologías biomédicas como la clonación y la edición genética. Su perfil y sus reportes durante el ejercicio de ese cargo pueden ser consultados en el siguiente enlace: https://bioethicsarchive.georgetown.edu/pcbe/about/kass.html

333. Kass, L. (1997). "The Wisdom of Repugnance", *The New Republic*, pp. 17-26.

334. Sandel, M. (2009), *The Case Against Perfection: Ethics in the Age of Genetic Engineering*, Harvard University Press: Cambridge, MA.

A la posición bioconservadora de Kass y Sandel —término acuñado por sus críticos transhumanistas y posmodernistas[335]— se le suman el liberal demócrata Francis Fukuyama y Jürgen Habermas (1929), uno de los principales exponentes de la Escuela de Frankfurt[336]. La posición de Fukuyama es principista: todos somos iguales por naturaleza, y la manipulación genética alteraría ese principio creando desigualdades artificiales. Más aún, debido a la complejidad biológica del ser humano, se corre el riesgo de disolver su naturaleza y crear un derivado de nuestra especie completamente irreconocible[337]. Por su parte, Habermas alerta sobre el uso de técnicas como el DPG, como un proceso gradual de autotransformación de nuestra especie en el que las distinciones entre eugenesia positiva y negativa se vuelven irrelevantes al partir ambas del principio de discriminación. Para Habermas, una potencial transformación de nuestra especie acabaría con la moral universal expresada en la doctrina de derechos humanos[338]. A pesar de migrar su atención a los peligros de la IA aplicada en seres humanos, los argumentos del doctor en siquiatría alemán Thomas Fuchs son transferibles y complementarios. En su obra *En defensa del ser humano* (2021), Fuchs critica el reduccionismo infantil de los transhumanistas y su absoluto desconocimiento de la naturaleza humana, explicando que cualidades como la identidad, la dignidad y la libertad son intrínsecas a nuestra corporalidad. Modificar nuestra naturaleza fusionándonos con máquinas nos reduciría a meros procesadores de data e información mediante un proceso de autocosificación que suprimiría nuestra autodeterminación[339].

---

335. Entre los críticos más destacados del bioconservadurismo se encuentra el filósofo moral y neoeugenista australiano Julian Saveluscu, director del Centro Uehiro de Ética Práctica de la Universidad de Oxford. Savulescu es un entusiasta promotor de la manipulación genética con fines de mejoramiento físico y moral. Junto a Bostrom, Savulescu desarrolla un marco moral que justifica la modificación de seres humanos con fines utilitaristas. Ver: Savulescu, J. and Bostrom, N. (eds.) (2009). *Human Enhancement*, Oxford University Press: Oxford.

336. La Escuela de Frankfurt es una corriente de pensamiento social y filosófico crítico de sistemas rígidos de organización social entre los que destaca, según su perspectiva, el capitalismo. Surge del trabajo de filósofos y de científicos sociales, mayormente de orientación izquierdista, a fines de la década de los veinte y aún mantiene cierta vigencia, en gran medida, gracias a representantes como el propio Habermas.

337. Fukuyama, F. (2006). *Our Posthuman Future: Consequences of the Biotechnology Revolution*, Profile Books: London.

338. Habermas, J. (2003). *The Future of Human Nature*, Polity: New York.

339. Fuchs, T. (2021). *In Defence of the Human Being: Foundational Questions of an Embodied Anthropology*, Oxford University Press: Oxford.

Personalmente, suscribo todos los planteamientos previos y destaco un elemento clave de esta convergencia en defensa del ser humano: en cuestiones bioéticas que dividen posiciones entre quienes buscamos preservar nuestra naturaleza y condición —los bioconservadores versus quienes buscan modificarla: los transhumanistas—, las distinciones políticas entre izquierdas y derechas se vuelven irrelevantes, ya que prima lo antropológico sobre cualquier otra consideración. Ideologías como el marxismo, el socialismo, el liberalismo y el libertarismo compiten por ofrecer mundos felices basados en modelos políticos y económicos que serán valorados, según la compatibilidad o la incompatibilidad, con intereses individuales y colectivos. Debido a sus diferencias, las ideologías no son universales, mientras que la naturaleza y condición humana sí lo son. A partir de este razonamiento se entiende el consenso espontáneo entre un *derechista* como Fukuyama y un *izquierdista* como Habermas. Otro aspecto para resaltar es el carácter deductivo de todas las ideologías mencionadas que terminan teorizando al ser humano sin apego a la realidad empírica. A diferencia del *Homo economicus*, muchas veces los seres humanos tomamos decisiones irracionales, mientras que el proletario ignora nuestra dimensión trascendental. La tecnología y cambios que esta genera (no solo a nivel político, económico y sociocultural, sino, también, a nivel antropológico) están reconfigurando el eje político tradicional y estructurando una nueva economía que muta gradualmente de lo físico a lo digital.

Sobre la base de argumentos y razonamientos empíricamente respaldados, la posibilidad de tercerizar el proceso reproductivo humano a la tecnología deja de ser una teoría de conspiración y se convierte en una realidad factible. Más aún, en atención a las aplicaciones reproductivas presentes y futuras de las tecnologías convergentes, también se puede inferir que nos dirigimos hacia esa realidad. La predictibilidad de esta tendencia se refuerza vigorosamente al confirmar la complicidad de los Estados-nación en los intentos de redefinir y reconfigurar al ser humano. El mejor caso lo aporta la propuesta de una nueva Constitución en Chile, que fue rechazada mediante referéndum el 4 de septiembre de 2022 con 62% de votos[340]. Fue una decisión providencial de los chilenos, considerando el contenido de los artículos propuestos, especialmente los artículos 16 y 17 que corresponden al capítulo "Derechos sexuales y reproductivos". Cito textualmente[341]:

Artículo 16

Todas las personas son titulares de derechos sexuales y derechos reproductivos. Estos comprenden, entre otros, el derecho a decidir de forma libre, autónoma e informada sobre el propio cuerpo, sobre el ejercicio de la sexualidad, la reproducción, el placer y la anticoncepción.

El Estado garantiza el ejercicio de los derechos sexuales y reproductivos sin discriminación, con enfoque de género, inclusión y pertinencia cultural, así como el acceso a la información, educación, salud, y a los servicios y prestaciones requeridos para ello, asegurando a todas las mujeres y personas con capacidad de gestar, las condiciones para un embarazo, una interrupción voluntaria del embarazo, parto y maternidad voluntarios y protegidos. Asimismo, garantiza su ejercicio libre de violencias y de interferencias por parte de terceros, ya sean individuos o instituciones.

Artículo 17

Educación Sexual Integral. Todas las personas tienen derecho a recibir una Educación Sexual Integral, que promueva el disfrute pleno y libre de la sexualidad; la responsabilidad sexoafectiva; la autonomía, el autocuidado y el consentimiento; el reconocimiento de las diversas identidades y expresiones del género y la sexualidad; que erradique los estereotipos de género y prevenga la violencia de género y sexual.

---

340. "Chile rechaza ampliamente la propuesta de nueva Constitución", *BBC Mundo*, https://www.bbc.com/mundo/noticias-america-latina-62790788

341. Convención Constituyente de Chile, marzo de 2022, https://www.chileconvencion.cl/wp-content/uploads/2022/03/Oficio-622-que-comunica-las-normas-aprobadas-en-la-sesion-68a-del-Pleno-de-la-Convencion-Constitucional.pdf

Al declarar que "todas las personas son titulares de derechos sexuales y reproductivos" se recurre a la ambigüedad inherente a la palabra "persona", comparable con la de la palabra "género". Esta ambigüedad se manifiesta con total claridad en los argumentos proabortistas que niegan la condición de persona al concebido, pero que tampoco aportan un criterio universal para su definición. Por lo tanto, un ser humano puede adquirir la categoría "persona" a las 12 semanas de gestación, cuando ya siente dolor, mientras que otros como Tooley, Giubilini y Minerva argumentarán que, sin autonomía, esta categoría no es aplicable a los embriones o fetos. Al ser imposible el consenso sobre una definición universal, los niños también pueden ser constitucionalmente considerados personas, *ergo*, también serían titulares de "derechos sexuales y reproductivos", lo cual abre un oscuro camino hacia la legalidad de la pedofilia.

Con respecto a la declaración "[...] el derecho a decidir de forma libre, autónoma e informada sobre el propio cuerpo, sobre el ejercicio de la sexualidad, la reproducción, el placer y la anticoncepción", sus fundamentos utilitaristas son evidentes. El sexo es desprovisto de su función procreativa y se enfatiza su propósito recreativo. La autonomía sobre el propio cuerpo da luz verde para proceder a cualquier tipo de mutilación o modificación que satisfaga un ejercicio de la sexualidad acorde con la disforia del individuo. La anticoncepción consolida la política de control demográfico. Cuando "el Estado garantiza el ejercicio de los derechos sexuales y reproductivos sin discriminación", los "extraterrestres asexuados", las "mujeres dragón" y los hombres trans gozarían de absoluta protección para seguir dinamitando el dualismo sexual, la reproducción natural y las instituciones que emergen de estas realidades. El enfoque de género también se convierte en política de rango constitucional y se ofrecen más métodos de destrucción de vida humana naturalmente concebida. Cabe destacar la incorporación del concepto de personas con capacidad de gestar que, como ya vimos, diluye la naturaleza reproductiva en su totalidad. Bienvenidos los úteros artificiales. Finalmente, cuando se declara, con respecto al sexo, que el Estado "garantiza su ejercicio libre de violencias", la advertencia a los críticos es clara: el aparato estatal será utilizado para someterlos, y cualquier atropello estará constitucionalmente avalado.

El artículo 17 complementa el artículo anterior. La ideología de género se transforma en "Educación Sexual Integral", orientada a adoctrinar a los futuros representantes de la diversidad y demoler completamente su capacidad procreativa. Otro camino se abre para múltiples manipulaciones —desde genéticas, vía CRISPR y DPG, hasta anatómicas vía faloplastías y ectogénesis—, con el respaldo de un Estado que se convierte en enemigo del ser humano y en apéndice del progresismo que atenta contra nuestra naturaleza. Es un Estado que renuncia a todas sus funciones y deberes esenciales para someterse al maltusianismo medioambiental y el posdarwinismo transhumanista. Celebrar el fracaso del progresismo en el referéndum chileno es un error; sus agentes volverán a la carga hasta lograr su objetivo, tal como lo hicieron para legalizar el aborto en Argentina en 2020. El drama subyacente es el completo desamparo del ser humano por sus principales organizaciones e instituciones y por los duros y constantes ataques que de estas recibe.

La ciencia y la tecnología nos han traído grandes beneficios y una mayor y mejor calidad de vida, pero también han exacerbado la vanidad y arrogancia de quienes se creen dioses. Lo tienen todo, pero nunca será suficiente. El mayor costo de su ambición es la desnaturalización del ser humano. Para lograr este dominio, será necesario cambiar lo que somos. Los ejemplos de nuestra desnaturalización y deshumanización abundan. Algunos meses atrás, empresas supervisadas y controladas por el Partido Comunista Chino (PCC) lograron desarrollar niñeras con Inteligencia Artificial para monitorear a los neonatos[342]. La despersonalización de los individuos seleccionados para vivir será total. En otro desarrollo realmente revolucionario, científicos del Instituto Weizmann de Ciencias acaban de producir el primer embrión artificial de la historia, un embrión creado a partir de células madre, sin necesidad de espermatozoides y de óvulos[343]. El "macho violador" comienza a ser jubilado por la tecnología. Y, para que la deshumanización sea total, ya nos advierten que los niños Tamagotchi

342. "Chinese scientists create AI nanny to look after embryos in artificial womb", *South China Morning Post*, https://www.scmp.com/news/china/science/article/3165325/chinese-scientists-create-ai-nanny-look-after-babies-artificial

343. "Mouse embryos grown without eggs or sperm", *Nature*, https://www.nature.com/articles/d41586-022-02334-2

—criaturas digitales que habitarán en el metaverso— podrán materializar nuestros deseos naturales de paternidad y de maternidad. Mejor aun, al ser padres de una criatura parida por programación computacional, contribuiremos a resolver el problema de la sobrepoblación[344]. Niñeras artificiales, embriones sintéticos, bebés digitales, xenobots, extraterrestres sin género son algunos de los neo entes —las nuevas criaturas, existentes e imaginarias— destinados a remplazarnos. Uno de los principales axiomas de los alquimistas del medioevo fue "*Solve et coagula*" —disolver y coagular—, proceso mediante el cual purificaban gradualmente la materia sólida (el cuerpo) para transformarla en fluido (el espíritu) en iteraciones de variable duración[345]. Bajo una concepción materialista y modular del ser humano, los alquimistas del siglo XXI buscan invertir este proceso —diluir el espíritu para transformarlo en materia— hasta alcanzar la perfección que tanto anhelan. Sin embargo, incurren en una contradicción fundamental alimentada por su relativismo: es imposible mejorar algo destruyéndolo. Lo que realmente logran la diversidad, la igualdad y la inclusión es convertir al ser humano en una masilla moldeable, en arcilla pura, con la cual se pueda crear todo lo que la imaginación y las tecnologías permitan. Sin embargo, se abre una caja de Pandora cuyas consecuencias todos ignoramos. "Útil" no es sinónimo de "bueno", y "modificar" tampoco lo es de "mejorar". Los seres nuevos —los neo entes resultantes— podrán ser más útiles, pero no necesariamente mejores. Y, definitivamente, nunca serán humanos.

344. "Tamagotchi children who don't exist could solve the population problem", *Telegraph*, https://www.telegraph.co.uk/news/2022/05/30/tamagotchi-children-dont-exist-could-solve-population-problem/

345. Abraham, L. (1998) *A Dictionary of Alchemical Imagery*, Cambridge University Press: Cambridge. pp. 186-187.

Referencias

1. Abraham, L. (1998). *A Dictionary of Alchemical Imagery*, Cambridge University Press: Cambridge.
2. Acemoglu, D. y Robinson, J. A. (2012). *Why Nations Fail–The Origins of Power, Prosperity and Power*, Profile Books: London.
3. Bacon, F. and Fowler, T. (1889). *Novum Organum*, 7.th Edition, Clarendon Press: Oxford.
4. Bentham, J. (1789). *An Introduction to the Principles of Morals and Legislation*, T. Payne, and son: London.
5. Bernal, J.D. (1929). "The World, The Flesh, & the Devil: An Enquiry into the Future of the Three Enemies of the Rational Soul", Verso: London.
6. Biblia de Jerusalén (2009). Desclée de Brouwer: Bilbao.
7. Black, E. (2003). *War Against the Weak: Eugenics and America's Campaign to Create a Master Race*, Dialog Press: Washington DC.
8. Bostrom, N. (2005). "A History of Transhumanist Thought", *Journal of Evolution and Technology*, 14 (1).
9. _______ (2014). *Superintelligence: Paths, Dangers, Strategies*, Oxford University Press: Oxford.
10. Buderi, R. y Huang, G.T. (2006). *Guanxi (The Art of Relationships): Microsoft, China, and Bill Gates's Plan to Win the Road Ahead*, Simon & Schuster: New York.
11. Burke, E. (1790). *Reflections on the Revolution in France–Penguin Classics*, Penguin Books: London.
12. Bury, J.B. (1920). *The Idea of Progress: An Inquiry into its Origin and Growth*, MacMillan and Co: London.
13. Bush, V. (1945). *Science, the Endless Frontier*. United States Government Printing Office: Washington. Disponible en https://www.nsf.gov/about/history/nsf50/vbush1945.jsp
14. Collins, F. (2007). *The Language of God: A Scientist Presents Evidence for Belief*, Pocket Books: London.
15. Connelly, M. (2008). *Fatal Misconception: The Struggle to Control World Population*, The Belknap Press of Harvard University Press: Cambridge.

16. Coole, D. (2018). *Should We Control Overpopulation?*, Polity Press: London.
17. Darwin, C. (1859). *On the Origin of Species by Means of Natural Selection, or the Preservation of Favoured Races in the Struggle for Life*, John Murray: London.
18. Dawkins, R. (1976). *The Selfish Gene*, Oxford University Press: Oxford.
19. De Benoist, A. (2008). "A Brief History of the Idea of Progress", *The Occidental Quarterly*, 8 (1): 7-16.
20. De Caritat, M.J.A.N.–marquis de Condorcet (1795). *Esquisse d'un tableau historique des progrès de l'esprit humain*, Les classiques de sciences sociales, Université du Québec a Chicoutimi. Disponible en http://classiques.uqac.ca/classiques/condorcet/esquisse_tableau_progres_hum/esquisse.html
21. De Grey, A.D.N.J. and Rae, M. (2007). *Ending Aging: The Rejuvenation Breakthroughs That Could Reverse Aging in Our Lifetime*, St. Martin's Press: New York.
22. Diderot, D. (1769). *Le rêve de d'Alembert*, Les classiques de sciences sociales, Université du Québec a Chicoutimi. Disponible en http://classiques.uqac.ca/classiques/Diderot_denis/d_Alembert/d_alembert_2_reve/reve_d_alembert.html
23. Drexler, E.K. (1988). *Engines of Creation: The Coming Era of Nanotechnology*, Anchor Books: New York.
24. Ehrlich, P. (1968). *The Population Bomb: Population Control or Race to Oblivion?*, Ballantine Books: New York.
25. Ettinger, R. (1962). *The Prospect of Immortality*, Cryonics.org: Michigan. Disponible en https://www.cryonics.org/images/uploads/misc/Prospect_Book.pdf
26. Fedorov, N.F. (1990). *What was Man Created for? The Philosophy of the Common Task, Selected Works*, Honeyglen Publishing/L'Age d'Homme: London. Disponible en https://content.cosmos.art/media/pages/library/what-was-man-created-for/3855459642-1601363819/fedorov-what-was-man-created-for.pdf
27. Firestone, S. (1970). *The Dialectic of Sex: The Case for Feminist Revolution*, William Morrow and Company: New York.
28. Frey, C. y Osborne, M. (2013). "The Future of Employment: How Susceptible are Jobs to Computerisation?", *Working Paper—Oxford Martin School, University of Oxford.*
29. Fuchs, T. (2021). *In Defence of the Human Being: Foundational*

Questions of an Embodied Anthropology, Oxford University Press: Oxford.

30. Fukuyama, F. (1992). *The End of History and the Last Man*, Free Press: New York
31. _______ (2006). *Our Posthuman Future: Consequences of the Biotechnology Revolution*, Profile Books: London.
32. Gates, B. (2021). *How to Avoid a Climate Disaster: The Solutions We Have and the Breakthroughs We Need*, Allen Lane: London.
33. Giddens, A. (1998). *The Third Way: The Renewal of Social Democracy*, Polity Press: Cambridge.
34. Goodman, S. (2022). *Davos Man: How the Billionaires Devoured the World*, Custom House: New York.
35. Gordon, R.J. (2016). *The Rise and Fall of American Growth: The U.S. Standard of Living since the Civil War (The Princeton Economic History of the Western World),* Princeton University Press: Princeton, NJ.
36. Gray, J. (2002) *Straw Dogs: Thoughts on Humans and Other Animals*, Granta Books: London.
37. _______ (2011). *The Immortalization Commission: Science and the Strange Quest to Cheat Death*, Allen Lane: London.
38. _______ (2018). *Seven Types of Atheism*, Allen Lane: London.
39. Greely, H.T. (2016). *The End of Sex and the Future of Human Reproduction*, Harvard University Press: Cambridge.
40. Habermas, J. (2003). *The Future of Human Nature*, Polity: New York.
41. Haldane, J.B.S. (1924). *Daedalus; or, Science and the Future,* Kegan Paul Trench Trubner & Co: London.
42. Harari, Y.N. (2015). *Homo Deus: A Brief History of Tomorrow*, Harvill Secker: London.
43. Harris, J. (1985). *The Value of Life: An Introduction to Medical Ethics*, Routledge: London.
44. Huxley, A. (1931). *Brave New World*, Vintage Classics: Canada.
45. Huxley, J. (1927). *Religion Without Revelation*, Harper Brothers: London
46. _______ (1957). *New Bottles for New Wine*, Chatto & Windus: London.
47. Inhofe, J. (2012). *The Greatest Hoax: How the Global Warming Conspiracy Threatens Your Future*, WND Books: Washington DC.
48. Josephson, M. (1934). *The Robber Barons: The Great American Capitalists 1861-1901*, Hartcourt, Grace, and Company: New York.
49. Kasun, J. (1999). *The War Against Population: The Economics and*

Ideology of World Population Control, Second Edition, Ignatius Press: San Francisco.
50. Kühl, S. (1994). *The Nazi Connection: Eugenics, American Racism, and German National Socialism*, Oxford University Press: Oxford.
51. Kurzweil, R. (1999). *The Age of Spiritual Machines: When Computers Exceed Human Intelligence*, Viking: London.
52. ______ (2005). *The Singularity is Near: When Humans Transcend Biology*, Viking: London.
53. Lem, S. (2014). *Summa Technologiae*, University of Minnesota Press: Minnesota.
54. Lind, M. (2012). *Land of Promise: An Economic History of the United States*, Harper Collins: New York.
55. Lomborg, B. (2021). *False Alarm: How Climate Change Panic Costs Us Trillions, Hurts the Poor, and Fails to Fix the Planet*, Basic Books: New York.
56. Locke, J. 1632-1704 (1887). *Two Treatises on Civil Government*, Routledge and Sons: London.
57. Malthus, T. (1798). *An Essay on the Principle of Population*, St. Paul's Churchyard: London.
58. Manzocco, R. (2018). *Transhumanism: Engineering the Human Condition*, Springer Praxis Books: Cham.
59. Meyer, S. (2013). *Darwin's Doubt: The Explosive Origin of Animal Life and the Case for Intelligent Design*, Harper One: New York.
60. Mill, J.S. (1863). *Utilitarianism*, Parker, son, and Bourne: London.
61. Morano, M. (2018). *The Politically Incorrect Guide to Climate Change (The Politically Incorrect Guides)*, Regnery Publishing: New Jersey.
62. Moravec, H. (1988). *Mind Children: The Future of Robot and Human Intelligence*, Harvard University Press: Cambridge.
63. Navidi, S. (2017). *Superhubs: How the Financial Elite and their Networks Rule our World*, Nicholas Brealey Publishing: Boston.
64. Nietzsche, F. (1908). *Human, All to Human*, Charles H. Kerr & Company: Chicago. Disponible en https://babel.hathitrust.org/cgi/pt?id=mdp.39015003747733&view=1up&seq=5
65. North, D., Wallis, J. J. y Weingast, B. (2009). *Violence and Social Orders: A Conceptual Framework for Interpreting Recorded Human History*, Cambridge University Press: Cambridge.
66. North, D., Wallis, J. J., Webb, S. y Weingast, B. (2013). *In the Shadow of Violence – Politics, Economics and the Problems of Development*, Cambridge University Press: Cambridge.

67. Orwell, G. (1949). *Nineteen Eighty-Four: A Novel*, Secker & Warburg: London.
68. Pico della Mirandola, G. 1463-1494 (2012) *Oration on the Dignity of Man: a New Translation and Commentary*, Cambridge University Press: New York.
69. Pilgrim, D. (2022). *Identity Politics: Where Did It All Go Wrong?*, Phoenix Publishing House: Oxfordshire.
70. Pinker, S. (2002). *The Blank Slate: The Modern Denial of Human Nature*, Viking Press: New York.
71. _______ (2011). *The Better Angels of Our Nature: A History of Violence and Humanity*, Penguin Books: London.
72. _______ (2018). *Enlightenment Now: The Case for Reason, Science, Humanism and Progress*, Viking: New York.
73. Reade, W.W. (1872). *The Martyrdom of Man*, Internet Archive. Disponible en https://archive.org/details/martyrdomofman00readiala/page/514/mode/2up?q=disease+will+be+extirpated
74. Reichmann, J.B. (1985). *Philosophy of the Human Person*, Loyola Press: Chicago.
75. Roco, M.C. and Sims, W. (2003). *Converging Technologies for Improving Human Performance: Nanotechnology, Biotechnology, Information Technology, and Cognitive Science*, Kluwer Academic Publishers: Dordrecht.
76. Rubin, C.T. (2014). *Eclipse of Man: Human Extinction and the Meaning of Progress*, Encounter Books: New York.
77. Sammeroff, A. (2019). *Universal Basic Income: For and Against*, Rational Rise Press: Australia.
78. Sandel, M. (2009). *The Case Against Perfection: Ethics in the Age of Genetic Engineering*, Harvard University Press: Cambridge, MA.
79. _______ (2012). *What Money Can't Buy: The Moral Limits of Markets*, Farrar, Straus, and Giroux: New York.
80. Savulescu, J. and Bostrom, N. (eds.) (2009). *Human Enhancement*, Oxford University Press: Oxford.
81. Schellenberger, M. (2020). *Apocalypse Never: Why Environmental Alarmism Hurts Us All*, Harper Collins: New York.
82. Schwab, K. (2016). *The Fourth Industrial Revolution*, World Economic Forum.
83. Scott, J. (2017). *Social Network Analysis*, 4.th Edition, Sage: London.
84. Singer, P. (1975). *Animal Liberation: A New Ethics for our Treatment of Animals*, Harper Collins: New York.

85. Soh, D. (2021). *The End of Gender*, Threshold Editions: New York.
86. Sokal, A. and Bricmont, J. (1998). *Fashionable Nonsense: Postmodern Intellectuals' Abuse of Science*, Picador: New York.
87. Susskind, J. (2020). *A World Without Work: Technology, Automation, and How We Should Respond*, Allen Lane: Oxford.
88. Stiglitz, J. (2016). "A Progressive Agenda for the Twenty-First Century". En Woolner, D.B. y Thompson, J.M. (eds.) *Progressivism in America: Past, Present, and Future*, pp. 215-232.
89. Teilhard de Chardin, P. (1955). *Le Phénomène Humain*, Les classiques de sciences sociales, Université du Québec a Chicoutimi. Disponible en http://classiques.uqac.ca/classiques/chardin_teilhard_de/phenomene_humain/tdc_pheno.pdf
90. ______ (1959). *L'Avenir de l'Homme,* Internet Archive. Disponible en https://archive.org/details/lavenirdelhomme0000teil
91. Trajtelova, J. (2016). *Philosophical Anthropology: Selected Chapters*, Peter Lang GmbH, Internationaler Verlag der Wissenschaften: Frankfurt am Main.
92. Tsiolkovsky, K.E. (1903). *The Exploration of Cosmic Space by Means of Reaction Devices*, The Science Review.
93. Vinge, V. (1993). *The Coming Technological Singularity: How to Survive in the Post Human Era*, Whole Earth Review.
94. Woolner, D.B. and Thompson, J.M. (2016). *Progressivism in America: Past, Present and Future*, Oxford University Press: Oxford.
95. Wooton, D. (2015). *The Invention of Science: A New History of the Scientific Revolution*, Allen Lane: London.

Imágenes

1.
Agustín de Hipona, prominente teólogo y filósofo cristiano, fue el primer proponente de la idea moderna de progreso.

Fuente: Wikimedia Commons

2.
El dualismo mente-cuerpo propuesto por el filósofo francés René Descartes señala que la mente y el cuerpo son dos entidades distintas y separables. Su obra *Discurso del método*, publicada en 1637, dio origen a la filosofía moderna.

Fuente: Wikimedia Commons

3.

Marie Jean Antoine Nicolas de Caritat, filósofo y matemático francés conocido como "el Marqués de Condorcet", fue un acérrimo anticristiano, pero ferviente creyente de la perfectibilidad constante de la mente humana. Murió en prisión el 29 de marzo de 1794, cinco días después de su arresto ejecutado por los jacobinos, debido a sus duras críticas al régimen. Su obra *Bosquejo de una imagen histórica del progreso de la mente humana* fue publicada de manera póstuma en 1795.

Fuente: Wikimedia Commons

4.

El *Ensayo sobre el principio de la población*, escrito por el economista político Thomas Malthus, plantea la posibilidad de un ilimitado crecimiento demográfico y limitados recursos alimentarios. Este escenario, conocido como la "trampa maltusiana", constituye una de las justificaciones fundamentales del progresismo para implementar leyes y políticas orientadas al control demográfico.

Fuente: Wikimedia Commons

5.

Auguste Comte, autor de la doctrina positivista, creador de la sociología y responsable de acuñar la palabra "altruismo", estuvo convencido de que su obra filosófica sentaría las bases de una "religión de la humanidad". Debido a serios problemas mentales, fue internado en un hospital psiquiátrico en 1826, donde fue dado de alta sin cura. Pocos meses después, intentó suicidarse saltando de un puente. Desarrolló una amistad con el filósofo británico John Stuart Mill, con quien colaboró intelectualmente, hasta su muerte en 1857.

Fuente: Wikimedia Commons

6.

El naturalista británico Charles Darwin jamás imaginó el impacto que su obra *El origen de las especies* tendría sobre la sociedad victoriana del siglo XIX y sobre el resto del mundo más de siglo y medio después. Su teoría evolucionista ha devenido en dogma científico, por lo que cualquier crítica a esta será interpretada como manifiesta incapacidad científica. Según el politólogo estadounidense Charles Rubin, junto a la idea de perfectibilidad de Condorcet y a la justificación maltusiana, el darwinismo aporta el tercer pilar de la idea de progreso contemporáneo.

Fuente: Wikimedia Commons

7.

Caricatura publicada en 1883 por la revista de sátira política *Puck*, que describe la abismal asimetría de poder entre los barones ladrones, la acaudalada clase empresarial e industrial de los EEUU de fines del siglo XIX, y el resto de la sociedad estadounidense. El soborno a políticos, especialmente a nivel de los gobiernos locales, fue una de las prácticas más comunes a las que recurrieron para consolidar sus imperios petroleros, ferroviarios, industriales y financieros.

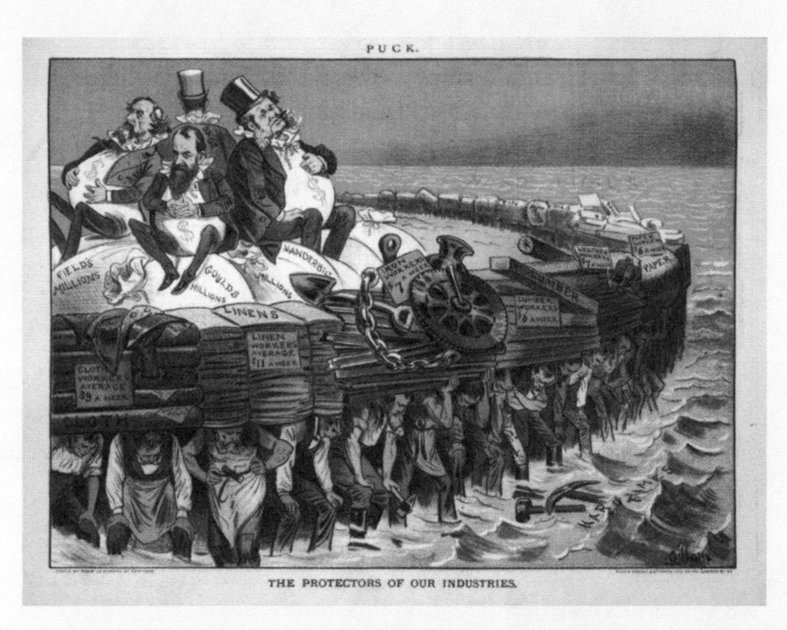

Fuente: Wikimedia Commons

8.
La palabra "robot" fue creada por el escritor y dramaturgo checo Kare Čapek en su novela *R.U.R. —Rossumovi Univerzální Roboti* ('Robots Universales de Rossum') —, publicada en 1920. La imagen muestra la primera caracterización de los robots durante la interpretación teatral de la obra en 1921.

Fuente: Wikimedia Commons

Fuente: Wikimedia Commons —CC BY 4.0.—

9.
Retrato del filósofo sueco Nick Bostrom, director del Instituto del Futuro de la Humanidad de la Universidad de Oxford, proponente del poshumanismo y uno de los pensadores más influyentes del movimiento transhumanista mundial.

Fuente: Wikimedia Commons

10.
Mosaico de la Antigua Roma, que muestra al héroe Belerefonte montado sobre su caballo Pegaso, matando a la destructiva Quimera.

11.
Fotografía de Aldous Huxley tomada por la revista *Time* en marzo de 1947. El autor de la famosa novela distópica *Un mundo feliz* fue nieto del promotor del darwinismo Thomas Huxley y hermano del biólogo evolucionista y creyente del transhumanismo, Julian Huxley. Apasionado por la ciencia debido a la influencia de su padre, en 1911 contrajo queratitis punteada en el ojo derecho, lo que le impidió estudiar medicina y enrolarse en el ejército británico durante la Primera Guerra Mundial.

Fuente: Wikimedia Commons

12.
La bandera arcoíris no es el símbolo de la causa LGBT. Es el símbolo principal del progresismo globalista.

Fuente: Elaboración propia

13.

Póster de propaganda de la Revolución Francesa de 1793 en el cual se lee: "Unidad e indivisibilidad de la República. Libertad, Igualdad, Fraternidad, o la muerte", que corresponde al eslogan tripartito de la República de Francia y de la República de Haití. El eslogan tripartito del progresismo globalista "Diversidad, Igualdad, Inclusión" podría haberse inspirado en este.

Fuente: Wikimedia Commons

14.

Elon Musk, fundador, cofundador y/o director general de las empresas *SpaceX*, *Tesla*, *The Boring Company*, la empresa de neurotecnología *Neuralink* y el laboratorio de investigación de inteligencia artificial *OpenAI*, es el hombre más rico del planeta, con una fortuna personal superior a los US$220.000 millones. Las inconsistencias entre su prédica y su práctica hacen difícil entender cuál es su verdadera posición sobre el movimiento progresista y sus agendas.

Fuente: Wikimedia Commons —CC BY— SA 3.0.

15.

Fotografía del torso desnudo de una mujer que está exhibiendo la frase "Mi cuerpo, mis reglas". Muy pocos jóvenes entienden las consecuencias de las ideologías radicales a las que adhieren de manera militante, y mucho menos las devastadoras consecuencias que estas tienen sobre su identidad, su integridad y su libertad.

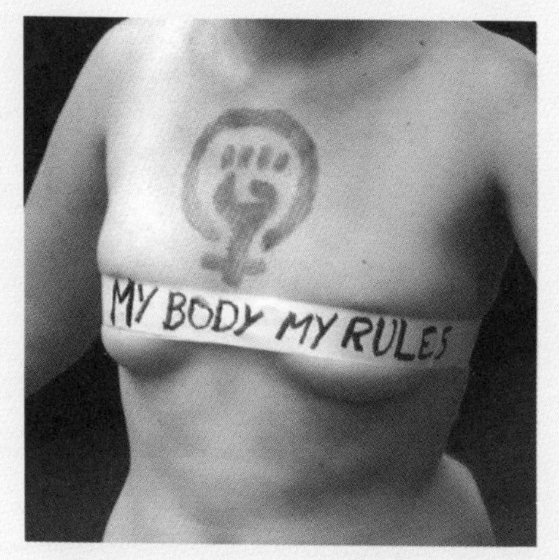

Fuente: Wikimedia Commons —CC BY—SA 4.0.

16.

Porción de una secuencia de ADN de un virus cuyo genoma completo está compuesto por 5418 nucleótidos. En comparación, el genoma humano posee 6000 millones de nucleótidos conteniendo todas las instrucciones que nos convierten en lo que somos. Es la maravillosa complejidad de la vida que el *Homo deus* busca manipular en aras de la superlongevidad, la superinteligencia y el superbienestar, pero también del control absoluto de su propia existencia

```
CATGACGTCGCGGACAACCCAGAATTGTCTTGAGCGATGGTAAGATCTAACCTCACTGCCGGGGGAGGCTCATAC
CTGGGGCTTTACTGATGTCATACCGTCTTGCACGGGGATAGAATGACGGTGCCCGTGTCTGCTTGCCTCGAAGCA
ATTTTCTGAAAGTTACAGACTTCGATTAAAAAGATCGGACTGCGCGTGGGCCCGGAGAGACATGCGTGGTAGTCA
TTTTTCGACGTGTCAAGGACTCAAGGGAATAGTTTGGCGGGAGCGTTACAGCTTCAATTCCCAAAGGTCGCAAGA
CGATAAAATTCAACTACTGGTTTCGGCCTAATAGGTCACGTTTTATGTGAAATAGAGGGGAACCGGCTCCCAAAT
CCCTGGGTGTTCTATGATAAGTCCTGCTTTATAACACGGGGCGGTTAGGTTAAATGACTCTTCTATCTTATGGTG
ATCCAAGCGCCCGCTAATTCTGTTCTGTTAATGTTCATACCAATACTCACATCACATTAGATCAAAGGATCCCCG
AGCCCAGTCGCAAGGGTCTGCTGCTGTTGTCGACGCCTCATGTTACTCCTGGAATCTACCTGCCCTCCCCTCACC
GGTTAAGGCGTGTGATCGACGATGCAGGTATACATCGGCTCGGACCTACAGTGGTCGATCGACTGGCTACTGGCT
TCGCGGTTCGGCGCGTAGTTGAGTGCGATAACCCAACCGGTGGCAAGTAGCAAGAAGACCTACCTGGGTCACCTT
AGACAACCTAACTAATAGTCTCTAACGGGGAATTACCTTTACCAGTCTCATGCCTCCAATATATCTGCACCGCTT
CAATGATATCGCCCACAGAAAGTAGGGTCTCAGGTATCGCATACGCCGCGCCCGGGTCCCAGCTACGCTCAGGAC
GACAGTAGAGAGCTATTGTGTAATTCAGGCTCAGCATTCATCGACCTTTCCTGTTGTGAATATTGTGCTAATGCA
TCTCGTCCGTAACGATCTGGGGGGCAAAACCGAATATCCGTATTCTCGTCCTACGGGTCCACAATGAGAAAGTCC
TGCGCGTGATCGTCAGTTAAGTTAAATTAATTCAGGCTACGGTAAACTTGTAGTGAGCTAAGAATCACGGGAATC
ACGGGTTCGCTACAGATGAACTGAATTTATACACGGACAACTCATCGCCCATTTGGGCGTGGGCACCGCAGATCA
AAAGTGGCAGATTAGGAGTGCTTGATCAGGTTAGCAGGTGGACTGTATCCAACAGCGCATCAAACTTCAATAAAT
CCAAAGCGTTGTAGTGGTCTAAGCACCCCTGAACAGTGGCGCCCATCGTTAGCGTAGTACAACCCTTCCCCCTTG
AGGTGCGACATGGGGCCAGTTAGCCTGCCCTATATCCCTTGCACACGTTCAATAAGAGGGGCTCTACAGCGCCGC
TTTTTAAATTAGGATGCCGACCCCATCATTGGTAACTGTATGTTCATAGATATTTCTTCAGGAGTAATAGCGACA
AGCTGACACGCAAGGGTCAACAATAATTTCTACTATCACCCCGCTGAACGACTGTCTTTGCAAGAACCAACTGGG
CTTAGATTCGCGTCCTAACGTAGTGAGGGCCGAGTCATATCATAGATCAGGCATGAGAAACCGACGTCGAGTCTA
CACACGAGTTGTAAACAACTTGATTGCTATACTGTAGCTACCGCAAGGATCTCCTACATCAAAGACTACTGGGCG
ATCTGGATCCGAGTCAGAAATACGAGTTAATGCAAATTTACGTAGACCGGTGAAAACACGTGCCATGGGTTGCGT
AGACCGTAGTCAGAAGTGTGGCGCGCTATTCGTACCGAACCGGTGGAGTATACAGAATTGCTCTTCTACGACGTA
AGGAGCTCGGTCCCCAATGCACGCCAAAAAAGGAATAAAGTATTCAAACTGCGCATGGTCCCTCCGCCGGTGGCA
CTATTATCCATCCGAACGTTGAACCTACTTCCTCGGCTTATGCTGTCCTCAACAGTATCGCTTATGAATCGCATG
CGGCTGTGGATCTTAACGGCCACATTCTTAATTCCGACCGATCACCGATCGCCTTTCCTCGCTGGTACAATGAGT
ACTAAGTTATCCAGATCAAGGTTTGAACGGACTCGTATGACATGTGTGACTGAACCCGGGAGGAAATGCAGAGAA
CTGTTTCAAGGCCTCTGCTTTGGTATCACTCAATATATTCAGACCAGACAAGTGGCAAAATTTCGTGCGCCTCTC
CTAGGTATTCACGCAACCGTCGTAACATGCACTAAGGATAACTAGCGCCAGGGGGGCATACTAGGTCCCGGAGCT
AAAGACTACCCTATGGATTCCTTGGAGCGGGGACAATGCAGACCGGTTACGACACAATTATCGGGATCGTCTAGA
GGTATTATTAGCAAGACAATAAAGGACATTGCACAGAGACTTATTAGAATTCAACAAACAGGATCATATCATGCG
GTGTTGGGTCGGGCAAGTCCCCGAAGCTCGGCCAAAAGATTCGCCATGGAACCGTCTGGTCCTGTTAGCGTGTAC
GCCTGCTCCTGTTCCGGGTACCATAGATAGACTGAGATTGCGTCAAAAAATTGCGGCGAAAATAGAGGGGCTCCT
TGTAGAAATACCAGACTGGGGAATTTAAGCGCTTTCCACTATCTGAGCGACTAAACATCAACAAATGCGTCTACT
CGAATCCGCAGTAGGCAATTACAACCTGGTTCAGATCACTGGTTAATCAGGGATGTCTTCATAAGATTATACTTG
CCCCGACGCGACAGCTCTTCAAGGGGCCGATTTTTGGACTTCAGATACGCTAGAATTTAAAGGGTCTCTTACACC
TGCTGCGGCCTGCAGGGACCCCTAGAACTTGCCGCCTACTTGTCTCAGTCTAATAACGCGCGAAGCCGTGGGGCA
CGTGACCTTAAGTCGCAGAGCGAGTGATGAATTTGGGACGCTAATATGGGTGAATAGAGACTTATATCATCAGGG
```

Fuente: Wikimedia Commons —CC BY— 4.0.

17.

Representación de un andrógino en la *Crónica de Nuremberg* (1493), una de las primeras enciclopedias ilustradas de Europa.

Fuente: Wikimedia Commons

18.

El logo de la Segunda Conferencia Internacional de Eugenesia, llevada a cabo en Nueva York en 1921, describió la eugenesia como "la autodirección de la evolución humana. Como un árbol, la eugenesia obtiene su materia prima de muchas fuentes y las organiza en una entidad armoniosa". Sus argumentos "científicos" aportaron los fundamentos éticos para la construcción de numerosos campos de concentración durante la Segunda Guerra Mundial.

Fuente: Wikimedia Commons